Dans la peau du diable

PÔLE NOIR

Chapitre 1

Samedi. J'ai accepté d'accompagner ma femme et les enfants au jardin public. Ils sont là-bas, sur la butte de gazon, juste après le bassin. Ils ont mangé, nourri les canards, et maintenant ils se repaissent de l'idée que nous formons une famille heureuse, ce qui est loin d'être faux de leur point de vue. Je ne vais pas me gâcher la journée à les avoir dans le paysage. Il y a du soleil, je sens que je bronze un peu. Le souvenir de ma dernière visite, encore frais dans ma mémoire, me remplit de satisfaction. Et j'en souris d'aise.

Regardez-moi tous ces gens-là. Heureux et décontractés. Ils ne se doutent pas que je les observe. Que je les ai à l'œil, tandis que les bambins échappent à leurs mamans, trop occupées à bavarder pour s'en apercevoir. Quand elles se rendent compte que leur petit chéri s'est éloigné, on les entend glapir, ces mères poules, puis lui donner une tape sur la jambe, ce qui déclenche de nouveaux braillements.

Pour l'instant, je suis rassasié. Je me suis bien amusé la semaine dernière et je vais m'en contenter, si bien qu'aujourd'hui personne ne risque rien.

J'ai passé un excellent moment avec la petite tafiole. Je ne me souviens plus de son nom. Voilà qui devrait, à l'heure qu'il est, amener les flics du coin à se mordre la queue. Je me suis arrangé pour que ça ressemble à un crime domestique. Il paraît que les disputes entre individus de son espèce peuvent dégénérer, j'ai trouvé l'idée plaisante.

Ça n'a pas été trop dur de l'éliminer. Ces gens-là vivent dangereusement. Ils représentent des victimes idéales. Si bien que je

3

suis parti à la chasse dans leur groupe, à la recherche de quelqu'un, et que c'est sur lui que je suis tombé.

J'avais déjà décidé de passer la soirée à traquer les clients de l'Utopia, un club de Vauxhall. L'Utopia, tu parles d'un nom ! Ça tient plutôt de l'enfer, oui. J'ai expliqué à ma femme que je partais en voyage d'affaires, j'ai pris des vêtements de rechange et un nécessaire de toilette, ce qu'on emporte habituellement quand on s'absente pour la nuit, et j'ai réservé une chambre d'hôtel dans le quartier, près de Victoria Station. Je pouvais difficilement revenir à la maison au petit matin. Ça aurait éveillé les soupçons. Il n'en était pas question. Il fallait que tout ça ait l'air… normal.

J'ai aussi embarqué une combinaison jetable en papier achetée à Homebase, plusieurs paires de gants chirurgicaux que l'on trouve à peu près partout et des sacs plastiques pour me protéger les pieds. Ce n'est pas très discret, mais c'est efficace. Plus un bonnet de douche et, pour faire bonne mesure, une seringue. Tout cela tenait parfaitement dans un petit sac à dos.

Pour échapper aux caméras qui quadrillent le secteur, j'ai surveillé l'entrée du club, dissimulé dans l'ombre des rues qui s'entrecroisent sous la voie ferrée. Le fracas des trains se répercutait en contrebas, via les arcades, de façon sinistre et intimidante. Mais je restai de marbre.

J'avais déjà aperçu ce soir-là l'objet de mon désir pénétrer dans le club, j'en avais les testicules vrillés d'excitation. Oui, il méritait vraiment que je l'aie distingué, ce n'était d'ailleurs pas la première fois que je le remarquais. Je l'avais observé auparavant, je l'avais regardé depuis des semaines dans le club, je l'avais vu se vendre à qui avait les moyens de se le payer. J'étais entré dans l'établissement à la recherche de la victime idéale, en sachant que la police ne visionnerait que les enregistrements des caméras de surveillance réalisés le soir de sa mort, ou peut-être ceux des huit jours précédents, si elle faisait du zèle, de sorte qu'elle ne me repérerait pas.

Je m'étais retrouvé au milieu de cette cohue infecte et nauséabonde, de ces corps qui me frôlaient au passage, salissaient mon être de leur imperfection maladive, tout en embrasant mes sens d'ores et déjà surexcités. J'avais envie de les saisir à la gorge, tous autant qu'ils étaient, de leur écraser la trachée à tour de rôle, tandis que leurs cadavres s'entasseraient à mes pieds. J'avais du mal à contrôler la force qui montait en moi, il faut toujours se maîtriser, mais c'est alors que la peur m'a saisi, une terreur, une frayeur comme je n'en avais encore jamais éprouvée. La hantise que s'affiche ce que j'étais vraiment, que tous ceux qui étaient là voient ma puissance se manifester physiquement, que je me transforme sous leurs yeux, que ma peau luise d'un rouge vif, que de mes yeux et de mes oreilles jaillisse de la lumière blanche, qu'elle me sorte de la bouche. De grosses gouttes de sueur avaient serpenté dans mon dos, le long de mes muscles gonflés et crispés.

Autour de moi, les gens se mouvaient au ralenti et pataugeaient dans l'eau ensablée des cauchemars, puis tombaient, tombaient à mes pieds en reconnaissant le demi-dieu dressé devant eux, mais je n'étais pas prêt à leur dévoiler qui j'étais vraiment. Je n'étais pas encore assez fort. Si mon masque avait glissé, j'aurais été anéanti.

J'avais trouvé le moyen de bouger les jambes, de fendre la foule des adorateurs en bisbille et d'atteindre le bar. En me regardant dans l'immense glace fixée derrière, je me sentis envahi par le soulagement. Les battements de mon cœur ralentirent et ma fièvre baissa en constatant que je n'avais pas changé, que je ne m'étais pas trahi. Les autres se déplaçaient autour de moi, oubliant ma présence. Un jour, je les terroriserais tous.

Il n'était plus temps d'être aux aguets. Le moment était venu de toucher ma récompense, de me libérer, de m'apaiser. Tout était en place. Comme il le fallait. Je finis par le voir sortir du club. Il lançait des au revoir, mais avait l'air d'être seul. Puis il s'engagea sous le pont du chemin de fer d'un pas tranquille, en se dirigeant vers celui de Vauxhall. Je me dépêchai de gagner en silence l'autre côté du pont, pour l'y attendre.

Quand il arriva tout près, je me montrai. Il m'aperçut, mais n'eut pas l'air d'avoir peur. Il me sourit, tandis que je m'adressai à lui :

— Excuse-moi.

— Oui, répondit-il, toujours avec le sourire et en s'approchant sous le lampadaire pour mieux me voir. Je peux faire quelque chose pour… toi ? me demanda-t-il, au moment où il me reconnaissait. On devrait arrêter de se retrouver comme ça, sérieux, dit-il sur le ton de la plaisanterie.

Oui, j'étais déjà allé avec lui. J'avais pris ce risque, mais en le calculant au maximum. Un peu plus de huit jours auparavant, à l'intérieur du club, je m'étais présenté à lui sans dire un mot, en veillant à ce qu'il me voie sourire suffisamment longtemps pour qu'il soit capable de me reconnaître plus tard. Je l'avais ensuite retrouvé dehors, à peu près de la même façon que le soir où je l'ai liquidé comme un porc à l'abattoir. Je lui avais payé le prix qu'il m'avait demandé, le tout d'avance, et quand nous étions arrivés chez lui, je m'étais souillé en le pénétrant et en le laissant me pénétrer. Le sexe n'avait pas eu d'importance, ça ne m'avait même pas procuré de plaisir… Ce n'était pas pour cette raison que j'étais monté avec lui. Je voulais le sentir pendant qu'il était en vie, comprendre qu'il n'était pas qu'une chose inanimée, mais bel et bien un être vivant, alors seulement il serait digne de faire l'objet de mes égards. Je ne pouvais pas agir ainsi avec lui le soir où je l'ai éliminé, au cas où je laisserais une trace infinitésimale de sperme ou de salive sur son corps. En allant avec lui une huitaine de jours avant de le supprimer, ça laisserait le temps à l'ADN de se dégrader et de disparaître. Et bien entendu on a eu des rapports protégés, lui pour ne pas attraper le sida, moi pour ne pas être identifié. Je m'étais rasé le pubis et avais enfilé un masque en caoutchouc qui me couvrait entièrement la tête afin de ne pas semer de cheveux sur place, ainsi que des gants en plastique pour éviter de laisser mes empreintes digitales, la petite fiotte se disant que ça faisait partie des réjouissances, alors que la partie de plaisir, le côté vraiment amusant restait à venir et que j'avais alors eu plus d'une semaine pour fantasmer sur ce qui allait se passer.

Les journées s'étaient égrenées lentement, mettant à rude épreuve ma patience et mon sang-froid, mais le souvenir que je gardais de la soirée passée avec lui et l'idée de ce qui allait arriver m'avaient permis de tenir. À présent, il était là devant moi, avec ses petites dents blanches bien alignées qui brillaient à la lumière des lampadaires et sa tête ovale trop petite pour son cou décharné, flanqué sur des épaules étroites et fluettes. Ses cheveux longs blonds et raides lui donnaient l'air d'un surfeur, mais il avait la peau livide et une constitution chétive. Tout effort athlétique s'était borné chez lui à se mettre à genoux. Son tee-shirt, trop petit et trop collant, laissait voir son ventre plat, son jean griffé et taille basse ne servant qu'à allumer ses semblables.

Je lui expliquai qu'il fallait absolument que j'aille de nouveau avec lui. Je lui racontai que j'étais entré dans le club et que je l'avais vu danser, ce qui était faux, et que j'avais eu trop peur de l'aborder, mais que maintenant j'avais très envie de lui. On échangea d'autres conneries, et alors il me dit :

— Avec moi ce n'est pas donné, tu sais. Si tu veux qu'on recommence, faudra y mettre le prix.

Il suggéra qu'on aille chez moi, je lui répondis que mon copain serait là, mais il a commencé à me tenir des grands discours, comme quoi il ne ramenait jamais personne chez lui et que la dernière fois c'était exceptionnel, jusqu'à ce que je sorte de mon portefeuille deux autres billets de cinquante livres et que je les lui colle dans la main. Il sourit.

On a gagné ma voiture, équipée de fausses plaques, pour nous rendre dans son appart merdique du sud-est de Londres, et j'ai veillé à ne pas me garer trop près de son immeuble. J'expliquai que je ne voulais pas prendre le risque qu'on me voie l'accompagner chez lui et je lui dis de passer devant et de ne pas fermer la porte à clé. J'ai attendu deux ou trois minutes puis, comme il n'y avait personne ni dans la rue ni aux fenêtres, j'ai rejoint son appartement. Il faisait froid dans son vieil immeuble et ça sentait la pisse, mais il avait eu la gentillesse de ne pas fermer à clé. Je suis entré discrètement, puis j'ai donné un tour de clé. Il est apparu au bout du couloir, sortant de la salle de séjour.

— C'est toi qui as fermé à clé ?

— Oui. Deux précautions valent mieux qu'une, par les temps qui courent.

— Tu as peur que quelqu'un débarque et joue les trouble-fête ?

— Un truc dans le genre.

L'excitation était insoutenable. J'en avais l'estomac noué d'impatience, au point que j'arrivais à peine à respirer. Je hurlais intérieurement. J'éprouvais une fois de plus une envie presque irrépressible de libérer celui que j'étais vraiment. C'est toujours avec un sourire crispé que je suis entré dans le séjour.

Le tapin était accroupi à côté de son lecteur de CD. Je lui demandai où se trouvait la salle de bains, car je voulais faire un brin de toilette, il me désigna le couloir.

Je pris mon sac et me dépêchai, non sans maladresse, de mettre le costume, le bonnet de douche et les gants en caoutchouc, puis de m'envelopper les pieds dans les chaussons en plastique. Je me regardai dans la glace, respirai un bon coup et gonflai mes poumons. J'étais prêt.

Sur ces entrefaites, je regagnai le séjour. Il se retourna et me vit, resplendissant dans ma tenue. Il pouffa et se mit la main sur la bouche, comme pour se retenir.

— Dis donc, c'est comme ça qu'on va s'éclater ce soir ? me demanda-t-il.

— Eh oui, lui répondis-je, eh oui.

Ce furent les derniers mots qu'il prononça, même s'il n'est pas impossible qu'il ait murmuré « de grâce » un peu plus tard. À ce moment-là, ce n'était plus qu'un gargouillis, à cause du sang qui lui remontait dans la bouche.

D'une main experte, j'attrapai en vitesse la statue en fer forgé d'un Indien nu posée sur la table basse pour lui fendre le crâne. Je ne le frappai cependant pas assez fort pour le tuer sur-le-champ, mais assez pour l'étourdir et l'empêcher de bouger. Il était à genoux quand je le cognai, tant mieux car il ne tomba pas de très haut et ne fit guère de bruit en s'effondrant à terre.

Je le regardai un moment, le dominant de toute ma hauteur tel un boxeur professionnel qui vient de remporter un combat, et je le vis haleter de douleur, avec sa poitrine qui se soulevait et s'abaissait. Le sang qui lui jaillit tout d'abord de la tête se mit à couler moins vite mais régulièrement, à mesure que son cœur devenait trop faible pour le maintenir en vie. Toutes les deux ou trois secondes, il avait un spasme à la jambe droite, à l'instar d'un oiseau à l'agonie.

Ça ne se serait pas passé comme je l'avais envisagé s'il n'avait pas été tout de même à moitié conscient quand je me suis jeté sur lui avec un pic à glace trouvé dans le bar. Il fallait qu'il soit en vie pendant que je l'embrocherais. Il fallait que je le voie essayer de me retenir chaque fois que j'enfoncerais cet objet dans son corps à l'article de la mort : car je ne le lardais pas de coups, mais je posais la tige métallique à côté de sa peau livide avant de le transpercer avec, ce qui faisait « pop », un bruit absolument délicieux. De temps à autre il levait le bras, le pauvre, pour faire cesser sa torture. Je lui disais que c'était un vilain, et je poursuivais mon ouvrage. Dommage que son hémorragie au cerveau lui ait donné les yeux rouges, car j'aurais voulu que ses iris bleus tranchent avec son épiderme blafard et ensanglanté. La prochaine fois, je me débrouillerais mieux que ça.

Son corps troué comme une passoire en venait presque à me dégoûter, à me donner envie de tout arrêter et de m'enfuir, mais je ne pouvais pas encore m'interrompre. Pas avant que le résultat corresponde du mieux possible à la scène que j'avais imaginée au départ, quand j'avais su que j'irais chez lui. Je persévérerais dans mon œuvre, en dépit de la puanteur qui s'exhalait de son abdomen perforé, de l'urine et des excréments qui s'échappaient de son corps transpercé.

Il tint le coup près de trois-quarts d'heure, battant des cils, gardant les paupières mi-closes pendant plusieurs minutes d'affilée. Quand il ouvrait les yeux, j'accomplissais ma tâche, et je m'interrompais chaque fois qu'il perdait connaissance, incapable de supporter la douleur ou ne comprenant pas du tout ce qui lui arrivait. Je fus obligé à l'occasion de lui flanquer mon poing dans la figure pour qu'il ne se mettre pas à crier, même si en vérité il n'aurait guère pu faire autre chose que gémir, mais enfin je ne voulais rien laisser au hasard.

Quand il finit par mourir, un filet d'air s'échappa lentement et sans bruit de ses lèvres et de sa cage thoracique perforée, signe que pour moi les réjouissances étaient terminées. J'enfilai des gants chirurgicaux propres pour récupérer dans la poche de son pantalon les trois cents livres que je lui avais remises plus tôt. Je n'avais pas envie de les oublier. Je démantelai en silence quelques meubles et me débrouillai pour qu'on ait l'impression qu'il y avait eu une bagarre. Je lui prélevai ensuite du sang dans la bouche à l'aide de la seringue et j'en semai partout dans la pièce, sur les murs, le mobilier et la moquette. Moyennant quoi je me retirai dans un angle du séjour resté intact, je me déshabillai, rangeai mes vêtements dans un sac en plastique, que je plaçai lui-même dans un autre sac en plastique, et je répétai encore deux fois l'opération. Après avoir vérifié qu'ils étaient tous bien fermés, je les mis dans mon sac à dos. Je m'enveloppai les pieds de nouveaux sacs en plastique, ne voulant pas prendre le risque de marcher sur une tache de sang — on a parfois du mal à se justifier en pareil cas… J'enfilai d'autres gants chirurgicaux et quittai le séjour. Je brûlerais tout ça le lendemain soir dans mon jardin, ce qui est la meilleure façon de se débarrasser de ce genre de pièces à conviction. Rien ne dit que je n'attirerais pas l'attention si je les jetais au feu dans un endroit moins discret, et si en revanche je les enterrais, ils seraient alors livrés à la curiosité des animaux.

Je gagnai la porte d'entrée à pas de loup. J'enlevai mes chaussons en plastique, regardai par le judas. Personne dans les parages. Pour plus de sûreté, j'écoutai à la porte en veillant à ne pas y coller l'oreille de peur d'y laisser une marque ou une empreinte digitale, ce qui peut toujours arriver, à ce qu'il paraît.

Quand je me sentis pleinement satisfait, je quittai l'appartement, sans refermer la porte d'entrée, de manière à faire le moins de bruit possible. Je mis le cap au nord pour regagner mon hôtel et jetai au passage la statue de l'Indien et le pic à glace dans la Tamise. Il me plut d'imaginer la police en train de perdre des heures à rechercher ces armes par destination, alors qu'elles ne l'aideraient nullement dans son enquête.

Parvenu à bon port, j'entrai dans l'hôtel par une porte dérobée donnant à côté du bar et qui servait habituellement d'issue de secours, mais que je savais pouvoir ouvrir de l'extérieur et sur laquelle n'était braquée aucune caméra de surveillance. J'avais déjà la carte magnétique de ma chambre, puisque j'étais arrivé à l'hôtel dans la journée. Je pris une longue douche bien chaude et me frottai les mains, les ongles et les cheveux avec une brosse dure, jusqu'à ce que j'aie la peau à vif. J'avais enlevé la grille pour que parte à l'égout tout ce qui venait de mon organisme. Je m'accordai ensuite un bon bain et me frictionnai. Après m'être séché, je m'allongeai nu sur le lit et bus deux bouteilles d'eau, désormais rasséréné. Satisfait. Je ne tardai pas à m'endormir et ne cessai de refaire le même rêve superbe.

Chapitre 2

Il était 3 heures du matin. L'inspecteur divisionnaire Sean Corrigan roulait dans les rues lugubres de New Cross, un secteur du sud-est de Londres. Il connaissait bien le quartier pour y être né et avoir passé son enfance non loin de là, à Dulwich, et à sa connaissance ce coin avait toujours été dangereux. Ici on devenait facilement une victime, quel que soit son âge, son sexe ou sa couleur de peau. La vie n'y avait souvent que peu de valeur.

Mais c'était les autres qui balisaient, pas lui. Ça mettait mal à l'aise les braves gens, ceux qui avaient des horaires de travail normaux et n'étaient pas encore bien réveillés le matin quand ils prenaient leur service au bureau ou au magasin et qui, le soir, rentraient en vitesse chez eux pour s'y enfermer à double tour.

Sean ne les craignait pas, ces rues, puisqu'il s'était retrouvé confronté à toutes les horreurs qu'elles peuvent vous réserver, sans en être mort pour autant. Il dirigeait un service de la brigade criminelle du sud de Londres, qui enquête sur les cas de mort violente. Les assassins traquaient leurs victimes, et lui, c'était les meurtriers qu'il pourchassait. Il roulait vitres baissées, sans avoir verrouillé les portières.

Il n'y avait pas une heure que l'inspecteur principal Dave Donnelly l'avait appelé chez lui, alors qu'il dormait. On déplorait un meurtre. Pas joli, joli. Celui d'un homme jeune, que l'on avait tabassé et poignardé chez lui. Alors qu'il dormait auprès de sa femme, le voilà donc qui se rendait en voiture là où l'on avait massacré un type. Sa vie était ainsi faite.

Il trouva facilement l'adresse. Autour de la scène du crime régnait un silence inquiétant. Il constata avec plaisir que les agents en tenue avaient, comme il se doit, déployé un ruban autour de l'immeuble pour en interdire l'accès. Il avait en effet déjà vu le cas où l'on se bornait à condamner la porte d'entrée. Combien d'indices les gens n'avaient-ils pas trimballés ailleurs, collés à la semelle de leurs chaussures ? Il préférait ne pas y penser.

Deux voitures de patrouille étaient garées à côté de la Ford banalisée de Donnelly. Ça le faisait toujours rigoler de voir les scènes de crime dans les séries télé, avec des dizaines de voitures de police qui montent la garde dehors, gyrophares allumés, tandis qu'à l'intérieur se bousculent des escouades d'inspecteurs et d'experts de la criminalistique. Dans la réalité, ce n'est pas ainsi que ça se passait. Mais alors pas du tout.

Les véritables scènes de crime étaient d'autant plus angoissantes que l'on n'y entendait pas de bruit – la mort violente de la victime imprimait sa marque –, et Sean se sentait rattrapé par l'horreur et la brutalité quand il examinait l'endroit où quelqu'un avait été assassiné. Son métier consistait à découvrir dans quelles circonstances cette personne avait trouvé la mort ; à la longue, il s'était blindé, sans devenir totalement immunisé, et il savait qu'en l'occurrence cette histoire ne dérogerait pas à la règle.

Il se gara devant le périmètre délimité et troqua l'isolement que lui offrait son véhicule pour la solitude de cette nuit chaude, le ciel constellé et les lampadaires dissipant toute illusion d'obscurité. S'il avait été quelqu'un d'autre et exercé un métier différent, il aurait peut-être été sensible à la beauté du spectacle, mais ces considérations étaient ici parfaitement déplacées. Il montra en vitesse sa carte de police à l'agent qui venait vers lui et déclina son identité en bougonnant :

— Inspecteur divisionnaire Sean Corrigan, de la crim'. Il est où, cet appart ?

Le jeune flic en tenue semblait très impressionné. Ce devait être un novice pour avoir le trac devant un simple inspecteur divisionnaire…

— Au 16, Tabard House. Deuxième étage à droite, par l'escalier. Vous pouvez aussi prendre l'ascenseur.

— Merci.

Il ouvrit le coffre de sa voiture et regarda vite fait ce qui était stocké à l'intérieur. Tout le nécessaire pour se livrer à un premier examen de la scène de crime était rangé dans deux grands sacs poubelles en plastique : des combinaisons et des chaussons en papier, des sachets de taille variable destinés à recueillir les pièces à conviction, cinq ou six boîtes de gants en plastique, des rouleaux d'étiquettes autocollantes et, bien entendu, une masse, un pied-de-biche et divers outils. On trouverait la même chose dans la voiture de n'importe quel autre inspecteur, où que ce soit.

Il sortit une combinaison et se dirigea vers l'escalier. Dans ce secteur de Londres, on voyait partout ce genre d'édifices : des immeubles ramassés en brique brune tirant sur le gris, ce qui leur donnait un côté étouffant, construits après la Seconde Guerre mondiale pour héberger les gens des bas quartiers dont le logement avait été détruit par les bombardements. À l'époque, ils avaient fait sensation, car on avait des toilettes, l'eau courante et le chauffage, mais désormais ils n'étaient plus occupés que par ceux qui n'avaient pas réussi à s'extraire de la pauvreté. On aurait dit des prisons, et, d'une certaine façon, c'est ce qu'ils étaient.

Ça sentait l'urine dans l'escalier. On reconnaît tout de suite les remugles qui se dégagent d'un endroit où les gens vivent entassés. C'était l'été, et l'odeur des appartements s'évacuait par les bouches d'aération. Il y avait de quoi vous donner la nausée.

Sean s'arrêta un instant pour saluer un autre flic en tenue posté devant la porte de l'appartement. L'agent souleva le cordon et le regarda se glisser de l'autre côté. Sean examina le vestibule, plus grand qu'on ne l'aurait imaginé. L'inspecteur Donnelly, un solide gaillard au visage barré d'une grosse moustache qui lui cachait les lèvres, l'attendait à l'intérieur, campé dans l'entrée. Dave Donnelly, plus de vingt ans d'ancienneté dans la police de Londres, et qui était comme toujours son bras droit. C'est lui qui l'aidait à mener son enquête et sur qui il se reposait à l'occasion. S'il leur arrivait de ne pas être d'accord et de s'engueuler, il existait aussi entre eux une confiance mutuelle et une grande complicité.

— Salut, patron. Longez le couloir sur la droite. C'est comme ça que je suis entré et ressorti, grommela Donnelly avec son drôle d'accent, où se mêlaient celui de Glasgow et le cockney.

Quand il s'exprimait, on voyait bouger sa moustache.

— Qu'est-ce que ça donne ?

— À première vue, pas de traces d'effraction. L'appartement est bien équipé question sécurité, de sorte que le type a sans doute laissé entrer son assassin. C'est apparemment dans le séjour qu'on s'en est pris à lui. Tu parles d'un chantier, là-dedans ! Ailleurs, tout est en ordre, il ne s'est rien passé. Le séjour se trouve à droite, au fond du couloir. Sinon il y a une cuisine, deux chambres, une salle de bains et des toilettes. D'après ce que j'ai pu constater, l'ensemble est propre et bien rangé. Le mobilier est de bon goût. On voit aussi deux photos de la victime, pour autant que je sache, hein. À cause de ses blessures, on n'est pas absolument certain qu'il s'agisse de lui. On l'y voit souvent, bon, en train d'enlacer d'autres hommes.

— Un pédé ?

— On dirait bien. Il est encore trop tôt pour se prononcer, mais il y a une chaîne et une télé qui ne sont pas mal du tout, et j'ai remarqué que certaines photos de notre client ont été prises à l'autre bout du monde. Ça ne doit pas être donné d'aller là-bas… On n'a pas affaire à un minable. Il avait un boulot correct, ou alors c'était un truand qui ne s'en sortait pas mal, même si je n'ai pas l'impression d'être ici chez un malfrat.

Les deux flics tendirent le cou dans l'entrée, comme pour confirmer le diagnostic de Donnelly.

— Et puis, enchaîna celui-ci, j'ai trouvé des lettres, toutes adressées à un certain Daniel Graydon.

— Eh bien, Daniel Graydon, lança Sean, qu'est-ce qui a pu bien t'arriver ? Et pour quelle raison ?

— On y va ? suggéra Donnelly en désignant le couloir.

Sean fit signe que oui.

Ils passèrent d'une pièce à l'autre, se réservant le séjour pour la fin. Ils avançaient avec précaution, en rasant les murs, pour ne pas piétiner une trace de pas invisible à l'œil nu sur la moquette, ou bien un élément de preuve infime mais déterminant, comme une mèche de cheveux ou une minuscule goutte de sang. Sean prenait de temps à autre une photo avec son petit appareil numérique, qui lui permettait de consigner le tout et l'aidait depuis peu à élucider des meurtres défiant l'imagination. Le flash illuminait la pièce, comme un éclair qui troue l'obscurité, et quand il se rechargeait, le ronronnement du moteur électrique venait rompre le silence. Ces clichés n'étaient destinés qu'à son usage personnel, ils lui permettaient de se remémorer les détails qu'il avait repérés, mais aussi de se replonger au besoin dans la scène du crime, de flairer l'odeur du sang, de humer le parfum douceâtre de la mort, de ressentir la présence de l'assassin. Dommage qu'il ne se soit pas trouvé seul dans l'appartement, sans être obligé de parler à quelqu'un, d'expliquer ce qu'il avait sous les yeux et ce qu'il éprouvait. C'était toujours pareil, depuis qu'il avait débuté dans ce métier, il savait se mettre à la place du délinquant. Qu'il s'agisse d'un cambrioleur ou d'un meurtrier, il voyait et ressentait les choses telles qu'elles avaient dû être pour lui. Ce satané talent n'avait rien de médiumnique, cela venait de ce qu'il avait une imagination très vive, qui s'était développée et affinée au cours d'une enfance épouvantable. On aurait dit que seules les scènes de crime vraiment troublantes faisaient naître en lui des images. Quand il découvrait l'endroit où l'on avait commis un meurtre domestique, ou qui avait été le théâtre d'un règlement de comptes au couteau ou à l'arme à feu, il se représentait davantage de choses que la plupart des autres inspecteurs, mais il ne ressentait rien de plus qu'eux. Ici, ça ne lui faisait pas du tout le même effet. Il regrettait de ne pas être seul.

Cet appartement le mettait mal à l'aise. Il avait l'impression d'être un intrus et de devoir en permanence s'excuser d'être là. Il se ressaisit ; il avait une tâche à accomplir. Il s'imprégna du décor. C'était propre par terre, comme sur les meubles. Le type avait-il fait la vaisselle, avant de la replacer dans les placards ? Y avait-il des restes de repas ? Quelque chose avait-il l'air de ne pas être à sa place ? Si la victime pliait ses vêtements et les rangeait bien comme il faut, une chemise qui traînait par terre éveillerait alors sa curiosité. Si ce type avait vécu comme un cochon, un verre récemment lavé posé à côté d'un évier rempli de vaisselle sale attirerait son attention. Il avait déjà effectivement constaté qu'il y avait quelque chose qui clochait.

Donnelly et lui arrivèrent devant le séjour. Sean appréhendait le spectacle auquel il allait avoir droit. La porte était entrouverte, exactement comme l'avait trouvée le jeune agent en tenue. Donnelly entra, il lui emboîta le pas.

Ça sentait très fort le sang. Une odeur métallique, analogue à celle du cuivre chaud. Sean se rappela les fois où il avait goûté à son propre sang, et constaté que ça correspondait parfaitement à ce qu'il avait reniflé. Ça lui donna la nausée. Pourvu que ça ne se voie pas !

Au moins il n'y avait pas longtemps que ce type s'était fait assassiner, car il avait du mal à rester dans une pièce où se trouvait un cadavre en décomposition. En plus, c'était l'été. Si la victime avait séjourné là plusieurs jours, ça aurait empesté dans l'appartement, on aurait vu une nuée de mouches et le corps aurait grouillé d'asticots. Il se félicita que le meurtre ait été commis récemment, et n'en fut pas très fier.

Il fallait vraiment qu'il y ait beaucoup de sang pour que ça dégage une telle odeur, ce qui l'amena à s'armer de courage avant de regarder le cadavre qui gisait par terre, au milieu de la pièce. La violence de l'assassinat imprégnait l'atmosphère, à l'image du *smog* qui flotte dans l'air de Londres, ce qui lui donnait le vertige et l'impression de suffoquer. Il s'accroupit à côté du cadavre, en faisant bien attention à ne pas marcher dans l'épaisse flaque de sang bordeaux et coagulé qui dessinait un halo autour de la tête du malheureux. Il avait déjà vu quantité de gens assassinés, certains ne présentant quasiment pas de blessures, alors que d'autres en avaient d'horribles. C'était là un cas affreux comme il avait déjà pu en voir, et il en avait vu bien trop...

— Ça alors ! Qu'est-ce qui a bien pu se passer ici ? dit-il.

Donnelly regarda autour de lui. La table à manger était renversée, on avait démoli deux chaises, fait tomber la télé de son support, il y avait par terre des photos déchirées, des CD éparpillés un peu partout, et une lumière verte clignotait sur le lecteur de CD.

— Il y a dû y avoir une drôle de bagarre, commenta Donnelly.

Sean se releva, sans quitter le corps des yeux, incapable de regarder autre chose : c'était un Blanc d'une vingtaine d'années, vêtu d'un tee-shirt à moitié trempé de sang et d'un jean taille basse, lui aussi ensanglanté. On lui voyait une chaussette à un pied, l'autre avait disparu. Allongé sur le dos, il avait la jambe gauche repliée sous la droite et les bras en croix. Pas de trace de liens d'aucune sorte. On lui avait enfoncé tout le côté gauche de la tête et du visage. Sean constata qu'il avait deux graves blessures, qui à son avis devaient correspondre à d'épouvantables fractures du crâne ; le malheureux avait aussi les yeux dilatés et presque clos, ainsi qu'à l'évidence le nez cassé, bordé de sang coagulé. Sa bouche avait également écopé, puisqu'il avait les lèvres profondément entaillées et la mâchoire démantibulée, qui pendait... Sean se demanda combien il avait perdu de dents. Son oreille droite s'était évanouie dans la nature. Pourvu que le premier coup à la tête l'ait tué, pensa Sean, qui cependant n'y croyait guère.

Il n'y avait que la tête de la victime qui reposait dans une mare de sang et ses vêtements qui en étaient trempés.

Sinon, ça avait giclé sur les murs, les meubles et la moquette.

Sean imagina que sa tête avait valsé sous la force des coups qui l'avaient esquintée, en projetant par la même occasion des gouttelettes alentour. Quand on les soumettrait à un examen attentif, ces éclaboussures permettraient de reconstituer le scénario de l'agression.

On n'avait pas épargné le corps du jeune homme. Sean n'allait pas se mettre à compter, mais il devait être perforé de cinquante à cent fois, au bas mot. On s'en était pris avec sauvagerie à ses jambes, son abdomen, sa poitrine et ses bras. Sean eut beau regarder, il ne vit aucune arme. Il en revint au cadavre en triste état, essaya de faire le vide dans son esprit et de se représenter ce qui était arrivé à ce jeune homme qui gisait par terre. L'ombre d'un instant, il imagina une silhouette penchée sur ce type à l'agonie, tenant à la main quelque chose qui ressemblait davantage à un tournevis qu'à un couteau, mais cette image s'estompa aussi vite qu'elle était apparue. Il réussit néanmoins à détourner le regard et à prendre la parole.

— Qui a découvert le corps ? demanda-t-il.

— Nous, il faut croire.

— Comment ça ?

— Enfin, nous, par le biais d'une voisine inquiète.

— Elle est considérée comme suspecte ?

— Non, non. C'est une petite nana qui habite un peu plus loin, et qui revenait chez elle avec un *chiche-kebab* et des frites après avoir passé la nuit à baiser et picoler.

— Elle est entrée dans l'appart ? s'alarma Sean.

— Non. Ce n'est pas le genre à prendre des risques, à ce qu'il paraît. Elle a vu que la porte était entrouverte et elle en a conclu qu'on devait en avoir le cœur net. Si elle n'avait pas été ivre, elle n'y aurait sans doute pas fait attention.

Sean acquiesça d'un signe de tête. Il y a des gens que l'alcool rend responsables, et d'autres que ça transforme en psychopathes violents.

— L'agent a envoyé une équipe sur place voir ce qu'il en était.

C'est elle qui a découvert le corps.

— Est-ce qu'il a marché sur les lieux du crime ?

— Non, c'est un stagiaire qui vient de sortir d'Hendon. Il a encore bien trop la trouille pour oublier les consignes. Il a rasé les murs et n'a touché à rien.

— À la bonne heure, répondit machinalement Sean, qui pensait déjà à autre chose et envisageait ce qui avait pu se passer. Enfin, ajouta-t-il, celui qui a fait ça est motivé par la haine, ou bien il est complètement cinglé.

— C'est clair, renchérit Donnelly.

Le silence retomba. Ils en profitèrent pour respirer un bon coup, se calmer et s'éclaircir les idées, prélude indispensable avant d'essayer de réfléchir froidement et de façon logique aux horreurs qu'avait pu endurer leur semblable, dorénavant passé de vie à trépas. Il ne serait jamais évident de contempler une telle violence, de la regarder d'un œil détaché, même si les médias et tous ceux qui font œuvre de fiction s'arrangent en général pour présenter les choses autrement.

— Bon. À mon avis, reprit Sean, on est confrontés à un meurtre domestique.

— Une querelle d'amoureux ? s'enquit Donnelly.

— En cas de dispute, ces homos sont capables de se flanquer des raclées pas possibles, raisonna Sean. Celui qui a fait ça en a sans doute lui-même pris plein la gueule. Un mec qui essaie de sauver sa peau peut causer des tas de dégâts.

— Je vais me renseigner auprès des hôpitaux du coin, pour tâcher de savoir si l'on y a admis quelqu'un qui a apparemment participé à une rixe.

— Parfait. Va voir aussi du côté des postes de police, puis réveille le reste de l'équipe. Que tout le monde se retrouve au commissariat à 8 heures pour une réunion d'information. Demande à Jones de mettre sur pied un groupe chargé d'une enquête de voisinage. Avec une bagarre pareille, il y a bien quelqu'un qui a dû entendre quelque chose. Tant qu'à faire, tâche aussi de nous trouver un légiste qui vienne examiner le corps pendant qu'il est encore sur les lieux.

— Ça ne va pas être facile, patron.

— Je le sais, mais essaie quand même. Va voir si le docteur Canning est disponible. Ça lui arrive de venir, si ça vaut le coup, et n'importe comment, c'est le meilleur.

— Je ferai ce que je pourrai, mais je ne promets rien.

— Bien.

En général, on ne mettait pas longtemps à élucider un meurtre. Celui sur qui pesaient le plus de soupçons était d'ordinaire le bon client. Le fait que le crime ait été commis sous le coup de la panique permettrait de récolter une multitude de preuves, lors de l'expertise criminalistique. Davantage qu'il n'en fallait pour obtenir une condamnation. En pareil cas, les inspecteurs se contentaient essentiellement d'attendre que le laboratoire examine les pièces à conviction recueillies sur les lieux du crime et apporte les éclaircissements nécessaires. Sean subodorait toutefois qu'il y avait quelque chose de pas clair dans ce crime sur lequel il lui appartenait de faire la lumière.

— Ça a l'air assez simple, déclara Donnelly.

— Oui, je ne suis pas mécontent, dit Sean, l'air songeur.

— Mais encore ?

— Il est pratiquement certain que la victime connaissait son assassin. Comme on n'a pas relevé de trace d'effraction, on a dû le laisser entrer. Ça ressemble à un crime domestique. Ils ont trop bu, le ton monte, une bagarre éclate et dégénère, ils se tapent dessus à bras raccourcis, et il y en a un qui y laisse sa peau. Un crime passionnel, que l'assassin n'a pas eu le temps de préparer. Il a perdu la tête et tué un copain. Un amant. Désormais, il ne cherche plus qu'à s'enfuir. À quitter cet appartement pour trouver un endroit tranquille où décider quelle conduite adopter. J'ai pourtant l'impression qu'il manque deux ou trois trucs.

— Quoi donc ?

— Je ne sais pas. Ils devaient sans doute boire un coup, mais on ne voit pas de verres. Tu te souviens d'un crime domestique dans lequel l'alcool n'entrait pas en ligne de compte ?

— Il se peut que l'assassin ait fait du ménage, suggéra Donnelly. Lavé et rangé les verres.

— Pour quelle raison prendrait-il la peine de laver un verre, alors qu'il doit y avoir partout du sang à lui et ses empreintes digitales après une baston pareille ? Il s'est arrêté pour laver un verre ? Ça ne tient pas debout. Pourquoi agirait-il ainsi ?

— Si ça se trouve, il a paniqué. Il a pété les plombs et a passé son verre sous le robinet. Rien ne dit qu'il n'a pas aussi commencé à nettoyer d'autres trucs, avant de se rendre compte que c'était une perte de temps.

— Possible.

Sean était absorbé dans ses réflexions. Le fait qu'il n'y ait pas de trace d'alcool était un point de détail, mais n'importe quel inspecteur chevronné se serait attendu à trouver sur une scène de crime de cet ordre une bouteille de cidre vide, une bouteille de scotch sérieusement entamée ou bien, si les protagonistes en avaient les moyens, une bouteille de champagne vidée jusqu'à la dernière goutte. Il commençait cependant à ne plus trop croire à la première image qui lui était venue à l'esprit, celle d'une silhouette accroupie au-dessus de la victime. Si c'était un crime domestique ordinaire, pourquoi ressentait-on alors aussi fortement une présence dans l'appartement, ce genre de présence qu'il ne détectait que lorsque la malveillance rôdait dans les parages, quand il ne s'agissait donc pas d'une histoire d'amant pris de panique et qui avait perdu la tête ? Il décida de ne plus y penser.

— Il y a autre chose, reprit-il. Le couloir est trop propre. Le meurtre a selon toute évidence eu lieu dans le séjour, mais l'assassin a bien été obligé de s'en aller. On sait qu'il a dû sortir par la porte d'entrée, car ailleurs tout est fermé, seulement la moquette est beige clair, et l'on n'y relève pas la moindre trace de pas ensanglantées.

Idem sur la poignée de porte. Là aussi, il n'y a absolument rien. Donc notre assassin tabasse la victime et la tue à coups de couteau dans un accès de fureur et, malgré tout, il prend le temps d'aller se laver les mains avant d'ouvrir la porte. Il est subitement assez calme pour enlever ses chaussures et s'en aller sur la pointe des pieds, après avoir massacré un type qui était peut-être son amant ? Ça ne rime à rien.

— Et si notre client a définitivement pris soin de faire un brin de toilette avant de se sauver, embraya Donnelly, où est-ce qu'il s'est lavé ? Il avait le choix entre l'évier et le lavabo.

— On les a examinés tous les deux. Ils sont propres comme des sous neufs. Rien n'indique qu'on s'en est servi. On n'a pas vu une goutte d'eau par terre.

— Non, mais ce n'est sans doute pas grave. On se perd en conjectures. Qui sait, nos collègues de la police scientifique vont peut-être nous donner tort et retrouver dans le couloir du sang qui nous a échappé.

Ça ne posait pas là de problème majeur, mais Sean n'avait pas fini de s'interroger. Quand il arrêterait l'assassin, il aimerait obtenir des éclaircissements, afin de comprendre pourquoi on n'avait pas relevé d'indices. À tous les coups, ce serait quelque chose qui crevait les yeux, comme c'est le cas la plupart du temps.

— Excusez-moi, mais les techniciens de l'identité judiciaire sont arrivés, lui lança l'agent en faction devant la porte.

— Je suis à eux tout de suite.

Donnelly et lui quittèrent l'appartement en faisant bien attention d'emprunter le même itinéraire en sens inverse. Ils se dirigèrent vers le cordon qui condamnait l'immeuble, sachant que l'inspecteur Roddis les attendrait là-bas, en compagnie de ses hommes.

Roddis les vit approcher, examina leurs tenues en papier, sans paraître impressionné.

— J'imagine que vous avez déjà piétiné ma scène de crime, tous les deux, grinça-t-il.

Il y avait de quoi être agacé, en effet, puisque le règlement stipulait que dans un premier temps seule la police scientifique avait le droit de se rendre sur les lieux.

— La prochaine fois, ajouta-t-il, je vais saisir vos vêtements, en les considérant comme des pièces à conviction.

— Désolé, Andy. On n'a touché à rien, je le jure.

— Il paraît qu'il y a un macchabée pour moi à l'intérieur de l'appartement n°16, c'est ça ? demanda Roddis, toujours mécontent.

— J'en ai bien peur, répondit Donnelly.

Roddis s'adressa à Sean :

— Tu veux qu'on recherche quelque chose en particulier ?

— Non. Pour nous, c'est un crime domestique, aussi tu t'en tiens à l'essentiel. Ce n'est pas la peine de sortir ta panoplie de petit chimiste.

— Très bien. Du sang, des fibres, des empreintes et du sperme, voilà le programme.

Donnelly et Sean s'éloignèrent. Sean se retourna :

— J'organise une réunion d'information avec mon équipe à 8 heures. Essaie de m'envoyer un rapport préliminaire avant, lui lança-t-il.

— D'ici là, je devais être en mesure de t'appeler à ce sujet. Ça ira ?

— Parfait, conclut Sean.

Pour le moment, il n'allait pas faire la fine bouche.

***

Il n'était pas encore tout à fait 8 heures, et Sean était seul dans son bureau austère et fonctionnel du commissariat de Peckham, entouré des mêmes meubles en bois bon marché que l'on trouvait dans tous les services de police de Londres. Il n'y avait pas beaucoup de place non plus, juste assez pour installer deux tables ovales passablement délabrées et deux chaises inconfortables pour quand il avait de la visite, ce qui arrivait souvent. Sur chaque table trônait un vieil ordinateur, et le tout était éclairé par des néons qui donnaient une couleur jaune pisseux. Sean tirait la langue en voyant à la télé des inspecteurs de police équipés de sièges pivotants en cuir, d'ordinateurs dernier cri et de bureaux en verre étincelants, au-dessus desquels étaient suspendues des lampes de travail design… La réalité était beaucoup plus prosaïque.

Il pensa à la victime. Quel genre d'individu était-ce ? S'agissait-il de quelqu'un de bien ? Est-ce qu'on l'aimait, ce type ? Est-ce qu'on le regretterait ? Il ne tarderait pas à le savoir. La sonnerie du téléphone le fit sursauter.

— Inspecteur divisionnaire Corrigan.

Il se montrait en général laconique au téléphone, habitude qu'il avait prise au fil des ans en communiquant avec ses collègues par radio.

— Roddis, à l'appareil. Tu voulais que je fasse le point avec toi avant ta réunion ?

Roddis ne montrait aucune déférence envers ses supérieurs hiérarchiques, mais comme il se trouvait en position de force, on laissait filer. C'était en effet lui qui décidait à chaque fois des moyens que la criminalistique allait consacrer à l'enquête en cours et sous quelle forme, de même que c'était lui qui savait à qui s'adresser dans tel ou tel laboratoire du sud-est de Londres. Il n'y avait personne, quel que soit son grade, qui remettait en cause ses prérogatives.

— Merci de m'appeler. Qu'est-ce que vous avez trouvé, vous autres ?

— Eh bien, il est encore trop tôt pour se prononcer.

Sean savait que l'équipe de la police scientifique n'aurait guère pu faire autre chose que de prendre ses marques.

— Je m'en rends bien compte, mais donne-moi quand même tes conclusions.

— D'accord. On a procédé à un examen sommaire. L'endroit

par où il est entré et sorti est étonnamment propre, vu la nature de l'agression. Le couloir aussi était immaculé. On retrouvera peut-être quelque chose quand on y verra mieux et lorsqu'on utilisera des lampes à ultraviolets. Sinon, il n'y a toujours rien de concluant. J'ai cependant été un peu dérouté par le sang qui a giclé sur les murs et les meubles.

— Ah bon ?

— Maintenant que j'ai vu les blessures de la victime, je suis pratiquement sûr que le choc à la tête lui a été fatal et qu'il l'a tout de suite envoyé au tapis. Il y a du sang qui a éclaboussé un mur, ce qui aurait très bien pu être consécutif à un coup à la tête, administré avec quelque chose de lourd.

— Dans ce cas, qu'est-ce qui cloche ?

— Si la victime était à plat ventre quand on lui a infligé les autres blessures, je me serais attendu à ne relever que quelques traces de sang bien localisées, or il y en a des tas, sur la moquette, les murs et les meubles tout esquintés. Ça ne colle pas.

— C'est qu'il doit y en avoir d'autres qu'on n'a pas encore relevées, ou bien que l'agresseur lui-même a été touché.

— Ça se peut, répondit Roddis, d'un ton peu convaincu. Et puis, enchaîna-t-il, il n'y a toujours pas d'arme à proprement parler, mais on va sans doute en retrouver une quand on procédera à une fouille méticuleuse, ainsi d'ailleurs que plein d'autres trucs.

— Et à part ça ? demanda Sean, sans se faire beaucoup d'illusions.

— De la correspondance, un carnet d'adresses, un journal intime, un livret de caisse d'épargne, etc. On ne devrait pas avoir trop de mal à établir définitivement l'identité de la victime. C'est tout pour le moment.

Sean n'aimait peut-être pas trop Roddis, mais il appréciait son côté pro.

— Merci. Ça va nous être utile pendant la réunion. Ça risque de les tenir éveillés, conclut-il avant de raccrocher.

Il se renversa dans sa chaise et regarda le café tiède posé sur son bureau. Si les traces de sang sur les murs ne correspondaient pas aux blessures de la victime, qu'en conclure ? L'assassin avait-il lui-même été gravement atteint ? Il n'y croyait guère, surtout si Roddis avait raison de penser que le premier coup que le type avait reçu à la tête lui avait été fatal. Et s'il avait aussitôt perdu connaissance, à quoi bon lui infliger d'autres blessures ? Bah, il finirait bien par le savoir. Il suffisait d'attendre que la police scientifique se livre à un examen approfondi de la scène du crime et que l'on procède à l'autopsie de la victime. Ça permettrait alors de tirer les choses au clair. C'était toujours ce qui se passait.

Sean se leva, jeta un coup d'œil par la fenêtre sur le parking du commissariat et vit l'inspectrice Sally en train de fumer avidement une cigarette, tout en rigolant avec deux dactylos.

Il la regarda, admiratif. Haute comme trois pommes, elle débordait d'énergie. Il trouvait qu'elle avait de belles jambes, même si elle était par ailleurs un peu trop en chair. Il essaya de se rappeler s'il avait vu ses cheveux blonds autrement qu'attachés en une queue-de-cheval.

Une de ses grandes qualités, c'était de toujours savoir briser la glace. Elle pouvait s'adresser à n'importe qui et mettre tout de suite à l'aise son interlocuteur ou son interlocutrice. Il n'ignorait pas qu'il lui confiait parfois des tâches devant lesquelles il se défilait, comme dire un mot à des parents en deuil ou bien expliquer à un homme qu'on avait violé puis assassiné sa femme au domicile conjugal... Il l'avait vue annoncer aux gens des choses impensables, puis être d'humeur joviale une demi-heure après, tirer sur sa clope et discuter avec le premier venu. Elle avait du cran, Sally, bien plus qu'il n'en aurait jamais. Il la regarda en souriant.

Il se demandait pourquoi elle était encore célibataire, car il savait qu'elle ne s'était jamais mariée. Quand même, elle devait parfois se sentir bien seule. Il ne se voyait pas faire ce métier et se retrouver livré à lui-même, le soir, à la maison. Mais Sally lui avait expliqué qu'aucun homme ne pourrait la supporter. Il repensa à toutes les fois où il avait essayé de la plaindre, la pauvre, et n'y était en définitive jamais arrivé…

Il regarda l'heure. Elle allait arriver en retard à la réunion. Il pouvait l'appeler depuis la fenêtre, mais il jugea plus drôle d'attendre la suite.

Il longea sur une brève distance le couloir vivement éclairé où régnait une grande animation. De chaque côté, on voyait sur les murs et sur les portes des affiches, récentes ou non, auxquelles personne ne prêtait garde, ceux qui passaient par là s'efforçant avant tout de parvenir à destination, sans tenir compte des appels à l'aide lancés par d'autres gens. Il entra dans la salle de réunion. Les membres de l'équipe continuaient à bavarder, deux d'entre eux, dont Donnelly, lui dirent bonjour du bout des lèvres. Il les salua de la tête.

C'était un détachement assez réduit, puisqu'il se composait de deux inspecteurs principaux, Sally et Donnelly, et de dix inspecteurs ordinaires. Il était placé sous son autorité, mais serait également supervisé par un commissaire qui ne s'impliquait guère, puisqu'il jouait un rôle essentiellement administratif. Ce dernier devait en effet s'assurer que l'on avait reparti équitablement les affaires entre les diverses équipes et vérifier que celles-ci n'engageaient pas des dépenses inconsidérées, puis clore les enquêtes qui n'aboutissaient pas avant qu'elles ne deviennent un gouffre financier ou ne mobilisent trop de personnel.

Assis à la même place que d'habitude, en tête de table, Sean eut peur, comme toujours, que son costume ne s'accroche au bord de la table ébréchée, voire de s'enfoncer une écharde dans la cuisse. Il posa son portable et son calepin devant lui, vérifia que tout le monde était là. Il adressa un signe de tête à Donnelly, qui saisit aussitôt. Ils travaillaient ensemble depuis suffisamment longtemps pour se comprendre à demi-mot.

— Bon, vous tous, écoutez-moi, lança son adjoint. Le patron a des choses à dire, et on a du pain sur la planche, alors on s'assied, et au boulot.

— Vous voulez que j'aille chercher Jones, patron ? suggéra l'inspecteur Zukov. Je crois qu'elle fume une clope sur le parking.

— Non, ce n'est pas la peine. Elle ne va pas tarder à arriver.

Le silence retomba dans la pièce. Sean observait Donnelly, l'air narquois. Ils regardèrent tous les deux la porte quand Sally Jones entra en trombe. On entendit des rires étouffés.

— Eh merde ! Désolée d'être en retard, patron.

L'assistance pouffa. Sally donna au passage une tape sur la tête de l'un des inspecteurs, qui leva les mains en guise de protestation.

— Je t'avais dit d'aller me chercher, Paulo !

À défaut de répondre, l'intéressé eut un sourire éloquent.

— Bonjour, Sally, fit Sean. Merci de te joindre à nous.

— De rien.

— Il ne t'a pas échappé, j'en suis sûr, qu'on se retrouve avec un autre meurtre sur les bras.

Cette annonce provoqua des murmures.

— On n'est qu'en été, soupira-t-elle, et notre équipe se voit confier pas moins de seize homicides, dont huit qu'il faut soumettre au tribunal. Comment va-t-on s'y prendre, si on n'arrête pas de nous en refiler ?

Elle rencontra l'approbation de ses collègues.

— Ça ne sert à rien de râler, déclara Sean. Les autres équipes ont autant de boulot que nous, c'est pourquoi on nous a confié cette affaire. Puisqu'à l'heure actuelle on n'a pas d'enquête en cours, comme vous devez le savoir, on ne pouvait pas y couper.

Sean s'attendit à les entendre rouspéter. Les flics en effet n'arrêtaient pas de se plaindre d'avoir trop de travail, par exemple, ou bien de ne pas être assez payés quand ils faisaient des heures supplémentaires. Eh oui, c'était comme ça, dans la police…

— Bon, reprit-il, voilà ce qui nous attend. Pour l'instant, on sait qu'on a tabassé la victime, avant de la tuer à coups de couteau. On pense qu'il s'agit d'un dénommé Daniel Graydon, qui habitait l'appartement dans lequel il est pratiquement certain qu'on l'a assassiné, mais comme il est défiguré, il faut attendre d'avoir confirmation de l'identification visuelle. On est déjà allés faire un tour sur place, Dave et moi, et ce n'est pas joli. Le type a, semble-t-il, été violemment frappé à la tête avec un objet lourd, ce qui risque d'avoir entraîné sa mort, même s'il nous faut attendre le rapport d'autopsie. Il a été lardé de coups de couteau, et cela sur une grande partie du corps. Ne vous y trompez pas, nous sommes en présence d'une agression violente et sauvage. Celui qui a fait ça était visiblement hors de lui. On suppose que la victime est un homosexuel, qu'il s'agit d'un crime domestique et que s'il y a eu une bagarre, le meurtrier est blessé. On s'est déjà renseignés auprès des hôpitaux et des postes de police, car il aurait pu se faire interpeller ensuite pour une autre raison. Je n'ai pas envie qu'on se complique la tâche, il me suffira d'être capable de faire le lien entre les divers éléments dont nous disposons.

Il regarda Sally.

— Je veux que tu partes tout de suite avec quatre types réaliser une enquête de voisinage. Le soir, à une heure pareille, il y a certainement quelqu'un qui a vu ou entendu quelque chose. Les autres, vous vous tenez prêts. La criminalistique examine les effets personnels de la victime, de sorte qu'on aura bientôt une liste complète de gens avec qui aller causer. Je pense qu'on saura assez vite qui est le principal suspect. Dave, enchaîna-t-il, tu vas faire office de chef de service.

Donnelly salua la nouvelle d'un signe de tête.

— Vous autres, reprit Sean, vous irez le voir au moins trois fois pas jour, pour savoir quelle mission il vous attribue. Et puis n'oubliez pas, dans une enquête, les premières heures sont les plus importantes, alors on mange sur le pouce et on pensera à aller se coucher quand on aura serré l'assassin.

Des membres de l'assistance manifestèrent leur approbation en grommelant, et les flics partirent chacun de leur côté. Sean les sentait optimistes, il voyait bien qu'ils le considéraient comme un chef compétent et avisé. Jusqu'alors il ne les avait pas déçus. Pourvu que ça dure !

***

Il était presque 13 heures et Sean avait passé la matinée au téléphone, ne cessant de répéter la même chose au commissaire, à l'antigang, à l'agent de liaison auprès des communautés gay et lesbienne, à l'agent en tenue de service, ainsi qu'à l'inspecteur de la sécurité publique. Il en avait marre de jouer les perroquets.

Revenus pour assister à la réunion, Sally et Donnelly étaient assis dans son bureau. Sally avait apporté du café et des sandwichs, et il mangea machinalement le sien, qui lui parut insipide. C'était la première fois qu'il avalait quelque chose depuis que Donnelly l'avait appelé en début de matinée, et il était bien content de se caler l'estomac, point barre.

Ils discutèrent tout en se restaurant, puisqu'à l'évidence ils n'avaient pas le temps de faire un vrai repas. C'était toujours pareil au début d'une enquête, ils étaient débordés. Les preuves médico-légales ne cessaient de se dégrader, les témoins s'évanouissaient dans la nature, les enregistrements des caméras vidéo étaient effacés et remplacés par d'autres. Bref, il engageait une véritable course contre la montre.

— Les enquêtes de voisinage ont-elles donné quelque chose, Sally ? Épargne-moi les mauvaises nouvelles, de grâce.

— Rien. Il y a encore des types qui vont voir les gens du coin, mais pour l'instant on n'a appris qu'une chose, c'est que Graydon ne fréquentait personne. Il n'organisait pas de fêtes bruyantes, il n'y avait pas de disputes chez lui. Aux dires de tout le monde, il était sympa, ce jeune. Et hier soir, personne n'a rien vu ou entendu. Apparemment, il n'y a pas eu de chahut. Les gens ont encore passé une nuit tranquille dans le sud de Londres.

— Ça ne tient pas debout. Il y a un type qui se fait tabasser à mort à quelques mètres de combien, quatre autres appartements, et personne n'entend rien ?

— C'est ce qu'on nous a expliqué.

Sean soupira et se tourna vers Donnelly.

— Dave ?

— Oui. On s'est arrangés pour photocopier son journal, son carnet d'adresses et je ne sais quoi encore. À ma demande, il y a actuellement deux types qui épluchent tout ça. On devrait me communiquer sous peu l'adresse et le numéro de téléphone de sa famille. Reste que pour le moment on n'a pas trouvé la trace d'un petit copain, aucun nom qui revienne avec insistance. Je vais envoyer des gars partir à la recherche de ses amis et fréquentations, mais seulement quand on aura leurs coordonnées. Et puis, j'ai reçu un coup de fil du bureau du coroner. On a évacué le corps, qui se trouve maintenant à l'hôpital Guy. L'autopsie aura lieu aujourd'hui, à 16 heures.

Sean se remémora soudain des images des autopsies auxquelles il avait déjà pu assister, et il repoussa le reste de son sandwich.

— Qui est-ce qui pratique l'autopsie ? demanda-t-il.

— Votre vœu est exaucé, patron, c'est Canning. La police scientifique vous a transmis de nouveaux renseignements concernant la scène de crime ?

— Pas encore. Pas de trace d'arme, ni de traînées de sang ou d'empreintes rougies. Il est encore trop tôt pour se prononcer. Roddis ne pense pas avoir fini avant demain à la même heure, ensuite on enverra tout ça au labo et on attendra la suite.

On vit débarquer un jeune inspecteur de l'équipe de Sean, muni d'un bout de papier.

— Je crois avoir trouvé l'adresse des parents, annonça-t-il.

Les autres le regardèrent.

— Je récupère ce truc, merci, lui dit Sally.

Le jeune flic lui remit le bout de papier et s'éloigna.

— On dirait que c'est là une mission qui réclame le doigté d'une femme, philosopha-t-elle.

— Je vais avec toi, déclara Sean, qui connaissait ses responsabilités. Merde, ça va être drôle, grinça-t-il pour se donner bonne contenance. Dave, je te reverrai ici vers 15 h 30. Tu pourras alors me conduire à l'autopsie.

— Compte sur moi.

— Bon, alors à plus tard.

Sean enfila sa veste et s'apprêta à quitter la pièce, Sally sur ses talons.

— Et n'oublie pas, si on te pose des questions, explique que c'est un crime domestique tout ce qu'il y a de plus simple. Ce n'est pas la peine d'affoler les gens.

— Tu commences à avoir des doutes ? réussit à lui demander Donnelly, avant qu'il ne se sauve.

— Non.

Ce n'était pas tout à fait exact, puisqu'il en venait à se dire que le meurtre de Daniel Graydon n'était peut-être pas aussi simple qu'il y paraissait. Pendant un instant, il se projeta dans l'appartement où l'on procédait au massacre et regarda l'assassin s'activer au-dessus de sa victime couchée sur le ventre, sans rien voir dans son comportement qui laisse penser qu'il paniquait, était fou de rage ou encore jaloux, mais en constatant au contraire qu'il gardait son sang-froid et avait l'air satisfait.

— Ça va, patron ?

— Oui, excuse-moi. Trouve-moi son copain, Dave, quel qu'il soit. Trouve-le, et tu auras mis le doigt sur notre principal suspect.

Chapitre 3

Vendredi en fin d'après-midi

Sean était encore sous le choc de l'entretien avec les parents de la victime, quand il s'en alla assister à l'autopsie. Donnelly et lui empruntèrent les couloirs de l'immense hôpital Guy. Il se demanda s'il allait tomber sur Kate, sa femme. Elle travaillerait, à cette heure-là, puisqu'elle faisait partie des médecins en sous-effectif qui s'occupent de tous ces braves gens qui atterrissent aux urgences.

Ça l'amusait de voir les touristes baguenauder, visiter le Tower Bridge, le London Dungeon et la London Tower, sans se douter qu'ils se trouvaient à quelques encablures de ce que l'on appelle ici « the Borough », l'un des quartiers les plus pauvres et les plus dangereux de Londres. Un ensemble de cités, de vieux immeubles bruns entrecoupés de tours et de constructions moins hautes datant des années soixante, et qui allait jusqu'à Bermondsey, Rotherhithe et même au-delà. Des enclaves impitoyables où se terre le sous-prolétariat londonien, et qui ont engendré des criminels endurcis comme d'autres ailleurs ont donné des fonctionnaires. Il se rappelait qu'au début des années quatre-vingt-dix, le *Times* avait publié à ce sujet un article intitulé : « Les trois kilomètres carrés les plus dangereux en Grande-Bretagne ». On y déplorait au bas mot quarante assassinats en moins d'un an. À Londres, un meurtre sur dix était commis dans ce périmètre restreint, même pas aussi grand que Hyde Park.

Ils s'étaient fait accompagner de l'inspecteur Sam Muir, chargé de récupérer les indices que le légiste trouverait dans ou sur le corps pendant l'autopsie.

Sean ne cessait de penser aux parents de la victime. Sally et lui étaient allés les voir dans leur petite maison de Putney, un quartier dans l'ensemble assez coté, mais bruyant le week-end. C'était surtout Sally qui leur avait parlé.

Daniel était leur fils unique. Bouleversée, la mère s'était effondrée en hurlant, et il s'en était suivi une véritable crise de nerfs. Quand elle avait retrouvé l'usage de la parole, elle n'était parvenue à prononcer qu'un mot, le nom de son fils.

Le père, lui, fut abasourdi. Il faillit tourner de l'œil, tâcha de consoler son épouse et, en fin de compte, ne fit rien du tout. Sean l'invita à passer au séjour, Sally resta avec la mère.

Ces gens savaient que leur fils était gay. Au début, ça n'avait pas plu au père, mais il avait fini par l'admettre ; il n'allait tout de même pas le flanquer à la porte. Il expliqua que Daniel était gérant d'une boîte de nuit. Il n'en connaissait pas l'emplacement exact, mais son fils s'en sortait bien et n'avait pas de problèmes d'argent comme les autres jeunes.

Il n'avait jamais vu aucun de ses amis, et Daniel n'avait pas gardé de contacts avec ses potes du lycée. Il venait souvent à la maison et y déjeunait quasiment tous les dimanches. Sa femme et lui ignoraient s'il avait un copain. À l'entendre, il n'était pas porté là-dessus. Ils n'avaient pas insisté.

Qu'allaient-ils devenir ? Sa femme serait anéantie. C'était pour Daniel qu'elle vivait, pas pour lui, son mari, il le savait bien et ça ne le dérangeait pas. Mais maintenant que Daniel était mort… ?

Qui avait pu avoir envie de faire ça à leur fils, et par contrecoup à eux-mêmes ? Et pour quelle raison ? Sean était bien incapable de lui donner une réponse.

En pénétrant dans la morgue, les trois flics virent Simon Canning, le médecin légiste, se préparer à autopsier un corps allongé sur une table d'opération métallique et recouvert d'un drap vert. En dessous il coulait en permanence de l'eau, dans ce qui ressemblait à une grande baignoire peu profonde en Inox. Il y avait des flics qui arrivaient à s'abstraire du côté macabre d'une autopsie, pour ne s'intéresser qu'à la dextérité et à la compétence du praticien. Il n'en faisait hélas pas partie, car ça reviendrait à imaginer la sienne, et ça le traumatiserait. Les visions de cauchemar viendraient se confondre avec les souvenirs bien réels de son enfance meurtrie, il en perdrait l'appétit et n'arriverait plus à dormir.

Simon Canning était en train de disposer ses outils, des instruments métalliques bien luisants destinés à torturer les morts.

— Bonjour, messieurs les inspecteurs.

— Salut, docteur. Content de vous revoir.

— C'est ça, oui…

Canning se montra aimable, mais aussi très pro et fort peu disert.

— J'espère que vous n'y voyez pas d'inconvénient, mais je ne vous ai pas attendu pour commencer. Je faisais un peu de nettoyage avant de continuer. Bon, on y va ?

Il ôta prestement le drap recouvrant le cadavre. Sean s'attendit à l'entendre dire : Voilà, comme un serveur qui enlève le couvercle d'un plateau en argent.

Sean eut du mal à reconnaître dans ce corps celui qu'il avait vu par terre, dans l'appartement. Il n'avait plus rien d'humain. La mort lui avait volé sa physionomie, en lui donnant un teint cireux et caoutchouteux. C'était toujours pareil avec les cadavres, ce qui le portait à croire que le corps n'est que le grossier réceptacle de notre âme. Daniel était maintenant parti ailleurs. Sean espérait que son âme ne gardait pas souvenir de la mort qu'il avait connue.

Il avait du sang séché dans les cheveux, à l'arrière de la tête et sur le côté, ça avait l'air de coller. Il aperçut les estafilades qu'il avait sur la tempe, puis son corps dénudé et criblé de perforations.

— Soixante-dix-sept, expliqua Canning.

Sean se rendit compte que c'était à lui qu'on s'adressait.

— Pardon ?

— On l'a lardé de coups, soixante-dix-sept fois en tout, mais pas dans le dos, toujours devant, avec une espèce de stylet, ou bien un pic à glace. Il n'empêche que c'est le premier coup qui lui a été fatal, même s'il n'est pas mort tout de suite.

Canning montra la blessure à la tête. Sean se força à se rapprocher du cadavre.

— On constate qu'il lui manque une oreille. On ne la lui a pas tranchée, c'est plutôt qu'on l'a frappé tellement fort que non seulement ça lui a défoncé le crâne, mais ça lui a en même temps arraché l'oreille.

— Sympa.

— Et puis il était à genoux quand il a reçu le premier coup, poursuivit le médecin légiste. On voit bien que le cuir chevelu est entaillé de haut en bas. C'est dans ce sens que l'assassin l'a cogné.

— Ou alors il l'a tabassé par-derrière.

— Non. Il est tombé à la renverse, pas le contraire. Regardez par terre les taches de sang qui en ont résulté. Elles partent de l'arrière de la tête, pas du devant.

Il regarda les flics pour vérifier qu'ils n'étaient pas obnubilés par le spectacle qu'ils avaient sous les yeux mais écoutaient ses explications. Ils étaient toute ouïe.

— Reste que ce n'est pas compliqué, ajouta-t-il. L'angle des perforations est très intéressant. Compte tenu, évidemment, que notre ami a été amoché des chevilles jusqu'à la gorge, je suis pratiquement certain qu'il était déjà à plat ventre par terre avant qu'on se mette à le transpercer un peu partout. Ce qui, en soi, n'a rien d'exceptionnel.

Le médecin légiste reprit son souffle, avant de poursuivre sa démonstration :

— Il convient de noter que la plupart des blessures n'ont pas été infligées dans l'axe auquel on s'attend. Vous voyez ?

Sean nageait complètement.

— Je ne vous suis pas.

— Je vais vous montrer.

Il regarda autour de lui, à la recherche d'un accessoire, trouva une paire de ciseaux.

— Pour commencer, je sais que l'assassin doit être droitier. C'est l'axe des perforations qui me l'indique, ainsi que le fait qu'on a frappé le malheureux sur le côté gauche de la tête. Imaginons maintenant que je sois l'assassin — la victime peut très bien jouer son rôle, hein… Bon, pour larder quelqu'un de coups de la tête aux pieds, il faudrait que l'assassin se soit placé auprès de lui et non au-dessus de lui, comme on pourrait le croire au départ. S'il s'était mis à califourchon sur lui, il n'aurait pas eu assez d'allonge pour le frapper aux cuisses et aux tibias.

En guise de démonstration, le médecin légiste se tortilla vers les pieds de la victime.

— En outre, précisa-t-il, le corps entier est percé comme une passoire, et on ne voit pas d'endroit indemne laissant penser que le tueur était à cheval sur le malheureux.

— Il était donc à genoux à côté de lui quand il l'a planté à répétition. Ça ne m'avance pas beaucoup, déplora Sean.

— Je dis simplement que l'assassin ne s'est pas accroupi à côté de la victime pour le frapper comme un forcené, comme on pourrait s'y attendre dans la plupart des crimes passionnels. Non, il s'est déplacé autour du malheureux pour le piquer à divers endroits, il n'y a aucun doute. Vu l'angle sous lequel l'arme est entrée dans le corps du malheureux, je serais prêt à témoigner sous serment que l'assassin a tourné autour de lui, comme s'il n'avait pas voulu se compliquer la tâche. Il n'avait pas envie de tendre le bras à fond, de manière à infliger des blessures rituelles ou un truc du même acabit. Si vous voulez mon avis, je vous dirai que ce n'est sans doute pas le fait d'un excité qui s'est acharné sur sa victime. L'assassin a frappé à des endroits bien précis, et en toute connaissance de cause. Il a pris son temps. Pour quelle raison ? C'est à vous de le découvrir.

Sean en eut froid dans le dos, le scénario qu'il avait imaginé au départ, celui d'un assassin lardant systématiquement la victime de coups de couteau ou de pic à glace, se voyant corroboré par les conclusions de l'autopsie. Il se tissait déjà un lien entre le tueur et lui, dans la mesure où ils se représentaient tous les deux la scène de la même façon. Il passa lentement sa main dans ses cheveux bruns coupés court. Il lui était possible de faire l'impasse sur des tas de choses, en revanche il ne pouvait pas aller à l'encontre de son intuition, qui lui faisait comprendre que ça promettait d'être compliqué. La thèse du meurtre domestique commençait à prendre l'eau, et il savait qu'il n'était plus question de se lancer à la recherche d'un amant pris de panique. On ne verrait donc pas un suspect, rongé par la culpabilité, s'effondrer en larmes au cours de la garde à vue. Il fallait maintenant cibler quelqu'un d'autre, il en était sûr. Il expira longuement, une foule de questions se bousculant dans sa tête qui commençait à lui faire mal…

Quels étaient les mobiles de l'assassin ? En avait-il seulement un ? Voulait-il tuer pour le plaisir de tuer, ou bien avait-il envie de torturer sa victime ou de lui faire subir des sévices sexuels, auquel cas il aurait assassiné ce malheureux pour dissimuler ses forfaits ? Bref, quel genre de tueur lui fallait-il traquer ?

— Il faut qu'on rentre au commissariat. Vous avez fini, docteur ?

— Pratiquement. Ah, une dernière chose…

Il désigna les poignets de la victime.

— C'est presque imperceptible, déclara-t-il, et pourtant il n'y a pas à tortiller.

En y regardant de près, Sean constata que la peau était légèrement décolorée à la base des deux mains.

— Ce sont des contusions, expliqua Canning, sans doute occasionnées par des liens. On l'a ligoté avec quelque chose. Je vais les examiner sous des lampes à ultraviolets et en profiter pour passer en revue le corps tout entier. Ça permettra de faire ressortir d'anciennes plaies. Mes conclusions figureront dans le rapport définitif.

— Très bien, dit Sean, qui cachait mal son impatience.

— Je ne veux pas vous retarder, inspecteur. Je vous tiens au courant.

— Vous voulez que je me lance à la recherche d'un éventuel

copain, patron ? demanda Donnelly.

— Procède aux vérifications d'usage, car c'est peut-être son petit ami qui l'a zigouillé. Si ça se trouve, le jeune Daniel ici présent s'est acoquiné sans le savoir avec un tordu. Il n'y a pas de trace d'effraction, tu te rappelles ?

Cela dit, Sean n'y croyait pas. En outre, si Daniel avait effectivement un copain, celui-ci avait le droit d'être prévenu, de sorte qu'il fallait de toute façon le retrouver.

— On ferait mieux de rentrer annoncer la bonne nouvelle, grinça-t-il.

— Vous allez parler de ça au commissaire ?

— Je n'ai guère le choix.

Sean regarda sa montre.

— Bah, il se fait tard, je ne voudrais pas lui gâcher sa soirée. Je préfère le mettre au courant demain, ensuite… ça va chauffer pour notre matricule. Tu as intérêt à te faire tout petit.

— Et les autres ?

— Ils ont assez de pain sur la planche comme ça pour ce soir. Prépare-nous une réunion pour demain matin. C'est là que je vais leur expliquer ce qu'il en est.

Sean et Donnelly se dirigèrent vers la sortie. Sean avait besoin d'air frais. Ils poussèrent la porte battante et s'en allèrent.

Chapitre 4

Si seulement vous pouviez comprendre à quel point mes actes sont beaux et limpides ! Mon être, voyez-vous, se donne comme un témoignage à la Nature, à sa veine implacable, au fait qu'elle est totalement dépourvue de compassion, à sa violence… Vous avez délaissé les lois de la Nature au profit d'autres règles, celles de la morale, de la retenue et de la tolérance. Pas moi.

Nous voilà donc entassés dans ce cercueil mécanique qui brinquebale sous les rues de Londres. On l'appelle, par dérision, « la ligne du malheur ». Regardez-moi ça, il n'y en a pas un dans le tas qui a la moindre idée de qui je suis ! Vous voyez en moi le reflet de ce que vous êtes. Eh oui, tel est le déguisement que je suis contraint d'adopter.

Approchez-vous un peu, et je vais vous montrer, moi, qui je suis vraiment !

Ah là là, qu'est-ce ça peut être infernal, l'été, dans ces rames de métro, tous obligés qu'on est de respirer les effluves des autres ! 18 h 30, ils s'efforcent, là, de rentrer chez eux pour s'anesthésier la tronche à l'alcool, la coke, la télé ou je ne sais quoi encore. N'importe quoi qui leur permette d'oublier qu'ils mènent une existence vaine et misérable. Seulement avant de s'offrir ces petits plaisirs, il leur faut endurer cette ultime torture…

D'habitude, je choisis pour me distraire un passager au hasard et j'imagine ce qu'il en serait de lui crever les yeux avant de lui trancher la gorge. La puanteur de tous ces sujets potentiels déchaîne mon imagination. Je pourrais peut-être aborder quelqu'un avant de rentrer à la maison auprès de mon épouse dévouée et de mes enfants bien élevés. Un jour, quand j'aurai trouvé le moyen de ne pas me faire prendre, je les égorgerai, eux aussi.

Et celle-là ? Une jolie jeune femme, bien habillée, coiffure géniale, supercanon, elle ne porte pas d'alliance ni de bague de fiançailles. Intéressant. Ce sont des petits indices de ce genre qui m'apprennent ce que je veux savoir. Le fait qu'elle n'ait pas de bague pourrait indiquer qu'elle vit seule ou avec des copines. Je pourrais la suivre jusqu'à son appart, oui, je suis pratiquement certain qu'elle habite un appartement. Je me ferais passer pour quelqu'un qui vient d'emménager dans l'immeuble, on y entrerait ensemble, j'agiterais des clés pour qu'elle ne se doute de rien. Qui sait, elle m'inviterait peut-être à prendre un café ; c'est déjà arrivé, dans d'autres circonstances. Je vérifierais en vitesse qu'il n'y a personne ou qu'elle n'attend pas de la visite, et alors je pourrais m'amuser un peu avec cette jolie fille et son élégante coiffure…

Pas ce soir, cependant. Il faut que je rentre à l'heure à la maison et que je me comporte en bon mari. C'est au prix de multiples efforts que l'on parvient à donner aussi bien le change que moi, mais je ne peux pas attendre très longtemps. Avant la petite tafiole, il s'était écoulé quinze jours depuis la dernière fois que je m'étais rendu chez quelqu'un, et en plus ça n'avait pas traîné. Un genre d'avocat, qui se baladait avec un attaché-case. Je me suis arrangé pour que ça ressemble à un meurtre commis par un voleur. Je lui ai flanqué deux coups de couteau dans le cœur et je n'ai pas oublié de piquer l'argent qu'il avait dans son portefeuille.

Il eut l'air surpris. Je lui ai demandé l'heure, et au moment où il ouvrait les lèvres pour me répondre, je l'ai poignardé. J'ai ressorti la lame plongée dans sa poitrine, puis je lui en ai remis un coup. Cette fois, j'ai laissé la lame fichée là où elle était et je me suis cramponné au manche, tandis qu'il s'effondrait par terre. Il a eu le même regard que les autres, moins effrayé qu'interrogateur, comme s'il voulait me demander : « Pourquoi ? » Ils veulent toujours savoir pourquoi. Pour l'argent ? Par haine ? Pour de l'amour ? Parce que ça me fait jouir ? Non, pour aucune de ces mesquineries.

Si bien que je lui ai glissé à l'oreille ce qu'il en était vraiment. Ce fut sans doute la dernière chose qu'il entendit : « Parce qu'il le faut… »

Chapitre 5

Il faisait une chaleur typique d'une mégalopole. Les gaz d'échappement de quatre millions de voitures, de taxis et de bus se mélangeaient dans la touffeur, la route dansait…

Sean était en retard, ce vendredi matin. Il devait animer une réunion en milieu de matinée et il avait prévu d'arriver au boulot au moins une heure et demie avant, de manière à se préparer. Or voilà qu'à cause des encombrements sur Old Kent Road et de Mandy, sa fille de trois ans qui avait piqué une crise parce qu'il ne l'avait pas emmenée à Legoland comme promis, il aurait juste le temps de lire ses e-mails. Puisqu'on avançait au pas, il essaya bien de les consulter sur son iPhone, mais il faillit à trois reprises tamponner la voiture de devant et finit par y renoncer.

On avait attribué la veille diverses missions à son équipe, et il espérait que cela avait fait avancer l'enquête. Ses collaborateurs seraient en mesure de lui dire ce qu'ils avaient découvert. Roddis et ses hommes de la police scientifique en avaient terminé sur la scène de crime et ils viendraient exposer leurs conclusions, qui pourraient revêtir une importance cruciale.

Il appela Sally pour la prévenir qu'il serait en retard.

— Bonjour, patron. Où êtes-vous ?

— Je suis bloqué dans les embouteillages. Si ça recommence à rouler, je serai là dans une demi-heure. Sinon, on se voit toujours à 10 heures, sauf avis contraire.

— Vous voulez que tout le monde se retrouve, comme d'habitude, dans la salle de réunion ?

— Euh… non, plutôt dans la salle des opérations, il y a davantage de place.

— Pas de problème. Patron… s'empressa-t-elle d'ajouter, avant qu'il ne mette fin à la communication.

— Quoi ?

— Il y a des petits malins qui ont affublé notre assassin d'un sobriquet. J'ai pensé qu'il fallait vous mettre au courant.

— Je t'écoute.

— Dans la bouche de certains, il est devenu « l'exterminateur à tapettes ».

Sean ne répondit rien sur le coup, mais songea benoîtement à ce que diraient les parents de Daniel Graydon s'ils apprenaient comment on parlait de leur fils.

— Tu les préviens tout de suite, répliqua-t-il au bout de quelques secondes, que si dorénavant quelqu'un de chez nous l'appelle comme ça, il va se retrouver en uniforme à régler la circulation à Soho, dès qu'on aura eu le temps de prendre son tour de tête pour lui trouver un casque. Premier et dernier avertissement.

— Compris. Je vais veiller à ce que ça ne se reproduise pas.

— À la bonne heure.

Il prit congé de Sally et poursuivit son trajet dans l'air irrespirable. Avant le meurtre de Daniel Graydon, il avait prévu de prendre sa journée et d'en profiter pour faire avec sa famille la même chose que les gens normaux, cela même dont il avait été privé dans son enfance, qui ne lui laissait que des souvenirs affreux. Une fois de plus, il ne tiendrait pas les engagements qu'il avait pris envers sa femme et ses enfants. Il haussa les épaules, il n'y pouvait rien, c'était le métier qui voulait ça…

***

Sean et son équipe se retrouvaient dans l'espace paysager qui faisait office de salle des opérations et leur tenait lieu de résidence secondaire. Disposés en général en groupe de quatre, les bureaux s'ornaient d'immenses écrans de vieux ordinateurs et d'un téléphone filaire, si celui ou celle qui travaillait là avait du bol. On réussissait quand même à élucider les meurtres à Londres, nonobstant le matériel, et certes pas grâce à lui. Arrivé devant la pièce, Sean regarda à l'intérieur par la fenêtre en Plexiglas. Il vit des inspecteurs en train de discuter, assis pour la plupart au bord de leur bureau, et d'autres rassembler du papier pour prendre des notes ou bien passer un dernier coup de fil avant son arrivée.

À mesure que l'enquête progressait, la pièce changeait de décor, et des photos de la scène du crime et de la victime, accompagnées des premiers résultats de l'autopsie, venaient recouvrir les murs et s'afficher sur les tableaux blancs. On avait confirmation de l'identité du malheureux, qui s'appelait effectivement Daniel Graydon, comme il était indiqué sur une carte de visite vierge apposée au-dessus des clichés de son corps mutilé et de son domicile dont on avait violé l'intimité. Sean constata que l'on avait regroupé le tout au même endroit, laissant le reste inoccupé, signe qu'il y avait quelqu'un dans le groupe qui n'excluait pas que l'on épingle d'autres photos. Bref, qu'il y ait d'autres victimes…

On avait indiqué sur un tableau blanc les tâches à accomplir, en précisant à qui on les confiait. Elles étaient numérotées, et une fois qu'on les avait menées à bien, on les rayait, ce qui permettait de voir tout de suite si l'enquête avançait ou non. Lorsque celle-ci piétinait, l'ordre du jour était réduit à la portion congrue, ce qui avait de quoi inquiéter les supérieurs de Sean et les amener à intervenir ; mais de ce côté-là, il n'y avait pas le feu. Pour l'instant, tout le monde était suffisamment occupé à réunir les indices et à les maintenir en bon état. Les premiers jours revêtaient une importance cruciale, et si l'on laissait filer un élément de preuve, on risquait de le paumer pour de bon.

Sean parcourut les quelques mètres qui séparaient son bureau de la salle des opérations et attendit que tout le monde se taise et que le calme revienne ; le bruit s'estompa, un peu comme lorsqu'on baisse le son sur un ampli.

— Bien, messieurs dames, avant d'entrer dans le vif du sujet, je tiens à vous dire que si l'un d'entre vous désigne l'assassin comme « l'exterminateur à tapettes », je le vire de l'équipe. C'est clair ?

Des hochements de tête saluèrent cette déclaration liminaire.

— Maintenant que cette question est réglée, on peut se mettre au boulot. D'abord, je voudrais que vous sachiez qu'au vu des premiers résultats de l'autopsie, je ne pense plus que nous soyons confrontés à un meurtre domestique. Canning m'explique que le premier coup à la tête a dû étourdir le malheureux et l'empêcher de bouger. Ce qui signifie qu'il n'y a pas eu de bagarre.

— Qu'est-ce que vous faites des meubles esquintés et du sang qui a giclé un peu partout et qui semblent indiquer le contraire ? demanda Sally.

— C'est une mise en scène, ingénieuse certes, mais qui n'en reste pas moins un maquillage. L'assassin essaie de nous égarer. Les blessures occasionnées par une arme pointue font penser à une espèce de meurtre rituel, et non à une agression commise sous l'empire de la colère. Vous connaissez tous, ou presque, Andy Roddis, qui dirige l'équipe de la criminalistique. Il a bien voulu prendre sur son temps pour nous faire part des résultats auxquels il est parvenu après avoir examiné la scène du crime.

— Ça, putain, c'est sympa, Andy, commenta un Donnelly goguenard, ce qui fit rire tout le monde.

— D'accord, d'accord, dit Sean, qui imposa le silence. Je vous conseille d'écouter attentivement ce qu'il va vous expliquer.

Sean se tourna vers Roddis pour lui faire signe de commencer son exposé.

— Andy...

Roddis se dirigea vers les photos fixées au mur derrière lui.

— Merci.

Il reprit l'histoire là où l'avait laissée Sean, tout en marchant de long en large.

— Les indices relevés sur la scène du crime ont été pour la

plupart transmis au labo, de sorte qu'il va nous falloir attendre pour être fixés. Ça va demander plusieurs jours, car nos chers experts, eh oui, ne travaillent pas le week-end. Il faudra donc se contenter de ce qu'on a jusqu'à mardi, au minimum.

On entendit des gloussements dans l'auditoire.

— Non seulement le suspect a mis son forfait en scène, enchaîna-t-il, mais on a des raisons de croire qu'il se méfie de nous. On n'a en effet relevé aucune trace de sperme, de salive ou de quoi que ce soit qui vienne de lui.

C'était lui qui avait passé la scène de crime au peigne fin, il fallait donc le laisser délivrer tranquillement son diagnostic. Ses collègues attendraient qu'ils les mettent au parfum pour lui demander des précisions et, entre-temps, ils appliqueraient la vieille consigne policière : tenir sa langue, tendre l'oreille et ouvrir l'œil.

— Il y a beaucoup de sang, mais je parie que c'est toujours celui de la victime, puisque les premiers examens montrent qu'il appartient au même groupe sanguin que le sien. On aura confirmation de son ADN d'ici quelques jours. On a même retrouvé quelques cheveux dans l'appartement, mais apparemment c'étaient aussi ceux de Daniel Graydon. Rien ne dit qu'on ne va pas non plus relever sur son corps des fluides organiques de l'assassin, car avant d'évacuer sa dépouille, on a passé un tampon dessus. C'est là notre meilleure chance de déterminer son ADN. Jusqu'à présent, on n'a pas retrouvé l'arme du crime. Il se peut néanmoins que l'assassin l'ait essuyée après coup, puis l'ait remise quelque part dans l'appart. On a envoyé au labo tout ce qui aurait bien pu lui servir à commettre son forfait, afin de voir si cela correspond aux blessures de la victime. Quant aux empreintes digitales, on a eu recours aux produits chimiques pour les relever ; on a commencé par isoler l'appartement, puis on y a injecté du gaz. Pour ceux qui ne sont pas au courant, je précise qu'il s'agit là d'une méthode nouvelle qui nous évite de badigeonner les lieux de poudre d'aluminium, à l'aide d'une brosse. On s'attendait à voir apparaître les empreintes d'un tas de gens, comme d'habitude, mais on a eu la surprise de constater que c'étaient presque toujours celles du même individu. Or, je suis pratiquement certain que l'assassin n'a pas passé un coup de chiffon sur la scène du crime, car on a effectué plein de relevés, seulement voilà, ils nous ramenaient tous à la victime.

— Il y en avait quand même d'autres que les siennes ? demanda Sean.

— Oui. À moins d'avoir affaire à un type qui vivait en ermite, on escomptait bien trouver aussi des empreintes qui ne soient pas à lui.

Roddis marqua un temps d'arrêt.

— Peut-il s'agir de celles de l'assassin ? reprit-il. Ce n'est pas à exclure, mais enfin ça m'étonnerait. Comme il a pris garde à ne pas semer d'indices, il y a peu de chances, à mon avis, qu'il ait eu la gentillesse de nous laisser une belle empreinte digitale.

Sean brûlait d'y mettre son grain de sel, mais Roddis n'était pas encore disposé à lui laisser la parole.

— On a cependant envoyé à l'identité judiciaire celles qu'on a relevées, afin de voir si ça leur dit quelque chose. Ça nous permettra peut-être de savoir qui fréquentait Daniel Graydon, ce qui est toujours utile.

Sean acquiesça d'un signe de tête.

— On a au moins la chance d'être tombés dans le couloir sur une moquette neuve et de bonne qualité. Comme elle est épaisse et qu'on est arrivés assez vite sur les lieux, elle a gardé des traces de pas.

Roddis sortit un jeu de photos de son dossier et apposa les clichés sur un tableau, comme un médecin qui s'apprête à visionner des radios. Les traces de pas se détachèrent en négatif.

— Là, ce sont celles de la victime, expliqua-t-il en montrant deux clichés. On n'a pas eu de mal à l'établir, puisqu'il chaussait des Converse d'un modèle spécial, sur les semelles desquelles est imprimé un dessin bien particulier.

Sean l'écoutait attentivement, même s'il savait depuis longtemps qu'il est indispensable de s'intéresser à la signature laissée par des chaussures.

Roddis se déplaça légèrement sur la gauche et désigna une autre photo.

— Ici, on voit l'empreinte d'une Doc Martens de taille 44, celle de l'agent qui est arrivé en premier sur place. Comme il est scrupuleux, ce garçon a longé le couloir du côté de la porte, laissant ainsi intact ce que je vais vous montrer.

Roddis fit un pas sur la gauche et tendit le doigt en direction du tableau.

— C'est quelqu'un d'autre qui est passé par là, expliqua-t-il en tapotant la photo suivante. Cet individu portait des chaussures quasiment neuves, car on ne relève pour ainsi dire pas de stries irrégulières sur la moquette. Il n'empêche que même si on les retrouvait, ces godasses ne présenteraient pas assez de signes distinctifs sur leurs semelles pour être des indices probants. Pour avoir la certitude que ce sont bien elles qui ont imprimé leur marque sur la moquette, il faudrait relever les mêmes particularités à quinze reprises environ.

— Voulez-vous dire que ce type a mis exprès des chaussures neuves pour ne pas signer son passage ? demanda Sally.

— Je ne suis pas ici pour insinuer quoi que ce soit, répondit Roddis, mais pour vous expliquer ce que nous avons trouvé. C'est à vous qu'il appartient, je crois, d'avancer des hypothèses.

Roddis s'installa devant les dernières photos, sur lesquelles on voyait des traces de pas barrées de grandes stries, anormalement larges et partant dans tous les sens. Il glissa le doigt dessus.

— Ça nous a donné à réfléchir, dit-il. On s'est efforcés en vain de reproduire ces empreintes. Faute de mieux, on s'est livrés à une expérience : on a enveloppé une paire de chaussures dans des sacs en plastique, et hop ! comme par hasard, on a obtenu exactement les mêmes traces de pas. Je ne suis pas du genre à tirer des plans sur la comète, mais je parierais que ce sont les mêmes chaussures que celles-ci, dit-il en montrant les clichés qu'il avait examinés auparavant, qui ont laissé ces marques. La seule différence, c'est que notre homme avait à ce moment-là glissé ses pieds dans des sacs en plastique. Sinon, les semelles ont bien la même forme et la même taille.

— Pourquoi agir ainsi ? interrogea une fois de plus Sally. Il s'est déjà baladé dans l'appartement sans prendre de précautions, alors à quoi bon essayer de ne pas laisser de traces en repartant ?

Cette question laissa l'auditoire perplexe.

De son côté, Sean s'efforçait d'analyser froidement la situation, au lieu de vouloir brûler les étapes, et de s'en tenir d'abord à l'essentiel. En effet, ça ne rimait à rien d'entrer normalement dans l'appartement, puis d'envelopper ses pieds dans des sacs en plastique avant de quitter les lieux. Si ce n'était pas pour éviter de laisser des traces avec ses chaussures, pour quelle raison avait-il procédé ainsi ? Il avait la réponse sur le bout de la langue, mais il n'arrivait pas à mettre le doigt dessus. C'est finalement son imagination qui vint à son secours et lui permit de se replonger dans la scène du crime, de voir les choses avec les yeux de l'assassin, de regarder ses mains au moment où il se penchait pour envelopper ses pieds dans des sacs en plastique. D'un seul coup, il comprit.

— On se complique inutilement la tâche, déclara-t-il. Il ne s'agissait pas dans son esprit d'éviter de laisser des traces de pas, mais de ne pas salir ses belles chaussures neuves en faisant tomber du sang dessus.

— Et s'il s'est donné tout ce mal pour protéger ses pompes, embraya Sally, il s'est sans doute aussi protégé le corps entier.

Sean et elle se regardèrent. Dans la pièce, tout le monde se disait la même chose, à savoir que l'assassin avait redoublé de prudence, qu'il savait ce qu'était une expertise criminalistique et ce que rechercherait la police. Serait-il donc capable de se mettre à la place d'un flic et de tenir le même raisonnement que lui ?

— D'accord, déclara Sean, il a pris d'énormes précautions. Il n'empêche qu'il a dû commettre une erreur. Comme on n'a pas encore les résultats du labo, il est trop tôt pour imaginer qu'il a nettoyé la scène du crime avant de s'en aller. Il ne faut pas le surestimer, ce type. On s'apercevra sans doute que c'est encore une espèce de ringard qui vit avec sa maman, s'amuse à observer les trains et se pignole quand il n'est pas en train de suivre des vedettes. Il a dû regarder trop de séries policières à la télé, et maintenant il veut mettre en pratique ce qu'il a appris, pour voir ce que ça vaut.

Dans la pièce, l'atmosphère se détendit, au grand soulagement de Sean, qui n'avait pas envie d'avoir des collaborateurs sur les nerfs. Ceux-ci devaient déjà redouter que cette enquête se prolonge indéfiniment et n'aboutisse à rien. Dans ce cas, tout le monde en fait les frais, et l'avancement des flics concernés s'en trouve compromis. Plus question de rêver d'être muté à la brigade volante de la police judiciaire ou bien dans une unité antiterroriste…

— Est-ce que ton équipe a terminé ses enquêtes de voisinage ? demanda-t-il à Sally.

— En gros, oui, patron. Je n'ai rien à ajouter depuis la dernière fois. Pour autant que les gens s'en souviennent, il n'y a pas eu beaucoup d'allées et venues dans cet appartement. Daniel Graydon recevait de temps en temps quelqu'un, mais il n'organisait pas de fêtes. Désolée, patron, mais je ne peux vous donner davantage de précisions, conclut-elle en haussant les épaules.

Sean se le tint pour dit. Si Sally n'avait pas trouvé de témoins oculaires, c'est qu'il n'y en avait pas.

— Et toi, Dave ?

Il se tourna vers Donnelly, qui gigota sur son siège.

— On a épluché le carnet d'adresses de la victime, répondit son adjoint, ce qui nous a permis de retrouver la plupart de ses proches amis, ceux dont il est souvent question dans son agenda. On ne va pas tarder à localiser ses autres fréquentations. On a droit partout au même son de cloche : c'était un jeune homme sympa, et effectivement il était homosexuel. L'un de ses potes, un dénommé Robin Peak, nous a déclaré qu'il était autrefois sorti avec lui et qu'il était pratiquement sûr qu'il se prostituait. Cela dit, ce n'était pas le genre à racoler autour des pissotières de King's Cross. Non, il ciblait apparemment une clientèle haut de gamme, ce qui explique que son appartement soit pas mal équipé et meublé, mais le Robin en question a bien précisé qu'il ne ramenait presque jamais des clients chez lui, uniquement ceux qui avaient les moyens de lui verser les cent livres de plus qu'il réclamait pour jouir de ce privilège. En général, c'est lui qui allait chez eux, ou alors ils se retrouvaient à l'hôtel, dans un établissement correct, à moins qu'il ne s'occupe d'un type en particulier dans les toilettes du coin. Paradoxalement, le tarif augmentait, à ce qu'il paraît, si le micheton voulait que ça se passe dans un cadre « exotique ». Quant à son appart, il s'apparentait à une planque. Seuls quelques individus savaient où il habitait, et on les a quasiment tous rencontrés. Personne dans le lot ne nous a donné l'impression d'être un maniaque du couteau. De toute façon, on a leurs coordonnées. Robin Peak m'a également indiqué que Daniel Graydon aimait sortir en boîte, dans des clubs à pédés. C'est comme ça qu'il rencontrait la plupart de ses clients, et on pense qu'il est connu dans plusieurs endroits. J'ai relevé les noms, on ne va pas tarder à se rendre sur place.

Donnelly regarda autour de lui.

— Il y en a combien ? demanda Sean.

— Cinq ou six.

— L'un de ses potes a-t-il pu dire où il se trouvait mercredi soir ou jeudi matin ?

— Non. Mais tout le monde pense qu'il devait être à l'Utopia, une boîte de Vauxhall, située sous le pont de la voie ferrée. C'est en général là-bas qu'il se rendait le jeudi.

— Parfait, conclut Sean, qui se dépêcha ensuite de donner ses instructions, fidèle à son habitude. Andy, reprit-il, tu restes en contact avec le labo. Je veux avoir les résultats dès que possible.

Roddis hocha la tête.

— Dave, ajouta-t-il à l'adresse de Donnelly, emmène deux collègues avec toi et tâche de savoir qui pouvait bien se trouver au

Vauxhall mercredi dernier. Interroge d'abord les employés.

Donnelly nota le tout sur son calepin.

— Sally, poursuivit-il, prends avec toi ceux qui sont disponibles et va voir ce qu'on a sur ceux qui ont déjà attaqué des pédés. Je ne parle pas de simples algarades, mais de voies de fait, y compris d'agressions sexuelles. Renseigne-toi d'abord auprès de la police de Londres, puis adresse-toi à nos collègues de banlieue, et va consulter au besoin le fichier national.

Sally en prit note, elle aussi.

— Intéresse-toi d'abord aux noms qui figurent sur le carnet d'adresses de Daniel Graydon, ajouta Sean. On ne sait jamais.

Il s'interrompit, et le bourdonnement des conversations cessa.

— Cela vous ferait-il penser à quelque chose ? A-t-on oublié un détail qui tombe sous le sens, ou qui au contraire n'est pas évident ? Je vous écoute.

Silence.

— Dans ce cas, on se retrouve tous lundi prochain à la même heure. D'ici là, il me faut des résultats. Les grands chefs veulent qu'on tire cette affaire au clair, alors on va leur donner satisfaction avant que ça ne tourne au roman-feuilleton.

La réunion s'acheva dans un joyeux vacarme ; on se serait cru à la fin des cours, juste avant le week-end. Sean regagna tout seul son bureau et ferma la porte. Il attrapa une grande enveloppe posée devant lui, l'ouvrit et la vida machinalement. Des photos de Daniel Graydon se déversèrent en vrac sur le meuble, et il se contenta de les observer, sans y toucher, puis il fit pivoter son tabouret et regarda dehors, où il y avait toujours du soleil. Ces clichés l'avaient pris au dépourvu. S'il avait su ce que renfermait l'enveloppe, il se serait préparé mentalement à avoir un tel spectacle sous les yeux.

Du coup, il avait envie de prendre ses distances avec cet univers qui était le sien, puis d'appeler Kate, sa femme, histoire d'être confronté à quelque chose de plus agréable, d'entendre sa voix, son accent, et d'échanger des banalités sur leurs filles, Mandy et Louise.

Kate serait en train de les préparer à aller faire un tour au jardin public. Il ressentait le besoin d'entrevoir subitement son autre vie, bien plus enviable, mais il laissa s'écouler quelques secondes, suffisamment pour être assailli par d'horribles souvenirs. Il ferma les yeux en voyant son père lui flanquer son poing dans la figure, alors qu'il était gamin, sentit se rapprocher son haleine brûlante et fétide… Il mit sa tête entre ses mains et décida de ne plus y penser. Une fois calmé, il n'eut plus envie de téléphoner chez lui.

Chapitre 6

Vendredi en fin de matinée

Sean roulait dans le centre de Londres, où il y avait énormément de circulation, lorsque Donnelly, son calepin ouvert sur la cuisse, lui expliqua :

— Le type que l'on recherche travaille pour Butler and Mason, une société financière d'envergure internationale. Après la réunion de ce matin, je suis allé faire un saut à l'Utopia, la boîte de nuit de Vauxhall. Ils étaient en train de nettoyer, mais le responsable de la sécurité se trouvait toujours sur place. Il est aussi videur pendant les heures d'ouverture.

Sean l'écouta sans l'interrompre. Donnelly regarda son calepin :

— Stuart Young, qu'il s'appelle. Bon, il connaissait la victime, m'a-t-il dit ; ce n'était pas son meilleur pote, mais enfin ils discutaient tous les deux, et il savait qu'il racolait des clients dans l'établissement.

— Ça ne le dérangeait pas ?

— On ne dirait pas. Pour lui, ce sont des choses qui arrivent. S'il essayait de faire la police, le patron de l'Utopia mettrait vite la clé sous la porte.

Sean fit la grimace.

— Et le jeune Daniel restait discret, reprit Donnelly, il n'avait pas trop de clients et ne la ramenait pas.

— Si j'étais cynique, persifla Sean, je soupçonnerais le Young en question d'avoir fermé les yeux là-dessus, car Daniel lui graissait la patte.

— Quoi qu'il en soit, l'essentiel, c'est qu'il nous confirme que Daniel se trouvait là hier soir.

— Était-il avec quelqu'un en particulier ?

— Je ne crois pas. D'après Young, il a passé un moment en compagnie de deux de ses clients habituels, des mecs qui fréquentent cet établissement depuis des années.

— Tu leur as déjà causé ?

— Oui. J'ai donné mon numéro à Young et je lui ai demandé de téléphoner aux michetons de Daniel. Les mecs avec qui il était hier soir font partie de ceux qui m'ont contacté.

Donnelly feuilleta une fois de plus son calepin.

— Sam Milford et Benjamin Briggs... Ils avaient l'air bouleversés par cette histoire, l'un et l'autre, et ils ne demandaient pas mieux que de nous fournir des échantillons de sperme et de salive. Ils n'ont pas vraiment un profil de suspect.

— Il y a d'autres clients qui ont été prévenus ?

— Faut croire. J'ai appris pas mal de choses grâce aux bruits qui circulent dans le milieu homo, mais à chaque fois j'ai eu droit au même son de cloche, ils sont abasourdis et prêts à coopérer. Pour l'instant, je ne les considère pas comme des suspects, mais ça va peut-être changer quand je les aurai en face de moi.

— Cependant tu n'y crois pas, hein ?

Dans la bouche de Sean, c'était là une question rhétorique. Donnelly se contenta de hausser les épaules.

— Comme il y avait peu de chances que l'assassin de Graydon figure parmi ses clients, je suis allé voir ailleurs.

— Et alors ?

— Eh bien voilà, expliqua Donnelly, en imitant la façon de parler d'un animateur télé : l'éventuel premier suspect est un certain Steven Simpson, un Blanc de trente-deux ans. À ma demande, Paulo est allé consulter les archives de l'identité judiciaire de la région. Il se trouve que notre homme vient de sortir de Belmarsh, où il a purgé une peine de huit ans de prison pour tentative de meurtre sur la personne d'un ado qui monnayait ses charmes. Ça remonte à 2005. Il l'a, semble-t-il, roué de coups et a failli le tuer à mains nues.

— Sympa.

— Tu m'étonnes… À sa sortie de prison, il est retourné vivre chez sa chère vieille mère, qui doit être absolument ravie, j'imagine.

— Elle habite où ?

— Dans Bardsley Lane, une rue de Deptford.

— Pas loin de là où vivait Graydon.

— C'est dans le même coin, et ce type est très remonté ; comme il a déconné en taule, il n'a quasiment pas eu de remise de peine. On pense aussi qu'il cache le fait qu'il est homosexuel.

— Tu crois que c'est le cas de notre assassin ? ne put s'empêcher de demander Sean.

— Quoi, que c'est un pédé ?

— Non, un mec qui a la haine.

— Pas vous ? dit Donnelly, déconcerté.

Sean se rendit compte qu'il faisait encore cavalier seul, qu'il montrait d'autant plus de discernement que l'enquête avançait, ce qui lui permettait de mieux sentir les choses que Donnelly, Sally et les autres.

— Peu importe, renseigne-toi sur lui, non, demande à Paulo de s'en charger, c'est lui qui l'a déniché.

— Pas de souci. Bon, j'en passe au suspect numéro deux : Jonnie James, un Blanc de trente-quatre ans qui travaille comme barman à l'Utopia et dont on sait qu'il est pote avec Daniel, même si rien n'indique qu'il y avait autre chose entre eux, mais… En tout cas, il devait travailler le soir où Daniel s'est fait zigouiller, seulement il n'est pas venu et on ne l'a toujours pas revu. Le gérant n'arrête pas de l'appeler sur son fixe et son portable, en vain. Jonnie James s'est évanoui dans la nature. Serait-il l'amant secret de Daniel ?

— Je n'en sais rien, répondit Sean, que ça avait l'air de laisser indifférent. Comme je l'ai dit, je n'ai plus l'impression d'être confronté à un crime domestique.

— Ça n'en est peut-être pas un, concéda du bout des lèvres Donnelly. Mais rien ne dit que Jonnie James ne cache pas plus de choses qu'on le croit.

— D'accord, soupira Sean. Trouve-le. Renseigne-toi à son sujet, mais ni Simpson ni James n'ont l'air de travailler chez Butler and Mason, alors pourquoi s'intéresser à eux ? À qui donc allons-nous pourrir la vie ?

— Celui avec qui on est sur le point de se fâcher s'appelle James Hellier.

Sean remarqua que Donnelly se souvenait de son nom et n'avait pas eu pas besoin de regarder son calepin.

— Et pour quelle raison devrais-je l'avoir dans le collimateur ? demanda-t-il, alors qu'il essayait d'oublier toutes les tracasseries administratives et les questions de protocole qu'il avait dû se coltiner depuis le début de l'enquête.

Il avait en effet besoin d'avoir les idées claires s'il voulait réfléchir en toute liberté et faire preuve d'imagination. À ce titre, ça l'aidait de poser des questions brèves et simples à Donnelly.

— Eh bien, montrez-moi un menteur qui a gros à perdre, et je vous montrerai quelqu'un qui ferait un bon suspect. Or, Hellier rentre dans ce cas de figure.

— Comment ça ?

— Mon contact à l'Utopia, Stuart Young, m'a expliqué que Daniel n'aimait pas prendre de risques et qu'il s'en tenait toujours aux mêmes clients, ce qui fait qu'on est toujours un peu surpris de voir entrer en scène un nouveau venu.

— Et il y en a effectivement un qui a débarqué ?

— Oui. Il s'est manifesté pour la première fois il y a environ huit jours. Il restait dans son coin, ne se mêlait pas aux autres, ne dérangeait non plus personne, mais le jeune Young est pratiquement sûr qu'il a eu au moins une fois des relations vénales avec Daniel. Il les a vus un soir devant l'établissement, avant qu'ils ne partent ensemble. Il a aussi ajouté quelque chose d'intéressant.

— Je t'écoute.

Sean se montrait dorénavant bien plus attentif à ce que lui racontait Donnelly, tandis qu'il commençait à se faire une petite idée de ce à quoi ressemblait cet individu ; non pas sur le plan physique, mais d'un point de vue psychologique. Il essayait de se mettre à sa place, de deviner ses mobiles et de déterminer s'il était vraiment capable de tuer quelqu'un. Comprendrait-il immédiatement, dès qu'il le verrait, que ce type était l'assassin ? Lui suffirait-il pour cela de le regarder dans les yeux, ou bien devrait-il attendre de lui serrer la main, ou encore que ce lascar se fourvoie ou commette une bourde devant lui ? C'était déjà arrivé, alors que les autres n'avaient que des soupçons, ou même étaient complètement à côté de la plaque. Car lui, il l'avait subodoré. Sans disposer de preuves, d'indices ou de raison évidente, non, et pourtant il l'avait su, c'était indéniable, et la suite lui avait donné raison. Cette intuition phénoménale avait de quoi déconcerter son entourage, il ne l'ignorait pas, de sorte qu'il n'en montrait rien et laissait à chaque fois l'enquête suivre son cours, ne faisant part de ses prémonitions que lorsqu'il était en mesure de les étayer. Dans le même ordre d'esprit, il se débrouillait pour que les investigations débouchent sur ce qu'il savait déjà…

— Bon. D'abord, Young m'a dit qu'il avait demandé à Daniel des renseignements sur cette nouvelle tête, deux ou trois soirs après les avoir vus échanger tous les deux des banalités dehors. Daniel lui aurait dit que ce type s'appelait David, sans lui préciser son nom de famille, qu'il travaillait dans la City et vivait seul dans un quartier de l'ouest de Londres. Mais c'est là que ça se corse. Il se trouve, en effet, que Young filtrait les clients à l'entrée, le soir où l'autre type est venu pour la première fois, quand s'est pointé un habitué, un certain… (Donnelly baissa en vitesse les yeux sur son calepin)… un certain Roger Bennett, si vous n'y voyez pas d'inconvénient. Or Bennett, qui connaissait Young depuis des années, s'est dirigé illico vers la sortie dès qu'il a aperçu le David en question. Young lui a demandé s'il y avait quelque chose qui n'allait pas, Bennett lui a répondu qu'effectivement il y avait un malaise, car il le connaissait, notre ami David.

— Ah bon ? feignit de s'étonner Sean.

— Figurez-vous que c'est un collègue. Bennett travaille dans un grand magazine pour hommes dont les locaux sont situés dans le West End, vous savez, une espèce de torchon dans lequel on ne voit que des super-bagnoles et des gros nibards. En tout cas, le nouveau s'est déjà occupé plusieurs fois de la compta, dans son burlingue.

— Et alors ? fit Sean, qui commençait à s'impatienter.

— L'ennui, c'est que Bennett est de la jaquette, comme vous vous en doutez peut-être, mais il ne veut pas que ça se sache. Ce serait apparemment mal vu au boulot. Si bien qu'il s'est enfui de la boîte, après avoir demandé à Young de l'appeler une fois que David aurait tourné casaque. N'importe comment, je me suis dit que si ce David avait déjà fricoté avec Daniel, il allait falloir qu'on lui cause. Young m'a donné le numéro de Bennett, que j'ai appelé pour lui demander s'il savait où je pouvais trouver le David en question. Il m'a répondu qu'il ne voyait pas du tout de quoi je parlais, mais quand j'ai fait allusion au soir où il a quitté précipitamment la boîte, ça lui est brusquement revenu et il m'a tout raconté. Et devinez un peu ce qu'il m'a dit ?

— Que l'autre ne s'appelle pas David et ne travaille pas dans la City, répondit Sean du tac au tac.

Donnelly en resta coi, sidéré de constater que Sean avait tapé dans le mille.

— Nom d'un chien, patron, vous êtes génial ! Vous avez déjà envisagé d'entrer dans la police ? Oui, vous avez vu juste, Bennett m'a expliqué que David s'appelle en réalité James Hellier et qu'il occupe un poste chez Butler et Mason. Mais ça, vous le saviez déjà.

Sean garda le silence.

— En revanche, ce que vous ne saviez pas, enchaîna Donnelly en se rengorgeant, c'est qu'Hellier est marié et a deux enfants. Ça vous intéresse ?

— Mouais. Comme tu l'as dit : « Montre-moi un menteur qui a beaucoup à perdre, et moi, je te désignerai un suspect. » Mais ce videur, Young, est-ce qu'il a déjà vu Hellier dans le club avant ce soir-là, ou bien après ?

— Non, seulement il n'y travaille pas tous les soirs.

— Il y a des caméras de surveillance ?

— Un système VHS complètement dépassé, figurez-vous. Ils recyclent les cassettes tous les huit jours. Celles de la semaine dernière ont déjà été réutilisées, ce qui ne nous empêche pas d'examiner les enregistrements actuels, pour voir s'il est venu ces derniers temps.

— Occupe-t'en.

Ils étaient maintenant en train de se garer devant le 27, Ovington Street, dans le quartier de Knightsbridge, découvrant par la même occasion un superbe hôtel particulier converti en siège social, équipé de bureaux très chics. Toute la rue était à l'avenant, bordée d'édifices peints en blanc, avec des fenêtres noires et des portes sur lesquelles étaient fixés de gros numéros en cuivre rutilant. L'entrée de l'entresol était condamnée par des grilles pointues, du même modèle que les rampes que l'on voyait de chaque côté du perron en colimaçon. Sur le palier, des plaques immaculées indiquaient le nom de l'entreprise dont les locaux se trouvaient à l'intérieur. De nos jours, il n'y a plus que les émirs et les aristos qui ont les moyens de vivre dans des coins pareils.

Les deux flics descendirent de la Ford et traversèrent la rue.

— Et voilà, Butler and Mason. On y va ?

Donnelly donna un coup de sonnette. On entendit grésiller une voix de femme dans l'interphone :

— Oui, bonjour.

— Inspecteur divisionnaire Corrigan et inspecteur principal Donnelly, de la police de Londres.

Sean se garda bien de préciser qu'ils étaient tous les deux de la PJ.

— Nous désirons voir M. James Hellier, ajouta-t-il, en faisant comme s'ils avaient rendez-vous.

Elle ne fut pas dupe.

— Il vous attend ?

Donnelly regarda Sean et haussa les épaules. Il allait falloir insister.

— Non, répondit-il, mais je vous garantis, mademoiselle, qu'il va avoir envie de nous recevoir.

Celle qui se trouvait à l'autre bout de l'interphone ne se laissa pas facilement impressionner.

— Je peux vous demander de quoi il s'agit ?

— C'est une question d'ordre privé. Il se peut qu'on lui ait volé des chèques, et il faut qu'on ait un entretien avec lui, avant que quelqu'un ne vide son compte en banque.

D'ordinaire, la peur de perdre de l'argent est un véritable sésame. Cela se vérifia une fois de plus.

— Ah, d'accord. M. Hellier va vous recevoir.

Elle leur ouvrit. Ils franchirent une deuxième porte et entrèrent dans le hall d'accueil de la société, où ils furent reçus par une grande et séduisante jeune femme, qui portait des lunettes de prix et un tailleur très chic et avait ramené ses cheveux auburn en une queue-de-cheval. Sean la trouva complètement artificielle.

— C'est vous qui nous avez répondu, j'imagine ? lui demanda Donnelly.

Elle lui coula un sourire de circonstance.

— Bonjour, messieurs. Pourrais-je voir vos papiers, s'il vous plaît ?

Sean et Donnelly n'avaient pas préparé à l'avance leur carte de police. Donnelly leva les yeux au ciel, et ils sortirent chacun leur portefeuille, l'ouvrant pour lui montrer le document en question. La femme l'examina plus attentivement que de coutume et les remercia, puis elle les invita à la suivre.

— M. Hellier a accepté de vous voir sur-le-champ. Son bureau se trouvant au dernier étage, je suggère de prendre l'ascenseur.

À en juger par l'immeuble dans lequel se trouvait le siège social de la firme dont il était le directeur adjoint, le sieur Hellier s'en sortait très bien. Ils emboîtèrent le pas à la secrétaire, qui ouvrit la grille, puis les portes d'un vieil ascenseur. Elle monta à l'intérieur, attendit qu'ils fassent de même, appuya sur le bouton ; ils s'élevèrent en silence, jusqu'à ce que la cage s'arrête en trépidant. La femme répéta la même opération qu'en bas, ouvrant la porte et ensuite la grille. Sean cachait mal son impatience. Ils longèrent en silence de majestueux couloirs hauts de plafond, tapissés de portraits de gens morts depuis longtemps. Tout ça puait le fric, et c'était aussi bien plus vaste qu'ils ne l'avaient imaginé au départ. Ils arrivèrent devant une grande porte en acajou, sur laquelle était vissée une plaque au nom de l'intéressé, suivi de la mention « associé adjoint ». L'employée frappa deux fois, puis ouvrit sans attendre qu'on lui réponde.

— Voici les messieurs de la police qui sont venus vous voir, annonça-t-elle.

Tout aussi élégant que sa secrétaire, James Hellier était un quadragénaire bien découplé d'environ un mètre quatre-vingts, dont les cheveux châtain clair étaient coupés à la perfection. Il avait l'air en pleine forme, comme tous ceux qui ont une alimentation saine, prennent des vacances, sont inscrits dans des clubs de gym très chics et ne regardent pas à la dépense quand il s'agit de se bichonner pour garder le teint frais et une peau de jeune homme. Son costume coûtait sans doute plus cher que ce que Sean gagnait en un mois, sinon deux.

Il leur tendit la main.

— Mlle Collins m'a dit qu'on m'aurait volé des chèques, mais je ne crois pas que…

La secrétaire était déjà repartie et avait refermé la porte derrière elle. Sean lui coupa la parole :

— En réalité, ce n'est pas ça qui nous amène. Rassurez-vous, il n'y a pas de problème avec vos chèques. Nous désirons seulement vous poser quelques questions, mais nous avons préféré n'en rien dire à votre secrétaire, par mesure de discrétion.

Sean l'observait. Dans une enquête comme celle-ci, un témoin ordinaire pouvait d'un instant à l'autre devenir un suspect à ses yeux. Se retrouvait-il par hasard en face de l'assassin de Daniel Graydon ?

— J'espère que vous n'êtes pas venu me demander les coordonnées de mes clients. Sinon, il vaut mieux que vous ayez amené un document officiel m'enjoignant de vous les communiquer.

— Non, monsieur Hellier. Nous aimerions parler avec vous des fois où vous êtes allés à l'Utopia, une boîte de nuit.

Le sang d'Hellier ne fit qu'un tour ; il s'assit lentement, en se demandant bien ce que savaient ces deux-là et ce qu'ils avaient pu découvrir à son sujet. Il réussit cependant à demeurer impassible.

— Désolé, dit-il, mais je ne connais pas d'établissement de ce genre. Outre mon club de golf, je fréquente seulement le club Home House, situé à Portman Square. Vous voyez peut-être de quoi je parle ?

Sean essayait de le cerner. D'emblée, il sentit qu'il mentait, même s'il conservait son aplomb.

— L'inspecteur principal Donnelly, qui m'accompagne, est allé se renseigner sur place. Or, on vous y a reconnu.

— Qui ça ?

— Je n'ai pas l'intention de vous le dire maintenant.

— Je vois. C'est donc quelqu'un qui m'accuse en silence.

Il voyait bien que Sean ne s'en laissait pas conter.

— Non, c'est simplement quelqu'un qui désire pour l'instant conserver l'anonymat.

— Quel que ce soit cet individu, il raconte des histoires. Je vous assure que je n'ai jamais entendu parler d'une boîte qui s'appelle l'Utopia.

— Monsieur Hellier, j'ai fait saisir les enregistrements des caméras vidéo. À l'heure actuelle, des gens qui travaillent sous mes ordres sont en train de visionner ceux des quinze derniers jours. Vous êtes bien sûr que lorsque je vais les examiner, je ne vais pas vous reconnaître ? Car, dans le cas contraire, je vais me poser des questions, vous comprenez ?

Hellier ne répondit rien sur le coup.

— Pourquoi êtes-vous venus ici ? demanda-t-il, sans s'énerver. Quelqu'un vous aurait-il payé pour me faire suivre, ma femme, par exemple ?

Sean et Donnelly se regardèrent.

— Monsieur Hellier, expliqua Sean, nous réalisons une enquête criminelle. Nous sommes de la police, et non des détectives privés. J'enquête sur le meurtre de Daniel Graydon, qui a été assassiné chez lui dans la nuit de mercredi à jeudi. Je pense que vous le connaissiez. C'est exact ?

— Il a été assassiné ? fit Hellier, sans desserrer les dents. Je n'étais pas au courant. Comment est-ce arrivé ?

Sean guettait la moindre mimique chez son interlocuteur, le moindre geste de la main ou des doigts, tout ce qui pouvait attester qu'il était sincèrement bouleversé.

Détecta-t-il un signe quelconque de compassion ?

— On l'a tué à coups de couteau, précisa-t-il.

Il attendit de voir sa réaction, qui serait éloquente.

— Vous savez qui a fait le coup, et pour quelle raison ?

— Non.

Sean analysa le petit numéro d'Hellier, puisque celui-ci jouait la comédie, c'était évident. Même s'il s'y prenait bien et pouvait abuser les autres, ça n'en restait pas moins du cinéma.

— Je suis désolé, mais je ne vois pas du tout comment je peux vous aider. Je le connaissais à peine, Daniel, et je ne sais rien de sa vie. Nous n'avons eu qu'un rapport sexuel occasionnel, c'est tout.

— Il savait que vous êtes marié ?

— Non, je ne crois pas. Comment aurait-il pu l'apprendre ?

— Vous avez de l'argent. Était-il au courant ?

Sean le pressait maintenant de questions, histoire de le mettre sur les dents.

— Pas à ma connaissance.

— A-t-il cherché à vous soutirer de l'argent, ou bien à obtenir que vous lui rendiez des services ?

— Bon, je vois où vous voulez en venir, inspecteur… Excusez-moi, j'ai oublié votre nom.

— Corrigan. Sean Corrigan.

— Eh bien, inspecteur Corrigan, je ne répondrai désormais qu'en présence de mon avocat.

Donnelly se pencha vers lui.

— Très bien, monsieur Hellier. Vous pouvez vous faire assister par tout un tribunal si ça vous chante, mais pour l'instant, vous êtes considéré comme un témoin, et non comme un suspect. Vous n'avez donc pas besoin d'avocat. Et puis, je n'en suis pas absolument certain, mais on dirait que votre femme n'est pas au courant de vos escapades nocturnes. Quant à vos associés, dans cette adorable société, savent-ils que vous êtes porté sur les jeunes mecs qui font le tapin ?

Hellier contempla en silence les deux intrus, en les regardant chacun à tour de rôle, avec ses petits yeux vifs, puis il se leva d'un bond.

— D'accord, d'accord. Ayez au moins l'obligeance de ne pas parler trop fort.

Il se rassit.

— J'y suis allé une fois, il y a environ huit jours, poursuivit-il, mais il ne faut pas que mon épouse l'apprenne. Elle serait effondrée, et nos enfants seraient la risée de tous. Il ne faudrait pas qu'ils trinquent à ma place. Vous avez peut-être du mal à le comprendre, mais j'adore ma femme et mes gosses, ce qui ne m'empêche pas d'avoir aussi d'autres besoins. Je les ai refoulés pendant plus de vingt ans, mais ces derniers temps, je… je n'arrivais pas à me contrôler.

— Vous rappelez-vous quand vous avez vu Daniel Graydon pour la dernière fois ? lui demanda Sean.

— Non, je ne sais plus quand c'était.

— Faites un effort.

— Il y a quelque chose comme huit jours.

— Il est indispensable que nous sachions où et quand précisément.

— Écoutez, je…

— Où et quand exactement ? coupa Sean.

— Consultez votre agenda ou votre iPhone, suggéra Donnelly.

— Ça ne figurera pas dessus, vous comprenez pourquoi, j'en suis sûr.

— Mais, à la place, vous aurez bien noté quelque chose, dit Sean, une réunion de travail, un dîner d'affaires… Vous avez dû consigner un rendez-vous quelconque, histoire de vous couvrir.

Hellier examina Sean, et leurs regards se croisèrent machinalement. Sean le mettait mal à l'aise ; il était rare que quelqu'un lui fasse cet effet, à tel point qu'il faillit lui demander comment il avait deviné. Au lieu de ça, il soupira, attrapa son iPhone, glissa un doigt sur l'écran et trouva en quelques secondes ce qu'il cherchait : un rendez-vous factice à Zurich, où il était censé avoir passé la nuit.

— Notre dernière rencontre date de mardi dernier, annonça-t-il.

— Où vous êtes-vous retrouvés ?

— À l'Utopia, et uniquement là.

Sean n'en crut rien.

— Êtes-vous allé chez lui ?

— Non.

Sean avait envie de le malmener.

— Et c'est pour baiser avec lui dans la boîte, ou bien ailleurs, que vous l'avez payé ?

— Je l'ai payé, car c'est plus simple, ça évite de me compliquer la vie ; je ne peux prendre le risque d'entretenir une liaison, ça me rendrait vulnérable. Pas la peine de prendre l'air dégoûté, inspecteur. Ça ne me plaît pas de payer pour m'envoyer en l'air, tout comme ça ne me plaît pas d'abuser de la confiance des gens de ma famille et de mes amis.

— Où donc avez-vous eu des rapports sexuels avec lui ?

— J'ai reconnu avoir baisé avec lui, ça ne vous suffit pas ?

— Vous êtes bien sûr de n'être jamais allé chez lui ?

— Oui.

— Et hier soir, où étiez-vous ?

Hellier attendit quelques instants avant de répondre et plissa les yeux.

— Vous ne… vous ne pensez pas sérieusement que j'ai quelque chose à voir avec sa mort, dites ?

— J'ai juste besoin de savoir où vous étiez hier soir, répéta Sean avec un sourire presque amical.

— Eh bien, puisque c'est comme ça, sachez que je n'ai pas bougé de chez moi. J'avais plein de travail en retard, de sorte que je suis parti d'ici à 18 heures et que je suis rentré directement à la maison, où j'ai passé la plus grande partie de la soirée dans mon bureau.

— Y a-t-il quelqu'un qui puisse le confirmer ?

— Ma femme. Nous avons mangé ensemble, mais comme je l'ai dit, j'ai ensuite bossé très tard dans mon bureau.

— Dans ce cas, il va nous falloir interroger votre épouse, lui dit Sean.

— Enfin quoi, je suis considéré comme un suspect, oui ou non ?

— Non, monsieur Hellier, répondit Sean. On vous considère comme un témoin, jusqu'à preuve du contraire. Il n'empêche qu'il faut qu'on ait un entretien avec votre femme.

Donnelly se voulut rassurant :

— Ne vous inquiétez pas, on ne lui expliquera pas l'objet de notre enquête.

— Mais alors, qu'est-ce que vous allez lui raconter ?

— Oh, je n'en sais rien. On lui dira qu'on s'intéresse à une histoire d'usurpation d'identité, suggéra Donnelly. Plus vite elle nous confirmera que vous étiez chez vous hier soir, plus vite nous pourrons tirer tout ça au clair. D'accord ?

— Car vous avez envie de nous donner un coup de main, monsieur Hellier, n'est-ce pas ? renchérit perfidement Sean.

Hellier demeura un moment silencieux sur son siège, puis attrapa un stylo et un bout de papier, griffonna quelque chose et poussa le mot vers Donnelly.

— Tenez, voici le nom de ma femme et mon adresse. J'imagine que ça ne vous suffirait pas de la joindre au téléphone.

— Merci beaucoup, dit Donnelly, qui glissa le bout de papier dans la poche de sa veste.

— Elle sera à la maison, si on passe maintenant ? demanda Sean.

— Ça se peut.

— Bien, répondit Sean, laconique.

— Et une fois qu'elle vous aura confirmé que j'étais chez moi hier soir, tout ça va s'arrêter, j'imagine ?

Sean faillit s'esclaffer.

— Non, monsieur Hellier, c'est un peu plus compliqué que ça. D'abord, il vous faudra venir au commissariat sous quarante-huit heures. Choisissez le moment qui vous conviendra et faites-vous accompagner de votre avocat, si vous le désirez.

— Mais je vous ai dit tout ce que je sais ! s'insurgea Hellier. Désolé, je ne peux pas vous aider davantage.

— Vous avez eu des relations sexuelles avec un jeune homme qui a trouvé la mort, répliqua Sean, car on l'a assassiné. Nous avons effectué sur son corps des prélèvements qui vont être transmis aux services de la médecine légale. Si vous avez eu des rapports avec lui ces quinze derniers jours, il se peut que l'on relève dans son organisme des traces de fluides organiques qui sont les vôtres.

— Ce ne sera pas nécessaire, j'ai toujours mis un préservatif. Je suis peut-être bête, inspecteur, mais je ne suis pas fou. Vous ne trouverez pas de… (Il chercha le terme adéquat)… de « choses » à moi sur son corps. Vous n'avez donc pas besoin de me convoquer pour m'interroger.

Sean se leva et se pencha vers lui.

— Oh que si, monsieur Hellier, et vous allez me donner ce que je vous demande, sinon je vous arrête parce que je vous soupçonne d'avoir commis un assassinat, et je ferai de toute façon procéder à des prélèvements sur vous. On me délivrera un mandat de perquisition, puis avec mon équipe j'irai passer votre domicile et ce bureau au peigne fin, et on ne sera alors plus aussi discrets qu'on l'a été jusque-là.

Il ne bluffait pas, puisqu'il pouvait se montrer d'autant plus exigeant qu'il était confronté à un délit grave. Il ouvrit son portefeuille, en sortit une carte de visite qu'il jeta sur le bureau.

— Voici mon numéro professionnel et celui de mon portable. Je vous donne vingt-quatre heures pour me contacter. Vous serez alors tenu de me faire une déposition écrite et de me raconter tout ce qui s'est passé entre Daniel Graydon et vous. Absolument tout. Vous avez vingt-quatre heures pour m'appeler, monsieur Hellier, et ensuite…

La porte s'ouvrit inopinément, et un autre homme bien habillé entra sans crier gare. Sean se dit que ce trentenaire élégant qui avait l'air aisé devait être le patron d'Hellier. Il le regarda de la tête aux pieds, notant des détails que seul un flic peut remarquer – c'était là une déformation professionnelle dont il avait à peine conscience. Il nota aussitôt que c'était quelqu'un de déterminé et plein d'assurance, et cela pas uniquement parce qu'il mesurait plus d'un mètre quatre-vingts, qu'il était robuste, en parfaite santé, et que son costume cintré modelait de larges épaules et une taille fine, mais aussi parce qu'il dégageait une certaine aura, celle d'un homme de pouvoir qui maîtrise toujours la situation. Sean comprit que c'était le genre de patron que ses subordonnés craignaient et vénéraient en même temps, que c'était là un individu hors du commun doté de qualités exceptionnelles.

— James, lança-t-il à la cantonade, on vient de me mettre au courant du vol. J'espère que vous avez pris contact avec votre banque, avant que ces salauds n'encaissent l'un de vos chèques.

Il avait une voix qui allait avec le reste, puissante et qui imposait le respect, tout en étant rassurante. Sean trouva qu'elle avait quelque chose de magnétique, qui exerçait un ascendant sur ses interlocuteurs, à l'instar de celle d'un comédien de talent.

— Oui, oui. Tout est réglé, déclara Hellier.

Le nouveau venu tendit la main.

— Sebastian Gibran, dit-il à l'adresse de Sean et Donnelly. Je suis l'associé principal et le directeur général. C'est toujours un plaisir de donner un coup de main à la police, dans la mesure du possible. Vous avez une idée de l'individu que vous recherchez ?

— Non, pas encore, répondit Sean.

Il se sentait un peu relégué au second plan depuis que Gibran avait débarqué. Celui-ci avait de la poigne mais il n'en abusait pas, même si Sean avait l'impression qu'il aurait pu lui écraser la main s'il l'avait voulu.

— Si on peut faire quelque chose pour vous aider, prévenez-moi.

Gibran lui coula un sourire éclaboussant, découvrant des dents blanches et bien droites, tout aussi brillantes, ou presque, que ses yeux. Chez lui, le charme et la chaleur humaine se conjuguaient avec l'autorité.

— Je n'y manquerai pas, merci, déclara Sean. Restez assis, monsieur Hellier, on connaît le chemin. C'est gentil de nous avoir consacré du temps.

Les deux flics se levèrent pour s'en aller.

— Permettez-moi de vous raccompagner, dit Gibran.

— Ça ira, déclara Sean, qui avait hâte de prendre le large, afin de pouvoir discuter tranquillement avec Donnelly. Vous êtres très occupé, j'en suis sûr.

— J'insiste, dit Gibran, qui lui adressa derechef un sourire radieux. Je vous en prie, suivez-moi.

Sean et Donnelly lui emboîtèrent le pas et firent en sens inverse le même trajet que tout à l'heure. Personne ne dit un mot, sauf Gibran, qui saluait au passage les membres du personnel, qu'il appelait chacun par leur prénom. Par comparaison, cela faisait maintenant plus de deux ans que Sean travaillait dans le même commissariat, et il avait toujours du mal à se souvenir du nom de ses collègues... En tout cas, Gibran avait un côté suave et mielleux qui le rendait fort déplaisant à ses yeux.

— Quel est l'objet de votre visite, déjà ? demanda Gibran, quand ils se retrouvèrent seuls tous les trois.

— Nous l'avons expliqué à monsieur Hellier, répondit Sean.

— Je n'en doute pas. Mais vous ne me l'avez pas dit.

— Les relations que nous avons avec lui ne regardent personne. S'il a envie de vous donner des précisions, ça le regarde. Mais en ce qui nous concerne, nous autres flics, c'est confidentiel.

— Si James est mêlé à quelque chose qui risque de nuire à la réputation de cette société, il faut me prévenir, inspecteur, plaida Gibran. Écoutez, ajouta-t-il en adoptant un ton conciliant agrémenté d'un autre sourire, il y a ici quantité de gens dont la sécurité et le bien-être dépendent de moi, en cette époque difficile. Il m'appartient de les protéger. L'intérêt collectif l'emporte sur celui d'un seul individu.

— Ce qui signifie que si vous avez l'impression qu'Hellier risque de nuire à vos affaires, vous allez le sacrifier ? lui lança Donnelly.

Gibran le dévisagea.

— C'est un grand honneur, pour James, de constater qu'un inspecteur divisionnaire et un inspecteur principal enquêtent sur ce qui n'est visiblement qu'un vol sans gravité.

Il vit Sean et Donnelly échanger un regard furtif.

— Vous ne croyiez tout de même pas que j'étais aussi naïf ?

Sean ne sut quoi répondre, mais il éprouva le besoin de riposter et de le déstabiliser.

— Qu'est-ce que vous faites ici, déjà ? Vous travaillez dans la finance internationale. Ça veut dire quoi, au juste ?

— Rien qui soit du ressort de la police. Nous aidons les gens et les entreprises à lever des fonds pour réaliser divers projets, rien d'autre. Vous savez, des gens qui travaillent dans le pétrole et qui veulent investir dans le bâtiment et l'immobilier, ou bien des gens de l'immobilier qui désirent prendre pied dans le secteur de la haute technologie et qui ont parfois des idées géniales, mais pas de capitaux. Nous les aidons à se faire financer.

— Tout ça m'a l'air très généreux, persifla Donnelly.

— Nous n'appartenons pas au système bancaire, déclara Gibran. Il n'y a pas de raison de faire preuve d'animosité envers nous.

Sean le toisa. Il n'avait plus rien à ajouter.

— Au revoir, monsieur Gibran. Enchanté d'avoir fait votre connaissance.

Donnelly garda le silence, mais Sean et lui se sentirent suivis du regard par Gibran quand ils finirent par prendre l'ascenseur. La rue, en bas, les attendait. C'était là le territoire de Sean. Il lui fallait y faire venir Hellier et le forcer à s'aventurer en terrain inconnu, à l'écart de ceux qui le protégeaient, comme Sebastian Gibran. C'est alors seulement qu'il verrait ce qu'il avait dans le ventre.

***

Debout à côté de la fenêtre de son bureau, James Hellier observait les deux flics en bas, en faisant bien attention à ce qu'ils ne s'en aperçoivent pas. Il s'intéressait tout particulièrement à Sean. Il ne l'aimait pas, cet inspecteur divisionnaire, il sentait bien qu'il représentait un danger, cependant il ne lui en voulait pas. À sa façon, il l'estimait, voyant en lui un adversaire de valeur qui rendrait le jeu d'autant plus excitant. Ils se croyaient malins, tous les deux, pourtant ils n'allaient pas lui pourrir la vie, il prendrait les mesures qui s'imposeraient.

Il étouffa un juron ; ainsi donc quelqu'un l'avait reconnu dans cette boîte à la con, il se demandait bien de qui il s'agissait. Il aurait dû se montrer plus prudent. C'était enrageant, un truc pareil, mais pas totalement imprévisible. Pour l'instant, il lui fallait rester calme. Ces flics n'avaient rien retenu contre lui, leurs propos et leurs menaces n'avaient aucune importance. Il attendrait de voir comment la situation allait évoluer. Dans l'immédiat, il n'allait pas s'affoler et se sauver au bout du monde, ce n'était pas indispensable ; du moins pas encore.

Il lui faudrait cependant se méfier aussi de Gibran, puisqu'à tous les coups il irait fourrer son nez dans ses affaires. Il ne se prenait pas pour n'importe qui, le principal associé chez Mason and Butler, lui qui, de son propre chef, faisait la loi dans l'entreprise ! Si on devait en arriver là, il aurait pour sa part pris le large depuis longtemps, avant que l'autre ne découvre quoi que ce soit. Il ne faudrait quand même pas que Gibran oublie que c'était lui qui lui avait offert ce poste chez Mason and Butler, tout comme le fait que c'était lui qui avait vérifié ses références et constaté que ses anciens employeurs, aux États-Unis comme en Extrême-Orient, ne tarissaient pas d'éloges à son sujet. Le seul ennui, c'est que tout cela était bidon. Si Gibran avait pris l'avion pour se renseigner par lui-même sur son expérience professionnelle, il se serait aperçu qu'il s'agissait là d'une vaste supercherie. Mais il ne le ferait pas, il se contenterait de téléphoner et d'envoyer des e-mails. Or, de son côté, il lui était très facile de trouver la parade, car il connaissait sur place des employés qui avaient des postes subalternes et il savait des choses qui pouvaient nuire à la réputation de gens haut placés. Bref, il lui avait été aussi facile de berner Gibran que les autres. Et s'il n'avait peut-être jamais été à l'université pour étudier la comptabilité et la finance, ce qu'il avait appris sur le tas, afin de s'en sortir, lui avait permis d'acquérir suffisamment de qualifications pour travailler n'importe où.

Il s'écarta de la fenêtre, retourna s'asseoir à son bureau et joignit ses mains devant son visage. Il aimait bien la vie qui était la sienne, il était content de jouir des avantages qui lui étaient consentis et il se félicitait de la couverture que ça lui offrait pour exercer ses autres activités ; il n'allait donc pas laisser l'inspecteur Corrigan ou Sebastian Gibran lui gâcher l'existence, après toutes ces années. Il entrait volontiers dans le jeu, il adorait l'argent, mais c'était d'abord et avant tout la partie elle-même qui l'excitait, et elle n'était pas encore perdue, loin de là.

***

Sean et Donnelly avaient regagné leur voiture, garée devant l'immeuble où travaillait Hellier.

— Alors ? demanda Donnelly, qu'est-ce que vous pensez du sieur James Hellier ? Avez-vous réussi à le cerner ?

— C'est un beau parleur, répondit Sean, ainsi d'ailleurs que son patron. On dirait deux clones, oui, à la différence près qu'Hellier essaie d'être ce qu'il n'est pas, tandis que Gibran a l'air sincère dans son rôle. Il va falloir le tenir à l'œil, celui-là, c'est le genre de gus à vouloir se mêler de notre enquête. Quant à Hellier, malgré sa jolie coupe de cheveux et son beau costard, il est plein de rancœur.

Il ne lui parla pas de l'odeur animale qui se dégageait de lui, de ces relents musqués qui s'exhalaient de sa peau, à vous en donner un haut-le-cœur ; les mêmes qu'il avait déjà sentis chez d'autres assassins… Évidemment, Donnelly ne les aurait pas remarqués, puisque seuls pouvaient les déceler ceux qui avaient touché le fond.

— Mais pourquoi en veut-il au monde entier ?

— Au monde entier ? s'étonna Donnelly. Je croyais tout simplement que c'était nous qu'il ne nous supportait pas.

Sean se rendit compte qu'il avait encore une fois un train d'avance sur les autres et qu'il parlait de choses qu'ils n'avaient pas été capables de voir ou de ressentir.

— Tu as sans doute raison, dit-il en faisant comme s'il était d'accord avec lui, car il fallait lui donner quelque chose de plus logique et de consistant à se mettre sous la dent. Il y a toutefois deux mobiles possibles à son acte. Ou bien il entretenait des relations plus intimes qu'on ne le croit avec Graydon, et au bout d'un moment il y a eu de l'eau dans le gaz…

— On en revient donc à une querelle d'amants ?

— … ou bien Graydon le faisait chanter, et il s'est dit, à juste titre sans doute, que pour y mettre un terme, il lui fallait se débarrasser de lui. Il a tout de la victime d'un chantage, et puis Graydon aimait les belles choses… Tu te souviens de son appart.

— Et les soixante-dix-sept blessures ? demanda Donnelly, qui cherchait à comprendre. S'il voulait simplement l'éliminer, pourquoi ne pas le faire proprement, en l'abattant ou en lui flanquant un coup de couteau bien placé, ou encore en l'étranglant ? C'est pourquoi je continue à penser que c'est le résultat d'un conflit domestique.

— Non. Rappelle-toi ce que nous a expliqué Canning. Les blessures ont été infligées sur le corps entier et de façon quasi rituelle, comme si l'assassin voulait nous faire croire qu'il avait agi sous l'empire de la colère et nous envoyer, par la même occasion, courir après un ex-petit ami jaloux, ou même nous donner l'impression que c'était l'œuvre d'un inconnu dépourvu de mobile. Quand on ajoute à ça le fait que nos collègues de la police scientifique n'ont relevé aucun indice sur les lieux du crime, j'en viens à penser que celui-ci était prémédité, ce qui signifie que le tueur voulait, selon toute vraisemblance, éliminer un maître chanteur, ou bien qu'il était motivé par autre chose qui ne nous est toujours pas venu à l'esprit. Tout le reste n'a été qu'une mise en scène.

Donnelly n'avait pas l'air convaincu.

— Comme on n'a pas d'autres pistes que celle d'un barman qui a disparu et celle d'un pédé homophobe qui vient de sortir de taule, ça vaut le coup de suivre celle-ci, dans la mesure où vous êtes persuadé qu'Hellier est capable de tuer.

— Disons simplement qu'il me fait très mauvaise impression. Ça m'a rendu malade de le voir singer la compassion.

— Qu'est-ce qui vous permet d'affirmer qu'il jouait la comédie ?

Moi, j'ai trouvé qu'il avait l'air sidéré d'apprendre que Daniel s'était fait assassiner.

— Du chiqué, répliqua Sean. J'ai vu le cas trop souvent.

Donnelly travaillait depuis suffisamment longtemps avec Sean pour savoir qu'il valait mieux parfois ne pas le contredire.

— Vous me glacez les sangs, patron. Maintenant, il ne nous reste plus qu'à étayer votre thèse.

— C'est là que le bât blesse, comme toujours.

— L'interpeller, perquisitionner son domicile, son bureau et fouiller sa voiture, vérifier ses comptes bancaires, comparer ses empreintes et les traces de sperme ou de salive qu'il a pu laisser à toutes celles qu'on a pu relever sur la scène de crime.

— Non. Je ne l'ai pas senti paniquer quand je lui ai demandé s'il s'était trouvé dans l'appartement. Il sait qu'on n'arrivera pas à le confondre par ce biais, car il n'a pas laissé de traces de son passage, à moins que je me trompe, évidemment, et qu'il ne soit jamais allé là-bas. N'importe comment, il ne faut pas brûler les étapes. Pour le moment, c'est un suspect possible, rien d'autre. J'ai besoin d'avoir plus d'informations pour en tirer des conclusions. On va donc le faire suivre pendant un moment.

— Le placer sous surveillance vingt-quatre heures sur vingt-quatre ?

— En démarrant le plus tôt possible. Rien ne dit qu'il n'a pas oublié quelque chose, un truc qui risque de le trahir. Avec un peu de chance, il va nous amener à découvrir un indice qui signera sa perte, ou du moins nous donnera des raisons de poursuivre nos investigations.

— Si on a du bol.

— Pour l'instant, comme tu l'as si bien dit, on n'a rien d'autre qu'un barman qui s'est évanoui dans la nature et un pédé homophobe. On va donc s'intéresser un peu à ses antécédents. Un type comme lui ne surgit pas comme ça, un beau matin. Va consulter les archives du casier judiciaire, pour voir si le sieur Hellier n'a pas de squelettes dans le placard.

— Et le fisc, son parcours professionnel, les informations d'ordre général ?

— Pas encore. On ne dispose pas de suffisamment d'éléments pour obtenir de la justice une ordonnance exigeant qu'on nous communique ces renseignements. On va d'abord s'en tenir à nos dossiers et au registre des condamnations.

— Ce sera fait. Autre chose ?

— Oui. Prends la voiture et retourne au poste. Essaie de localiser les autres clients de Daniel Graydon et préviens-moi dès que tu as trouvé quelque chose d'intéressant.

— D'accord. Et de votre côté ?

— Eh bien, je vais aller faire un brin de causette à sa femme.

***

Sean prit le métro de Knightsbridge à la gare de King's Cross. Il en profita pour noter tous les endroits où l'on avait installé des caméras vidéo qui risquaient d'avoir filmé Hellier quand il était passé par là, y compris celles de la station de taxis se trouvant devant la gare, même si c'est à partir de là qu'ils empruntèrent chacun un itinéraire différent. Sean effectua en effet le reste du trajet en bus, pour des raisons d'économie, alors qu'Hellier avait les moyens de prendre le taxi. Sean ne mit cependant pas longtemps à arriver au 10, Devonia Road, dans le quartier d'Islington, non loin d'Upper Street et de la station de métro The Angel. Il se retrouva devant une autre belle maison géorgienne attenante à ses voisines – on aurait dit un modèle réduit de l'immeuble dans lequel travaillait Hellier. Il commençait à avoir l'impression d'être sous-payé, vu ses compétences, mais au moins avait-il eu le temps, pour le coup, de se calmer et de s'éclaircir les idées. Il grimpa le perron, donna deux petits coups de heurtoir. Une femme lui ouvrit peu après.

— Bonjour, dit-elle.

Il s'attendait à ce qu'elle se montre plus loquace. Il lui montra sa carte de police et s'efforça de détendre l'atmosphère.

— Inspecteur divisionnaire Corrigan, de la police de Londres. Désolé de vous importuner.

— Ah ! dit-elle, feignant la surprise.

Son mari l'avait donc prévenue au téléphone. Peu importe, il l'avait prévu, et de toute façon ce n'était pas pour cela qu'il était venu, mais pour se faire une petite idée de la vie que menait cet individu. Il sourit à son épouse.

— Madame Hellier ?

— Oui. Il y a un problème ?

Elle était la réplique en féminin de son mari, c'en était saisissant : une grande et jolie femme mince qui s'exprimait bien, qui avait visiblement fréquenté jadis une école privée pour jeunes filles de bonne famille et qui partait faire du ski deux fois par an. Bref, quelqu'un qui avait toujours eu ce qu'il y avait de mieux, et malgré tout on la sentait ingénue. Serait-ce pour cette raison qu'Hellier l'avait épousée ?

— Rien de grave. J'enquête sur une affaire d'usurpation d'identité. On pense que quelqu'un cherche à se faire passer pour votre mari.

— Sérieusement ?

— Je le crains. Cette personne a voulu réaliser hier un achat d'importance chez Harrods. J'ai déjà eu un entretien avec votre mari, qui m'a expliqué avoir passé hier toute la soirée et la nuit à la maison avec vous. Si vous pouviez me le confirmer, j'aurais alors la preuve que l'individu qui se trouve actuellement en garde à vue nous raconte des histoires.

— Mais puisque vous avez déjà parlé à mon mari, pourquoi faut-il que je vous confirme qu'il se trouvait avec nous ?

Naïve peut-être, mais pas folle, la guêpe.

— Je ne laisse rien au hasard. On pourrait peut-être en discuter à l'intérieur ? suggéra Sean.

Il brûlait d'envie de découvrir le domicile d'Hellier, de se glisser dans sa peau, ne serait-ce que quelques minutes.

— Ça tombe mal. Mes enfants vont rentrer d'un moment à l'autre de leur cours de tennis, et je ne voudrais pas qu'ils s'inquiètent. Vous comprenez cela, j'en suis sûre, mais en tout cas je peux vous affirmer que James n'a pas bougé d'ici hier soir, même si je ne l'ai quasiment pas vu, car il a passé le plus clair de son temps à travailler dans son bureau.

Sean essayait de regarder derrière elle à quoi ressemblait la maison, c'était plus fort que lui. Mais elle faisait délibérément écran, soucieuse de le tenir à l'écart de sa vie de famille, alors qu'il savait pertinemment qu'il irait tôt ou tard y fourrer son nez.

— Bien sûr. Je comprends et je vous remercie. Vous m'avez été d'un grand secours, madame. Bon, je ne vais pas vous déranger davantage.

Il descendait déjà le perron quand il se retourna :

— Juste une dernière chose.

Elle eut l'air agacée et son visage s'empourpra légèrement sous son bronzage. Il désigna la façade de la maison.

— Je me demandais où se trouve le bureau de votre mari.

Elle accusa le coup, ne s'attendant pas à ce qu'on lui pose ce genre de question. Visiblement, son mari ne l'avait pas mise en garde.

— Ça a de l'importance ?

— Non, répondit-il avec le sourire, pas vraiment.

Il attendit, sans bouger, sûr que devant son silence elle allait lui répondre.

— Celle-là, dit-elle en montrant les fenêtres du rez-de-chaussée, pressée de le voir déguerpir.

— Ah oui, fit-il. Si j'avais une maison comme la vôtre, c'est aussi à cet endroit que j'installerais mon bureau.

Maintenant qu'il avait obtenu satisfaction, il comprit qu'il était temps pour lui de s'en aller. Il avait semé le doute dans son esprit, et elle allait maintenant donner des sueurs froides à son mari. Il imagina la discussion qu'ils auraient tous les deux en fin de journée, quand ils se bombarderaient de questions, n'ayant plus confiance l'un dans l'autre. Il ne put s'empêcher de sourire.

— Bon, je vous ai fait perdre assez de temps comme ça. Au revoir, madame Hellier. Saluez votre mari de ma part.

Elle garda le silence. Il entendit claquer la porte avant même d'avoir descendu la dernière marche du perron.

***

Sean emprunta les transports publics pour aller d'Islington à Peckham, ce qui n'était pas la porte à côté, et il regarda d'un œil jaloux les autres voyageurs qui, pour la plupart, rentraient passer le week-end chez eux, alors que de son côté il retournait travailler, ne pouvant escompter regagner avant longtemps son domicile et se reposer. Il n'avait guère dormi plus de six heures les deux dernières nuits, et il savait que ça ne serait pas vraiment mieux avant le surlendemain. Il entra au commissariat par la grande porte et monta dans la salle des opérations sans saluer personne. En traversant la pièce pour gagner son bureau, il nota au passage qui était là et se dit que les absents devaient être en train d'effectuer le travail que leur avait confié Donnelly. Il entra dans son bureau, se laissa choir sur son siège. Quelques secondes plus tard, Donnelly apparut dans l'embrasure de la porte, les bras chargés de dépositions écrites de témoins et de comptes-rendus d'actions menées à bien. Le poids n'avait pas l'air de le déranger.

— Comment ça s'est passé avec Hellier ?

— Sa femme cherche à le protéger, alors elle ment. Elle m'a raconté qu'il n'a pas bougé de la maison de la soirée. J'ai eu l'impression que ce n'était pas la première fois qu'elle prenait sa défense.

— Sait-elle sur quoi on enquête ?

— Non, à moins qu'il ne le lui ait expliqué, ce qui m'étonnerait.

— De sorte qu'en principe, il a un alibi.

— Oui, mais il ne tient pas debout. Elle prétend qu'il a passé la soirée tout seul dans son bureau. Or celui-ci se trouve au rez-de-chaussée, à côté de la porte d'entrée. Il aurait pu s'esquiver discrètement et revenir ensuite, sans attirer davantage l'attention.

— N'importe comment, vous ne croyez pas qu'il a regagné son domicile ce soir-là.

— Non. À ce propos, qu'est-ce que tu as trouvé sur lui ?

— Eh bien, il a un casier judiciaire vierge, on ne lui a même pas collé un PV, à ma connaissance. Cela fait quelques années qu'il travaille chez Butler and Mason, auparavant il bossait à New York pour une entreprise américaine, et au départ il était en poste à Hong Kong, puis à Singapour.

— Comment as-tu appris tout ça ?

— En effectuant des recherches sur Google, répondit Donnelly. Eh oui, la technologie moderne peut être aussi bien notre meilleure amie que notre pire ennemie. Ah, et puis j'ai appelé un copain qui travaille aux impôts, pour me rencarder. Au regard du fisc, il est nickel. Depuis qu'il est rentré en Grande-Bretagne, il a payé ses impôts rubis sur l'ongle, voire en avance, figurez-vous.

Sean eut l'air déçu, mais au fond ça ne l'étonnait pas.

— Vu ce qui le branche quand il veut s'amuser après le boulot, il ne doit pas avoir envie de montrer sa tête partout sur Internet, raisonna-t-il.

— En effet, on trouve plein de renseignements sur lui, mais pas de photos.

— Il se méfie, tout comme celui qui a assassiné Daniel Graydon. Il fait gaffe.

— Depuis la crise bancaire, on ne compte plus les gens qui travaillent dans la finance et qui ont retiré leur photo d'Internet.

— Oui, sauf qu'Hellier n'est pas banquier, mais financier.

— Bah, on vit dans un pays, patron, où les deux tiers des gens ne font pas la différence entre un pédiatre et un pédophile.

— C'est vrai, soupira Sean.

Il se frotta les yeux, puis fouilla dans son bureau pour trouver des antalgiques, car il commençait à avoir mal à la tête.

— Qu'est-ce que ça a donné avec les autres qui se trouvaient avec lui le soir de sa mort ? demanda-t-il sans regarder son interlocuteur.

— Ils se sont présentés spontanément, dans l'ensemble, sinon on n'a pas eu de mal à les retrouver, mais on n'a rien appris d'intéressant. Il y en a un ou deux, dans le lot, qui sont connus de la police, mais pour des délits mineurs. On a recueilli un tas d'empreintes digitales et des éléments divers avant de les transmettre à la police scientifique pour qu'elle procède à des analyses comparatives, on ne sait jamais.

— Possible, mais en ce moment, je suis pas verni. Et les deux autres suspects éventuels ? Comment ils s'appellent, déjà ?

— Steven Simpson et Jonnie James, le barman. On est passé chez eux. La mère de Simpson nous a expliqué qu'elle ne l'a pas vu depuis quelques jours, et les colocataires de James nous ont donné le même son de cloche.

— Des suspects introuvables… Il ne manquait plus que ça !

— Voilà quelque chose qui va peut-être vous remonter le moral, ironisa Donnelly.

Il déposa une pile de documents sur le bureau de son supérieur, qui se récria.

— Qu'est-ce que c'est que tout ça ?

— Des dépositions de témoins et de la paperasse à lire. Le commissaire Feathersone organise une réunion d'information demain matin.

Sean se tassa dans son fauteuil, voyant définitivement s'éloigner toute perspective de détente à la maison. Il allait encore passer la soirée seul, hanté par l'image du corps martyrisé de Daniel Graydon et celle de l'assassin qui le lardait de coups de pic à glace…

***

Il finit par rentrer chez lui à une heure indue, épuisé mais aussi parfaitement réveillé, car il tenait sur les nerfs. Après avoir vu Hellier, il lui avait fallu rattraper le travail en souffrance, lire la déposition des gens qui se trouvaient ce soir-là dans la boîte, celle des videurs, des voisins, des amis et des collègues de Daniel Graydon, prendre connaissance des conclusions du légiste, plonger le nez dans les dossiers des services de renseignements de la police, examiner la liste des pièces à conviction, s'intéresser aux documents d'information et aux rapports d'enquête. Pas question de remettre ces tâches au lendemain, il avait déjà pris assez de retard comme ça. Dans ces conditions, un whisky serait le bienvenu, dans la mesure où ça lui permettrait de débrancher et de souffler un peu, sans pour autant se remplir la vessie comme s'il s'envoyait de la bière. Car si d'aventure il s'endormait, il n'avait pas envie d'être obligé de se relever pour aller pisser.

Kate, sa femme, avait attendu qu'il rentre pour se coucher ; elle n'aurait pas dû, car il n'avait pas envie de discuter. Il voulait juste boire un verre, avaler un sandwich et regarder la télé pour se changer les idées.

— Ce n'est que moi, dit-il en passant devant la salle de séjour, où s'était installée son épouse.

Kate le retrouva à la cuisine.

— Tu rentres tard, observa-t-elle.

— Désolé.

C'était là un mot qu'on entendait de plus en plus souvent dans sa bouche.

— Tu sais comment ça se passe au début d'une enquête, ajouta-t-il, on ne détèle pas, c'est l'horreur pendant deux ou trois jours.

— L'horreur pour qui ? lui lança-t-elle sur un ton involontairement agressif.

— Je n'en sais rien. Pour moi, pour toi, pour le mec qui vient de se faire défoncer le crâne et qui a trouvé la mort avant même d'avoir eu le temps de vivre... Pour ses parents, qui doivent maintenant apprendre à faire leur deuil...

Un silence oppressant retomba dans la pièce. Kate gonfla ses poumons.

— Ça va ?

— Oui. Je suis seulement fatigué et grognon, excuse-moi. Les enfants dorment ?

— Il est plus de 23 heures, ce ne serait pas raisonnable qu'ils soient encore debout.

Elle s'approcha de lui, qui avait le dos tourné et cherchait un verre, et le prit par la taille. Pour un homme qui approchait de la quarantaine, il était en pleine forme, avec un corps sec et nerveux, car il avait fait du sport dans sa jeunesse, ce qui lui avait de surcroît évité de sombrer dans la délinquance, comme tant de ses camarades.

— Je suis contente que tu sois ici, lui dit Kate.

— Moi aussi, je suis content d'être rentré. C'est vrai, j'aurais dû t'appeler, mais il faut croire que je n'ai pas vu le temps passer. Et Mandy, va-t-elle m'en vouloir encore longtemps ?

— Bah, elle n'a que trois ans. Vous avez tout le temps de vous réconcilier, tous les deux, ne t'en fais pas pour ça. Demande-toi plutôt comment tu vas arranger les choses avec moi.

— En t'offrant des fleurs, dit-il avec un petit sourire.

— Ça ne suffit pas, inspecteur divisionnaire. Je pensais à quelque chose d'urgent et aussi de bien plus drôle.

Elle l'invita à la suivre dans l'escalier et se dirigea vers la chambre. Sean grimpait la dernière marche quand il entendit une petite voix.

— Papa !

— Il vaut mieux que je passe la tête par la porte, souffla-t-il à sa femme, l'air contrit.

Kate ôta son chemisier, et sa peau bistre se mit à luire dans la pénombre.

— Ne traîne pas, lui dit-elle, sinon je risque de m'endormir.

Il entra dans la chambre de Mandy, où se découpait la silhouette d'une petite fille en pyjama. La gamine sourit en le voyant.

— Papa !

— Coucou, ma chérie.

— J'attendais que tu rentres.

— Il ne faut pas, car il arrive que papa rentre très tard.

— Pourquoi tu reviens pas plus tôt ?

— Ce n'est pas le moment de discuter, ma chérie. On parlera de ça demain.

— Maman dit que tu attrapes des méchants.

— Ah oui ?

— Qu'est-ce qu'ils ont fait ?

— Ne te soucie pas de ça. Maintenant, va dormir.

Il lui caressa les cheveux, la vit battre des paupières et fermer les yeux. Il resta un bon moment à la regarder dormir, incapable de s'en aller. Kate ne lui en voudrait pas, non, car il avait besoin de ces moments de tendresse pour compenser l'horreur à laquelle il était confronté quotidiennement…

Chapitre 7

Il y en a eu trois autres avant la petite tarlouze. Je vous ai déjà parlé de l'espèce d'avocat que j'ai poignardé en plein cœur, il en reste par conséquent deux auxquels je n'ai pas fait allusion.

J'ai commencé par une jeunette de dix-sept, dix-huit ans. Je m'étais garé ce jour-là non loin de l'entrée d'une clinique où l'on pratique des avortements et je n'avais pas attendu trop longtemps, car là-dedans ils font ça à la chaîne.

Installé dans un immeuble quelconque, l'établissement ne se trouve pas loin de Battersea Rise et de Clapham Common, ce qui est super pendant l'été, même s'il y a quand même là-bas trop de basanés chassés par la misère, la guerre et la famine.

Ça remonte déjà à plusieurs semaines, de sorte qu'à l'époque il ne faisait pas aussi bon que maintenant. La fille filait sur le trottoir, le col relevé pour se protéger du froid et aussi pour se cacher le visage, et c'est la tête baissée qu'elle entra dans la clinique, sans que je comprenne ce qui l'amenait.

J'ai attendu qu'elle ressorte, quelque chose comme deux heures, et qu'elle reparte en vitesse dans l'autre sens. Elle était en proie à la honte, je le sentais bien, vu que c'était sans doute une catho, enfin j'espère.

Je n'ai pas tardé à la rattraper, puis à la suivre de près. Elle était trop absorbée par ses bondieuseries et sa mauvaise conscience pour s'apercevoir de ma présence. En tout cas, c'était pour elle le moment où jamais de se rendre compte des gens qu'il y avait dans les parages, oui, c'était là sa planche de salut.

Puisqu'il n'y avait que quelques mètres entre nous, j'ai constaté qu'elle était jeune, comme je l'ai déjà dit, mince, tant mieux, qu'elle pleurait, à la bonne heure, et que par-dessus le marché elle était seule. Il fallait qu'elle n'ait parlé à personne de son petit problème pour qu'elle décide de venir ici sans se faire accompagner. Papa et maman n'étaient donc pas au courant, génial. Mmm... elle était parfaite !

Il ne lui restait plus qu'à continuer à marcher dans la même direction. J'avais déjà relevé les itinéraires qu'elle pourrait emprunter en sortant de la clinique, mais il y avait sur son chemin une voie ferrée qui passait sous un pont et que l'on ne voyait donc pas de la rue, et ça, c'était l'idéal. D'ailleurs, c'est dans le coin qu'a eu lieu en 1988 la catastrophe ferroviaire de Clapham, qui a fait tant de morts.

J'avais enfilé un imper acheté comptant il y a quelques mois dans le Marks & Spencer d'Oxford Street, et que je n'avais pas porté depuis. C'était un vêtement banal, tout ce qu'il y a de plus ordinaire. J'avais aussi mis des chaussures neuves à semelles de cuir et glissé une paire de gants dans une poche de mon imper, ainsi qu'un sac-poubelle dans l'autre.

Il fallait que tout se passe comme sur des roulettes, sinon je louperais l'affaire. Nous arrivions presque à hauteur de l'ouverture dans le mur qui permet de descendre sur la voie ferrée... J'ai donc enfilé les gants, sachant que j'avais intérêt à aller vite en besogne, car s'il y avait quelqu'un dans les parages, c'était foutu.

Je me suis précipité vers elle et je lui ai donné un magistral coup-de-poing au milieu du dos ; elle se plia en deux, suffoquant de douleur, et tomba à genoux...

Je la saisis par le col et franchis avec elle la trouée dans le mur. Si à l'évidence elle ne faisait pas le poids à côté de moi, je ne pouvais pas non plus courir le risque de la laisser se débattre et me griffer par la même occasion. Car, dans ce cas, je lui aurais coupé les doigts, à la belle, et je les aurais emportés avec moi, tiens, plutôt que d'offrir à la police des lambeaux de ma peau et des échantillons de mon précieux ADN.

Le chemin pour descendre sur la voie ferrée ne correspondait pas exactement à ce que je recherchais. Je l'avais découvert quelque temps auparavant, en essayant de trouver des bons coins. Le talus était en pente, mais pas au point d'empêcher quelqu'un de le descendre. Mieux, une dalle en béton d'environ un mètre de large longeait l'arche du pont, ce qui m'a permis de marcher dessus avec mes chaussures sans laisser de traces, tout en faisant piétiner le sol meuble à la donzelle. On penserait alors qu'elle avait effectué ce dernier trajet seule, avant de mettre un terme à sa triste existence…

Nous en étions à mi-chemin environ quand elle reprit son souffle. Je réagis immédiatement et lui flanquai un grand coup dans le ventre. Ça lui a-t-il fait d'autant plus mal qu'elle venait de subir un avortement ? Va savoir. En tout cas, ça lui a coupé la chique.

Je l'ai traînée en bas de l'arche du pont, l'ai poussée contre le rebord, puis l'ai dévisagée. Elle avait de magnifiques yeux verts dans lesquels on lisait de la terreur. Il ne fallait pas qu'elle me crée des ennuis.

— Si tu dis quelque chose, te débats ou essaie de t'enfuir, je te cogne, compris ?

Elle hocha la tête, affolée. Moi, j'étais d'un calme olympien.

— Je vous en prie, supplia-t-elle, ne me violez pas ! De grâce, je viens de me faire opérer… S'il vous plaît ! Je ne dirai rien à personne…

— Je ne vais pas te faire du mal, idiote, je veux seulement que tu restes tranquille cinq minutes.

Un train à grande vitesse approcha en sifflant ; je jetai un coup d'œil et le vis foncer dans ma direction. J'avais déjà chronométré tout ça et je savais qu'une fois qu'il avait doublé la cabane se trouvant à la hauteur du raccordement, il me restait cinq secondes avant qu'il me passe devant dans un vacarme épouvantable.

Je lui attrapai le bras droit, cinq, quatre, trois, deux et hop ! je la propulsai en avant.

On aurait dit qu'elle faisait du jogging, elle parvint même à ne pas trébucher sur le premier rail et arriva au milieu de la voie.

Elle a dû le trouver énorme, ce train, et juste avant l'impact, elle se raidit. Je demande bien à quoi elle a pensé, enfin si jamais il lui est venu quelque chose à l'esprit, cela va de soi.

Je tournai les talons, sans attendre de voir où son corps avait atterri, et grimpai le talus en vitesse. Je m'étais amusé comme un petit fou, mais en fin de compte, tout ça manquait de poésie et participait d'une violence trop mécanique. Je n'avais pas réussi à surprendre son regard, ni à entendre son dernier souffle quand le train lui avait ôté la vie. Hélas…

Quel dommage que je ne l'ai pas chopée avant son avortement ! Ça aurait été super.

Je me demande bien où il allait, ce train.

J'entendis les premières sirènes alors que je m'éloignais au volant de ma voiture. Quelques jours plus tard, l'*Evening Standard* consacrait un article à une jeune fille qui s'était jetée sous un train après avoir avorté, sans doute rongée par la honte. « La police estime qu'il s'agit d'un suicide », concluait le journal…

Chapitre 8

Sean faisait le pied de grue au troisième étage devant la porte du bureau d'Alan Featherstone, le commissaire, qu'il regardait par la porte vitrée. Son supérieur direct était un grand rouquin costaud, avec un soupçon d'accent londonien sur la langue. Sean attendit qu'il en ait fini au téléphone avant de frapper.

Feathertone lui fit signe d'entrer. Sean s'assit machinalement.

— Comment ça se passe avec ce meurtre domestique qu'on vous a refilé ? lui demanda son chef. La routine ?

Featherstone n'avait pas réalisé beaucoup d'enquêtes ; il s'était hissé à ce grade en brûlant les étapes, mais il plafonnait désormais après avoir refusé de devenir l'un des pontes branchés de la police de Londres, à moins qu'il n'y soit pas arrivé. Il faut dire qu'il était un peu trop brut de décoffrage, qu'il avait son franc-parler et que ça ne le gênait pas de se salir les mains. Comprenant qu'il n'irait pas plus haut, il s'était fait muter à la PJ.

Sean pouvait s'en arranger. Il le savait suffisamment malin pour ne pas se mêler de ses investigations, et lui laisser au contraire la bride sur le cou.

— Ce n'est pas aussi simple qu'on l'aimerait, répondit-il. Je ne suis plus du tout certain qu'il s'agisse là d'un meurtre domestique, car il y a trop d'indices qui laissent penser le contraire. D'abord, la scène du crime ne cadre pas avec une agression commise sur un coup de sang. On est en effet confrontés à quelqu'un qui s'est débrouillé pour ne pas laisser de traces exploitables par la police scientifique. Ça m'a donc l'air prémédité. J'imagine que la victime a peut-être essayé de faire chanter celui ou celle qui l'a zigouillé.

— Vous avez des preuves ?

— Pas encore. Pour le moment il n'y a rien de concluant, mais enfin on a un suspect dans le collimateur.

— Allez-vous élucider cette affaire rapidement, pour qu'ils soient contents en haut lieu ?

— Ça se peut.

— Il paraît que c'était un pédé qui s'est fait buter.

— C'est probable.

— Dites-vous bien alors qu'on va surveiller les progrès de l'enquête, en guettant la moindre occasion de nous traiter d'homophobes. Il n'est pas question de laisser la presse s'en donner à cœur joie.

— Je comprends.

Sean s'apprêta à prendre congé.

— À ce propos, reprit Featherstone, si on les mettait dans le coup, les médias ? Comme dans l'émission *Crimewatch*, quoi. Vous leur refilez une godasse en cuir, puis vous les laissez faire le sale boulot, et le tour est joué.

— C'est trop tôt. Il me faut encore une semaine sans les avoir sur le dos et sans qu'ils sachent où on en est, histoire qu'on puisse se retourner. En outre, je n'ai pas le temps de m'occuper des journalistes.

— À ce compte-là, je peux m'en charger. Je sais bien que vous ne les portez pas dans votre cœur, mais je connais dans le milieu des gens de confiance.

— Merci. Si je décide de me servir d'eux, vous serez le premier prévenu. Je vais vous adresser un compte rendu d'ici deux ou trois jours, ou même avant s'il y a du nouveau.

— Parfait.

— Encore une chose. Il faudrait que vous m'autorisiez à faire surveiller nuit et jour le principal suspect.

— Celui qui, d'après vous, exerçait un chantage sur la victime ?

— Oui.

— Avez-vous assez de preuves pour ça ?

— Je le pense.

— D'accord. Envoyez-moi des informations détaillées et précisez-moi vos motifs, je vous donnerai ensuite le feu vert.

— Merci.

Sean prit congé du commissaire, sachant pertinemment qu'il s'arrangerait pour que cette demande semble plus justifiée qu'elle ne l'était vraiment. Featherstone et lui formaient un tandem efficace, mais son supérieur direct serait-il prêt à mouiller sa chemise pour lui venir en aide si ça tournait mal ? Il en doutait, mais enfin tout le monde ne réagirait-il pas de la même façon ?

***

Sean rentrait en voiture à Peckham lorsque son portable sonna. C'était un appel masqué, ce qui éveilla sa méfiance. Il répondit, mais sans se présenter.

— Allô ?

— J'aimerais parler à l'inspecteur divisionnaire San Corrigan.

Il reconnut la voix d'Hellier.

— C'est moi.

— On va faire comme vous l'avez demandé, inspecteur. Je serai à 14 heures au commissariat de Belgravia, et je compte sur votre totale discrétion.

Sur ce, Hellier raccrocha. Très bien, se dit Sean. Tu peux me donner rendez-vous où tu veux, mon bonhomme, demain à la même heure, j'aurai tes empreintes digitales, ton ADN et une déposition. Dès lors, ce ne sera plus qu'une question de temps avant que tes mensonges te reviennent à la figure et que tes alibis s'effondrent. Tu finiras par craquer, tôt ou tard tu te mettras à table, il suffira de t'en faire baver, de resserrer progressivement l'étau. Fais-moi confiance, mon lascar, on arrivera bien à te tirer les vers du nez.

***

Sean et Donnelly étaient dans leur Ford Mondeo, garée sur Ebury Bridge Road, dans le quartier de Belgravia. De là, ils avaient vue sur le commissariat, tout en se trouvant assez loin pour passer inaperçus. Sean voulait en effet voir arriver Hellier, et la tête qu'il ferait juste avant leur entretien.

À 13 h 30, ils le repérèrent sur Buckingham Palace Road, qu'il longeait d'un bon pas. Il avait l'air dans son élément, le sieur Hellier, au milieu de ce quartier friqué. Sean le prit en photo.

— Un petit cadeau pour les types qui vont le surveiller en permanence, expliqua-t-il à son adjoint.

— À ce propos, ils démarrent quand ?

— Dès que Featherstone aura rempli les formulaires et leur donnera le feu vert.

— Je lui laisse ce soin, soupira Donnelly en pensant à toute la paperasserie que devrait expédier le commissaire avant qu'on puisse faire suivre Hellier vingt-quatre heures sur vingt-quatre.

Hellier, qui décidément avait l'air sûr de lui, arrivait, accompagné d'un autre type muni d'une mallette.

— Je savais bien qu'il viendrait avec son avocat ! s'exclama Sean.

— Il a dû se trouver un ténor du barreau, renchérit Donnelly.

Ils regardèrent les deux hommes entrer dans le commissariat.

— On va les laisser poireauter cinq minutes, dit Sean, histoire de les mettre sur les nerfs, puis on ira les retrouver et on verra si on peut l'asticoter un peu, notre client.

— D'accord.

— Ça a donné quelque chose, côté casier judiciaire ?

— Non. Rien du tout, ni dans les archives de la police. Apparemment, il n'a jamais rien eu à se reprocher.

— J'ai du mal à y croire.

— Il a peut-être changé d'identité.

— Ça ne m'étonnerait pas. On le saura une fois qu'on aura relevé ses empreintes digitales.

— On y va ?

— Pourquoi pas…

Ils descendirent de véhicule et s'en allèrent retrouver Hellier.

***

Ils avaient pris place tous les quatre dans une salle réservée à l'audition des témoins, et non à l'interrogatoire des suspects. Sean et Donnelly étaient assis en face d'Hellier et de son avocat, un dénommé Jonathan Templeman.

Ce fut celui-ci qui prit la parole en premier :

— Inspecteur, mon client a le droit de savoir pourquoi on lui a demandé de venir ici aujourd'hui.

— À vous entendre, on croirait que monsieur Hellier est considéré comme suspect.

— On dirait bien que c'est ainsi qu'on le traite, puisqu'on le convoque dans un commissariat. Mon client est évidemment prêt à coopérer, mais il faut également respecter ses droits. Si on le soupçonne d'avoir commis un meurtre, il faut l'en informer.

— On ne le soupçonne pas de ça, répondit Sean, sinon on l'aurait déjà interpellé. Je ne sais pas ce qu'il vous a dit au juste, maître… (Sean regarda la carte de visite que lui avait remise l'avocat)… Templeman, mais il ressort de mon premier entretien avec monsieur Hellier qu'il a eu des rapports sexuels avec le jeune homme que l'on a retrouvé assassiné voici quelques jours.

Sean savait que son interlocuteur ne croyait pas un mot de ce qu'il lui racontait et qu'il devait se douter que l'on soupçonnait son client d'être mêlé au meurtre de Daniel Graydon. Templeman ferait donc tout son possible pour protéger Hellier, mais il ne voudrait pas forcer la main du policier qui dirigeait l'enquête et précipiter ainsi l'arrestation de son client.

— L'orientation sexuelle de monsieur Hellier n'est pas en cause, plaida-t-il. L'homosexualité n'est plus un délit, inspecteur.

Ce disant, il faisait de la provocation. La meilleure façon de défendre quelqu'un, que cette personne soit coupable ou non, c'était de se montrer agressif envers les enquêteurs et de les envoyer promener.

— Maître Templeman, la sexualité de monsieur Hellier ne m'intéresse pas. Ce qui m'importe, c'est qu'un jeune homme s'est fait assassiner. À ce titre, monsieur Hellier est un témoin important, sans doute le meilleur que nous ayons. Il me faut par conséquent recueillir auprès de lui une déposition écrite, relever ses empreintes digitales et des échantillons de fluides organiques, de matière à le mettre définitivement hors de cause.

— Il n'est pas question qu'il vous fasse une déposition écrite, répliqua l'avocat. En revanche, nous acceptons qu'on prélève sur lui des échantillons de salive et de sperme, afin de le disculper le plus vite possible.

— Nous n'enquêtons pas sur un vol à l'étalage mais sur un meurtre, déclara Donnelly, sans s'énerver. Voilà pourquoi monsieur Hellier va nous faire aujourd'hui même une déposition écrite.

— Mon client n'a été témoin d'aucun délit lié à la mort de Daniel Graydon et ne peut donc pas vous donner de renseignements utiles. Voilà pourquoi il ne fera pas de déposition écrite. Ça ne vous servirait à rien, tout en risquant de lui être préjudiciable et de le placer dans une situation délicate.

— Dans une situation délicate ? s'insurgea Donnelly. Ça alors, je m'en fiche ! Vous voulez peut-être rencontrer les parents du jeune homme ? Ça vous donnera l'occasion de leur expliquer que votre client craint davantage pour sa réputation qu'il n'a envie de nous aider à retrouver l'assassin de leur fils.

— Pas de déposition écrite.

Sean comprit que Templeman ne plaisantait pas.

— Au besoin, je ferai citer monsieur Hellier en justice pour l'obliger à témoigner.

— Dans ce cas, vous allez y être contraint, inspecteur.

— D'accord.

Sean finirait bien par démasquer l'assassin, il disposait pour cela de toute une série de moyens, mais pourquoi Hellier refusait-il de faire une déposition écrite ? Ce n'était certainement pas pour éviter l'opprobre, mais parce qu'il ne voulait rien dire qui puisse ensuite s'avérer être faux et se retourner contre lui. Dans ces conditions, mieux valait se taire et laisser parler son avocat.

— Soit, pas de déposition écrite, soupira Sean. Vous acceptez néanmoins qu'on prélève sur vous de la salive et du sperme ? demanda-t-il en regardant l'intéressé, qui resta muet comme une carpe.

— J'ai dit oui, répondit à sa place Templeman.

— Et que l'on prenne aussi vos empreintes digitales, de manière à vous disculper ?

Il attendit la réaction de l'autre, en espérant lui avoir parlé sur un ton détaché.

— Pour quelle raison avez-vous besoin des empreintes digitales de mon client ? s'énerva Templeman. Je croyais que monsieur Hellier avait bien fait comprendre qu'il n'était jamais allé dans l'appartement de la victime. À moins d'avoir relevé des traces de doigt sur son corps, ce qui est hautement improbable, je ne vois pas en quoi il vous serait indispensable de disposer des empreintes digitales de mon client pour le mettre hors de cause.

— Ce n'est pas sur son corps, mais sur de l'argent qu'il avait dans sa poche qu'on en a trouvées, s'empressa d'expliquer Sean, en mentant sans vergogne.

En effet, il ne voulait pas risquer de leur mettre la puce à l'oreille en différant sa réponse.

— Votre client a payé pour tirer un coup. Cet argent liquide doit donc être le sien, sauf s'il a réglé la passe en carte de crédit. On a déjà soumis ces pièces et ces billets à un traitement chimique, ce qui nous a permis de relever une série d'empreintes digitales. Si celles de votre client ne figurent pas dans le lot, alors il ne peut pas être l'assassin et on n'en parle plus.

— Très bien. Mon client est prêt à accéder à votre requête.

Hellier acquiesça d'un signe de tête.

— Bon.

Sean fit venir un jeune flic en civil.

— Voici l'inspecteur Zukov. Il va vous conduire dans le local approprié où un médecin va effectuer divers prélèvements sur vous, et ensuite relever vos empreintes digitales.

Hellier garda le silence.

Zukov hocha la tête et le regarda.

— Si vous voulez bien me suivre.

Templeman et lui quittèrent la pièce avec Zukov.

— Vous leur avez raconté des craques, patron, dit Donnelly, après avoir vérifié qu'ils ne risquaient plus de l'entendre. Que je sache, on n'a pas retrouvé d'empreintes sur les billets et la petite monnaie. Ça pourrait nous attirer des ennuis en haut lieu, d'avoir amené un suspect à donner ses empreintes digitales en usant d'un subterfuge.

Sean n'en avait cure.

— Qu'ils aillent se faire foutre ! Je m'occuperai de ça le moment venu. Pour l'instant, je veux qu'on relève ses empreintes digitales, au cas où on aurait du bol sur la scène du crime.

— Il a quand même affirmé catégoriquement n'avoir jamais mis les pieds chez Graydon.

— Oui, mais pour qu'on soit en mesure de prouver le contraire, il suffit qu'il ait commis une erreur, une seule.

— Vous êtes persuadé que c'est lui qui l'a tué, hein ?

— Plus je le vois, plus je me retrouve à côté de lui, plus j'ai la certitude qu'il nous cache quelque chose. Mais on dirait presque que c'est un jeu pour lui, et que ça l'amuse en quelque sorte. Je ne sais pas, mais il y a un truc…

Sean laissa sa phrase en suspens.

— C'est peut-être tout simplement vous qui avez envie que ce soit lui, le coupable, suggéra Donnelly. Si ça se trouve, vous ne pouvez pas l'encadrer, l'autre qui se la pète avec sa mallette.

— Non, tu te trompes, répondit calmement Sean sans regarder son adjoint. Je la sens en lui, la culpabilité.

— La culpabilité, oui, mais cela fait-il de lui l'assassin de Daniel Graydon ?

— Je n'en sais rien, conclut-il, mais j'ai bien l'impression que nous n'allons pas tarder à croiser le fer, James Hellier et moi.

Chapitre 9

James Hellier quitta le commissariat de Belgravia deux heures plus tard, un peu agacé qu'on l'ait gardé plus longtemps qu'il ne le fallait. Malgré tout, il s'en était bien tiré. Content de lui, il esquissa un sourire, en espérant que son avocat ne l'avait pas remarqué.

Ils firent tous les deux un petit bout de chemin à pied. Hellier était sûr d'être suivi par les flics, mais ça ne le dérangeait pas, et il n'éprouva pas le besoin de le dire à Templeman, ni à personne d'ailleurs.

La police avait donc prélevé sur lui un peu de salive, de sang et de sperme, quelques poils et des cheveux, l'inspecteur ayant vérifié que le médecin faisait son boulot dans les règles. Il avait un drôle de nom, ce flic, puisqu'il s'appelait Paulo Zukov, à tel point qu'il avait failli lui demander, à l'animal, s'il se considérait d'abord comme un rital ou bien comme un ruskov, mais il avait réussi à se contrôler.

Templeman et lui échangèrent une poignée de main et s'en allèrent chacun de leur côté. Son avocat ne doutait pas de son innocence. On ne les refera pas, les baveux. Tu parles, à la fac on leur bourre le crâne de sornettes, et ils attrapent la grosse tête. Ils se croient tous dans un roman de John Grisham, à défendre la veuve et l'orphelin. Je vous demande un peu…

On avait aussi relevé ses empreintes digitales. Il savait très bien que Corrigan lui avait raconté des bêtises en disant qu'on avait retrouvé des traces de doigts sur les billets et la petite monnaie que Daniel Graydon avait dans sa poche, même si Templeman n'avait pas eu l'air de percuter. Dommage qu'il n'ait pu faire autrement, mais bon, il s'y attendait. Bah, ça ne poserait pas de problème, non, il fallait pas que ça en devienne un. Et puis d'abord, il n'y avait pas de lézard, na !

***

Sean et Donnelly regardèrent Hellier s'en aller, tout comme ils l'avaient vu arriver. Templeman et lui se serrèrent la main, puis se séparèrent. Hellier se retourna dans leur direction, avant de s'éloigner.

— Il croit qu'on le file, dit Donnelly.

— On n'a pas encore commencé. Je viens de recevoir un message de Featherstone, c'est à partir de demain qu'on va le surveiller en permanence.

— Et les autres avec qui Daniel Gradyon a baisé, on les a tous vus ?

— Oui, ils se sont présentés d'eux-mêmes. Ça ne leur plaît pas trop d'admettre qu'ils se sont payé un tapin, mais enfin ça ne les rend pas malades non plus.

— À la différence du sieur Hellier.

— Eh oui. Ils ont l'air directs et francs du collier, on a obtenu d'eux une déposition écrite, on a effectué sur eux des prélèvements divers et recueilli leurs empreintes digitales, tout ça sans problème. Ils n'ont laissé aucune impression particulière à ceux qui les ont interrogés. On va quand même vérifier s'ils ont des antécédents, mais aucun d'eux ne semble intéressant.

— Et question petit copain ? demanda Sean. Quoi que je pense d'Hellier, il faut néanmoins que j'envisage cette possibilité.

— D'après ses potes, il n'en avait pas, ni quand on l'a tué ni auparavant. Il se peut seulement qu'il ait fréquenté Jonnie James, le barman qui a disparu.

— Et dans le passé ? Il n'y en a pas un qui s'est fait larguer et qui voulait régler ses comptes ?

— On ne dirait pas. Daniel se méfiait apparemment davantage dans sa vie privée que dans sa vie professionnelle.

— Autre chose ?

— Je me suis permis d'envoyer une circulaire à tous nos collègues du pays, pour leur demander s'ils se sont trouvés confrontés à des meurtres du même type.

— Et alors ?

— Ça n'a rien donné. Notre petit musée des horreurs est, selon toute vraisemblance, unique en son genre.

— Hellier demeure donc notre principal suspect, enfin, jusqu'à nouvel ordre.

Donnelly ouvrit tout à coup la porte de la voiture.

— Tu vas te balader ? lui demanda Sean.

— Je vais voir Paulo, pour être sûr que ça s'est bien passé.

— Ne t'inquiète pas pour lui, il connaît son métier, dit Sean, qui avait confiance en lui, comme dans tous les autres membres de l'équipe.

Il était quand même rare que Donnelly se fasse autant de mauvais sang.

— D'accord, reprit-il, vas-y, je t'attends ici. Pendant que tu y es, demande-lui s'il veut qu'on le dépose quelque part.

Donnelly s'esquiva, Sean le vit traverser la rue au pas de course, en se faufilant entre les voitures. Il était fringant, pour un homme de son gabarit.

***

Paulo Zukov attendait Donnelly en bas, dans les toilettes du commissariat de Belgravia. Il poussa un ouf de soulagement en voyant débarquer son collègue, un grand costaud. Donnelly s'arrêta devant la glace pour remettre un peu d'ordre dans sa tignasse poivre et sel.

— Il n'y a que nous ici, on est tranquilles, lui dit Zukov.

— Dans ce cas, à quoi ça rime de chuchoter ?

— C'est que je n'ai pas l'habitude de discuter au petit coin avec des mecs louches, répondit Zukov, pince-sans-rire.

— J'espère bien, mon petit, blagua Donnelly. T'as eu ce que je t'ai demandé ?

Zukov sortit de la poche intérieure de sa veste un petit sachet en plastique refermant deux cheveux d'Hellier que l'on venait de lui arracher, en même temps qu'une dizaine d'autres. Il le donna à Donnelly, qui s'en empara.

— J'imagine que les sachets renfermant les prélèvements officiels ont été scellés ?

— Oui, tout a été emballé, puis étiqueté. Voici le petit supplément que vous ne vouliez pas voir officiellement répertorié.

— Parfait.

Donnelly plia le sachet en faisant bien attention à ne pas tordre les cheveux se trouvant à l'intérieur, puis le rangea dans un étui à cigarettes métallique vide, qu'il glissa dans la poche de son blazer.

— Il vaut mieux prendre ses précautions. On ne sait jamais quand on peut avoir besoin d'un petit coup de main, expliqua-t-il en tapotant l'objet à travers le tissu.

— Vous allez les déposer dans l'appartement de Graydon, pour que les types de la police scientifique les y retrouvent, ou alors vous avez l'intention de vous en servir d'une autre façon ?

— Pour l'instant, je ne vais rien en faire du tout.

— Ah bon ? Qu'est-ce que vous attendez ?

Donnelly bomba le torse et se redressa de tout son haut.

— Écoute, mon gars, j'ai dans la vie trois principes : d'abord, ne jamais accepter de pots-de-vin, même si je suis complètement fauché. Ensuite, ne jamais monter un coup tordu contre un citoyen lambda, alors que ça ne me pose pas de cas de conscience avec les malfrats. Enfin, en présence d'un crime, ne jamais vouloir faire porter le chapeau à quelqu'un si l'on n'est pas certain que c'est lui, le coupable, et si, en plus, il n'est pas absolument indispensable de le mettre à l'ombre. Compris ?

— Autrement dit, vous n'êtes pas sûr que c'est Hellier, l'assassin ?

— Non, pas encore. De même qu'il n'est pas notre seul suspect, n'oublie pas. Maintenant, va déposer ton paquet au labo avant qu'il n'y ait plus personne, et puis transmets ses empreintes digitales à Scotland Yard. Le patron veut qu'on les compare tout de suite à celles qu'on a relevées sur la scène du crime, alors insiste pour avoir les résultats le plus vite possible.

— Pas de souci. Et de votre côté, qu'est-ce que vous allez faire ?

— Ça ne te regarde pas, mais enfin que je crois que je vais retourner au commissariat avec le patron, pour voir si j'arrive à deviner à quoi il pense.

— Il a des ennuis ?

— Je n'en sais toujours rien. Disons que j'ai l'impression qu'il joue les cachottiers.

***

Il était environ 17 heures, et Sean était plongé dans la paperasse et la gestion de son courrier électronique, sans prêter attention aux bavardages et au téléphone qui n'arrêtait pas de sonner dans la salle des opérations.

Un inspecteur que tout le monde appelait Bruce frappa au chambranle de sa porte, ce qui le fit sursauter.

— Le service des empreintes voudrait vous parler. J'ai mis le gus en attente.

Sean traversa le bureau et attrapa l'appareil.

— Inspecteur divisionnaire Corrigan. Vous pouvez me donner les résultats.

— Je ne les ai pas encore, répondit une voix anonyme. On est en train d'examiner les traces de doigts relevées sur la scène du crime. C'est Collins qui s'en occupe. Il va les comparer avec les empreintes digitales que vous nous avez communiquées, à commencer par celles de tous les collègues qui se sont trouvés sur place. Avec un peu de chance, on sera fixés lundi ou mardi.

— J'enquête sur un meurtre, il me faut ça tout de suite.

— Désolé, mais on ne peut rien vous dire avant le début de la semaine prochaine. On est débordés, vous comprenez. Les services antiterroristes viennent de nous refiler un boulot urgent, qui doit passer, nous a-t-on précisé, avant tout le reste.

— D'accord. Débrouillez-vous pour qu'il m'appelle dès qu'il aura les résultats. Dernière chose, ajouta-t-il avant que l'autre ne raccroche, pouvez-vous voir si le casier judiciaire national a gardé trace de ses empreintes digitales ?

— Bien sûr. Comment il s'appelle, ce lascar ?

Sean ne s'était pas rendu compte que Donnelly était dans les parages et entendait tout ce qu'il disait.

— James Hellier, répondit-il. Il vous faut une date de naissance ?

— Pas la peine, ce n'est pas un nom courant. Je vous demande une minute.

L'attente se prolongea un peu plus longtemps, Sean commençait à s'impatienter quand son correspondant reprit la communication :

— Non, on n'a rien ici sur ce type.

Sean encaissa le coup.

— Ce n'est pas grave, dit-il avant de raccrocher.

— Drôle de façon de mener l'enquête, commenta Donnelly.

— Comment ça ?

— Aller demander si les empreintes digitales d'Hellier sont archivées au casier judiciaire, alors qu'on sait déjà qu'il n'a jamais été condamné ! Car enfin, je suis allé vérifier, n'oubliez pas.

— Je voulais m'en assurer par moi-même, en me disant que le tribunal n'avait peut-être pas signalé sa condamnation au casier judiciaire, ou encore oublié de l'inscrire dans le fichier informatisé de la police.

— Ah oui, deux précautions valent mieux qu'une. Et alors ?

— Ça n'a rien donné. Hellier n'est jamais passé devant le juge.

***

Assis devant son ordinateur, Hellier observait les fluctuations des marchés financiers aux États-Unis. Sa femme passa la tête dans son bureau, mais elle n'osa pas y entrer, sachant que par moments il fallait le laisser tranquille. Elle remplissait ainsi son rôle d'épouse modèle, ce qui lui assurait des contreparties pécuniaires avantageuses, il fallait bien le reconnaître. Hellier leva les yeux, sans effacer ou modifier ce qu'il y avait à l'écran.

— Ça se passe bien, mon chéri ?

— À merveille, mon amour. Je rattrape un peu le retard que j'ai pris dans mon boulot. Je n'en ai pas pour longtemps, promis, dit-il en lui coulant un sourire enjôleur.

— Tu travailles trop, il est presque 22 heures.

— Va te mettre au lit.

— Ne te couche pas trop tard.

— Entendu.

Elle lui envoya un baiser et s'esquiva. Il n'était pas question qu'elle découvre la vérité et qu'elle sache que la police le talonnait. Le moment était venu de passer un coup de fil.

Il glissa la main sous le bureau, ôta un morceau de scotch apposé sur le bois, examina les deux clés qui y étaient collées, en ôta une, puis gagna le meuble encastré à l'autre bout de la pièce. Il tendit l'oreille avant de l'ouvrir, puis de s'agenouiller et de relever le tapis pour accéder à un coffre secret aménagé à l'intérieur, à même la semelle en béton de la maison. Il glissa la clé dans la serrure, fit manœuvrer le battant, récupéra un petit carnet d'adresses, referma le coffre et le meuble, puis retourna s'asseoir à son bureau et donna un coup de fil. Ça sonna plusieurs fois avant qu'une voix endormie lui réponde :

— Allô, allô ! Putain…

— C'est moi. Tu ne m'as pas reconnu ?

Silence.

— Dis-moi, je t'en prie, que tu m'appelles d'une cabine publique !

Son interlocuteur avait la trouille, c'était évident.

— Ne t'en fais pas. Il y a d'autres trucs importants dont il faut qu'on parle.

— Quoi donc ?

— Es-tu bien sûr, par exemple, d'avoir veillé au grain ? Tu ne m'aurais pas menti, par hasard ?

— Ho là là ! Qu'est-ce qui te prend de me demander ça à une heure pareille ? Oui, je me suis occupé de tout, je te l'ai déjà expliqué. Pourquoi te mettre dans tous tes états ? Tu as déconné ?

— Non, mais tes potes de la police me cassent les pieds. Je tiens à être sûr que tu as rempli la mission pour laquelle on t'a payé.

Son correspondant ne réagit pas. Hellier lui laissa le temps de réfléchir.

— Ils n'ont quand même pas fait le rapprochement entre Korsakov et toi, dis ? demanda à mi-voix celui qui était à l'autre bout du fil.

Il lui suffit d'entendre ce nom, ce qui ne lui était pas arrivé depuis longtemps, pour qu'Hellier se cale dans son fauteuil, comme s'il se rappelait un épisode heureux de son enfance.

— Ils n'ont pas fait le rapprochement entre lui et toi ? répéta son interlocuteur.

— Non, répondit Hellier sans s'énerver, et ça n'arrivera pas, il n'y a pas de risque. Il ne reviendra jamais, Korsakov, j'ai fait le nécessaire autrefois, tu ne te rappelles pas ? Tu devrais, nom d'un chien, puisque c'est toi qui m'as aidé à l'enterrer.

— Si tu as merdé, tu te débrouilles tout seul, mon pote, je ne viendrai plus te donner un coup de main.

— Oui, mais si je me fais serrer, répliqua Hellier, tu tomberas avec moi, je te le garantis.

Sur ce, il raccrocha.

Son correspondant avait eu l'air sincère, on verrait bien si c'était le cas. Ça valait mieux, pour l'un comme pour l'autre…

Chapitre 10

Dimanche matin

Il était presque 8 heures quand Sean arriva au commissariat. Sally lui sauta aussitôt sur le râble.

— Patron !

— Qu'est-ce qu'il y a ? J'ai failli te marcher sur les pieds.

— Le commissaire Featherstone traîne dans les parages. Il vous cherche, lui expliqua-t-elle à mi-voix.

Sean leva les yeux au ciel.

— Il ne manquait plus que ça ! Merci de me prévenir.

Il venait à peine d'entrer dans son bureau qu'on frappa à la porte, restée ouverte. Il n'eut pas besoin de se retourner pour savoir qui c'était et s'assit.

— Bonjour, commissaire. Vous n'assistez pas à l'office dominical ?

Il lui désigna un siège. Featherstone ne se fit pas prier.

— Je n'ai pas mis les pieds à l'église depuis que ma seconde femme m'a quitté, répondit-il. Alors, comment ça avance, cette enquête ?

— J'attends toujours les empreintes digitales et les conclusions de l'expertise médico-légale.

— Vous avez d'autres pistes, ou d'autres témoins ?

— On a interrogé plusieurs types qui se trouvaient dans la boîte de nuit, ce soir-là, ce qui nous a permis de recueillir leur déposition et d'effectuer sur eux des prélèvements. Jusqu'à présent, ça n'a rien donné d'extraordinaire. On s'est surtout intéressé à ceux qui ont baisé avec Daniel Graydon le soir où il s'est fait refroidir, ainsi qu'au dénommé James Hellier.

109

— Vous avez d'autres éventuels suspects ?

— Eh bien, il y a un barman du club qui a disparu. Apparemment il connaissait la victime, et il n'est pas impossible qu'ils soient sortis ensemble. Sinon on essaie de retrouver un dingue qui vient de purger une peine de huit ans de prison pour tentative de meurtre sur la personne d'un jeune pédé. Il habite suffisamment près des lieux du crime pour qu'on se penche sur son cas. En plus, il s'est apparemment, lui aussi, évanoui dans la nature.

— Il faut au moins les retrouver, ces deux-là, afin de les disculper.

— Ça ne va pas traîner.

— Tant mieux, et ce Hellier, le mec sur lequel d'après vous Daniel Graydon exerçait un chantage, vous avez réussi à le coincer ?

— Non, c'est un petit malin, il n'a pas laissé de traces.

— Si vous arriviez à démontrer que Daniel Graydon essayait de lui extorquer de l'argent, vous auriez déjà fait la moitié du chemin. Avez-vous retrouvé des lettres dans ce sens ?

— Non. On a saisi son ordinateur, mais ça va prendre du temps de récupérer ses e-mails.

— Ça fait maintenant plusieurs jours qu'on se casse la tête sur cette histoire, ce serait bien d'obtenir des résultats concrets. Le moment est peut-être venu de mettre les journalistes dans le coup.

L'ennui, c'est que Sean ne voulait toujours pas en entendre parler. Il essaya par conséquent de gagner du temps, plutôt que d'opposer un refus à son supérieur direct, au risque de le contrarier.

— Je suis bien d'accord, déclara-t-il. On va préparer une déclaration pour les journaux et tâcher d'avoir droit à une séquence dans *Crimewatch*. Ça ne vous dérangerait pas d'apparaître dans l'émission à ma place ?

— On dirait que vous n'aimez toujours pas passer à l'écran. Vous voulez que ma secrétaire prenne rendez-vous avec les gens de la télé ?

— Ce n'est pas la peine, je m'en occupe et je vous appelle pour vous dire quand aura lieu le tournage.

Featherstone se leva.

— Très bien. Prévenez ma secrétaire, et je me débrouillerai avec l'équipe de *Crimewatch*. Auparavant, vous me mettrez au courant des derniers développements de l'enquête.

— Pas de problème.

— Sur ce, il faut que j'aille à Scotland Yard. Le préfet de police a convoqué une réunion d'urgence. Un dimanche, vous vous rendez compte !

— Ça n'annonce rien de bon.

— Il y a un étudiant qui s'est fait casser la gueule en beauté au cours de la dernière manif contre l'augmentation des droits d'inscription universitaires. Or ses parents ont des relations, du coup on va nous demander de faire des risettes aux malfrats. Tout ça à cause de ces enfoirés des unités antiémeutes.

Featherstone quitta le bureau de Sean et se dirigea vers la sortie du commissariat. Sally apparut dans l'encadrement de la porte.

— Vous avez des ennuis ?

— Non, pas encore, répondit Sean.

***

Donnelly mangeait son hot-dog. Vu les circonstances, il ne pouvait pas espérer se mettre quelque chose de mieux sous la dent ce dimanche matin. Pour l'instant, il se tenait à côté de la petite cabane à sandwichs, en plein milieu de Blackheath, un quartier chic. C'était là un coin très fréquenté, surtout par des flics et des chauffeurs de taxi désireux de manger quelque chose sur le pouce et de discuter en toute discrétion.

Il profita du petit vent qui rafraîchissait le jardin public, un vaste espace vert que les Londoniens appelaient *The Heath*. En hiver, c'était l'endroit le plus glacial de la capitale. Il vit la Mondeo se garer en face, puis en descendre deux policiers en civil, Jimmy Dawson et Raj Samra. À en juger par leur dégaine, ils ne pouvaient effectivement être que des flics.

Ces collègues appartenaient chacun à une autre équipe qui enquêtait sur les homicides commis dans le sud de Londres, au sein de laquelle ils jouaient le même rôle que lui dans celle de Corrigan. Les inspecteurs principaux avaient coutume de se retrouver régulièrement, ce qui leur donnait l'impression d'être l'élite de la police, ceux sans qui il ne se passerait rien dans ce grand corps d'État.

Donnelly réprima un sourire et termina son hot-dog, en attendant que les autres traversent la rue.

— Ah là là, Raj, tu es le seul Indien qui a plus l'air d'un condé que ton acolyte ! lança-t-il à l'un d'eux, pour le faire bisquer.

— Eh bien moi, ça me plaît de ressembler à un keuf. Tu devrais essayer, de temps en temps, ça t'éviterait d'avoir une tête de nœud, répliqua l'intéressé.

Entre eux, il était monnaie courante, quand ils se retrouvaient, de se chambrer et de se traiter de noms d'oiseaux.

— Qu'est-ce que tu fabriques par ici, un dimanche matin ? demanda Dawson. Tu es encore revenu jouer les exhibos devant les collégiennes en goguette, hein ? Sinon, c'est que tu as besoin d'un service.

— Allons, Jimmy, je t'en prie… fit Donnelly, qui n'avait pas l'air d'apprécier la plaisanterie. Ça te suffit pas que j'aie envie de goûter aux meilleurs hot-dogs de Londres ?

Dawson observa le silence.

— Et toi, Raj, reprit Donnelly, tu t'imagines que je suis venu demander un service ? Moi, Donnelly ?

— Tu parles, je ne mange pas de porc, alors arrête ton cirque avec les hot-dogs.

— Je ne savais pas que tu étais musulman.

— Je ne suis pas musulman, mais sikh.

— Tu devrais porter un turban, rigolo, tu serais maintenant préfet de police.

— Je ne joue pas à ce petit jeu-là, riposta Samra.

Donnelly étouffa un rire, puis retrouva son sérieux.

— Bon, les mecs, vous devez savoir sur quoi bosse mon équipe. Alors voilà, j'aimerais savoir si on est confrontés ailleurs à Londres à des meurtres du même type et être prévenu si jamais votre groupe, à l'un ou à l'autre, hérite d'une affaire similaire. Je tiens à être le premier à débarquer sur les lieux, compris ?

— N'importe comment, si les deux assassinats ont l'air liés, on vous refilera le bébé, alors pourquoi es-tu aussi pressé ? fit Dawson.

— Non, je n'ai pas demandé qu'on prévienne tout de suite mon équipe, mais qu'on me rencarde, moi, sans plus attendre. Je veux être au courant avant tout le monde, y compris Corrigan.

Les deux collègues de Donnelly échangèrent un regard. Ils ne refuseraient jamais de lui donner un coup de main, il le savait bien, mais à condition de ne pas se retrouver embringués dans une histoire glauque et de mettre en péril leur carrière de flic, ce qui pouvait se comprendre.

— Ce n'est pas la peine d'vous angoisser, les mecs. Je veux simplement être le premier à débarquer sur la scène du crime si une affaire du même type se présente, avant que tous les autres ne rappliquent et que ça ne ressemble plus à rien. C'est tout, je le jure.

Ses deux collègues le fixèrent d'un air absent, afin de lui signifier qu'ils ne croyaient pas un mot de ce qu'il leur racontait.

— Putain de merde, vous ne faites pas de cadeau, les mecs, ce n'est pas votre habitude. Écoutez, notre principal suspect est rusé et il a plus d'un tour dans son sac, il va donc sans doute falloir forcer un peu la dose sur les indices, si vous voyez ce que je veux dire. Mais il faut que ça ait l'air authentique, parce que moi, j'ai besoin que ce soit les gus de la police scientifique qui les découvrent, et non quelqu'un de mon équipe. Voilà pourquoi il faut que je sois le premier à arriver sur les lieux, avant que les autres apprennent ce qui s'est passé. C'est clair ?

— Pourquoi ne pas nous l'avoir expliqué au départ ? rigola Samra. On sera ravi de te filer un coup de main, déclara-t-il, sachant qu'un jour ils lui demanderaient peut-être de leur renvoyer l'ascenseur.

— Ton enquête, elle ne tourne pas en définitive autour d'une histoire de chantage ? s'étonna Dawson.

— Je connais mieux Corrigan qu'il ne le pense, répondit Donnelly. Or il est persuadé que notre suspect nous cache des choses. Oublie l'hypothèse du chantage. Je veux donc être prévenu tout de suite si vous êtes confrontés à un crime particulièrement atroce.

— D'accord, fit Samra en haussant les épaules. Je m'arrangerai pour qu'on te le signale aussitôt, si jamais on se retrouve face à un truc qui sort de l'ordinaire.

— Très bien, mais que ça ne s'ébruite pas. Débrouillez-vous pour que les membres de votre équipe vous mettent au parfum, puis appelez-moi. Le principal, c'est que ça reste entre nous.

— Si tu veux que je te refile mon boulot, moi, je n'y vois pas d'inconvénient, déclara Dawson. Seulement si un jour on me pose des questions, on ne s'est jamais vus pour parler de ça, d'accord ?

Donnelly écarta les bras.

— Je vous promets, les mecs, qu'il n'y a pas anguille sous roche, j'essaie seulement d'élucider un meurtre.

Ses deux collègues étaient déjà en train de traverser la rue.

— Si jamais tu m'attires des ennuis, c'est ton propre meurtre que tu vas devoir élucider ! lui lança Samra.

« Contente-toi de faire ce que je t'ai demandé, mon pote », se dit Donnelly.

***

Sean quitta son bureau en milieu de matinée, pour gagner la salle des opérations où son équipe s'était réunie. Il n'était pas d'humeur à laisser ses collaborateurs prendre leurs aises, parce qu'il était convaincu qu'il fallait maintenant passer à la vitesse supérieure.

— Bien, écoutez-moi attentivement, car je n'ai pas que ça à faire.

Le silence retomba dans la pièce.

— Jusqu'à présent, nous avons trois suspects possibles : Steven Simpson, Jonnie James, le barman qui a disparu, et James Hellier. La raison pour laquelle on s'intéresse aux deux premiers tombe sous le sens, il est donc indispensable de les retrouver, puis de les interroger. Le cas d'Hellier est plus compliqué. À mon avis, Daniel Graydon essayait de le faire chanter, puisque je ne vois pas d'autres mobiles, même si on est allés causer aux gens de sa famille et à tous ses potes, ou presque. Il est toujours possible que ce soit un crime domestique, mais alors à condition que Jonnie James soit sorti avec Daniel Graydon, ce dont on n'a toujours pas eu la confirmation. Quant à James, il n'est suspect que dans la mesure où il travaillait à l'Utopia, connaissait Graydon et ne donne plus signe de vie. Si vous avez une autre idée, je vous écoute.

— Et s'il s'agissait de l'œuvre d'un inconnu, qui a commis un meurtre aveugle ? suggéra Donnelly.

— N'oublie pas qu'il n'y a pas eu d'effraction.

— Rien ne dit que l'assassin ne s'est pas fait passer pour un client, ce qui lui aurait permis d'entrer dans l'appartement.

Sean en venait à penser que Donnelly n'était pas dupe et qu'il avait compris que la thèse du chantage n'était qu'un rideau de fumée, qui lui permettait de gagner du temps et d'en profiter pour se glisser dans la peau de l'assassin.

— D'après ce qu'on nous a raconté sur Daniel Graydon, il était bien trop prudent pour ça, répondit-il pour l'inciter à envisager une autre hypothèse, jusqu'à ce qu'il y voie plus clair.

— Mais ce n'est pas à exclure, insista Donnelly.

— Non.

— Dans ce cas, quelles dispositions a-t-on prises ? demanda Sally.

— On a déjà envoyé une note de service à tous nos collègues du pays, pour savoir s'ils ont été confrontés à des affaires similaires.

— Il faudrait peut-être remonter plus loin ?

— Il se trouve que j'ai déjà demandé au greffe de nous envoyer toute une série de dossiers dans lesquels des êtres sans défense ont fait l'objet de violences au cours des cinq dernières années. Mais ne vous emballez pas, c'est par principe qu'on se livre à ces vérifications, et non parce que je crois qu'on a affaire à un détraqué.

— On va en recevoir un max, de dossiers, soupira Donnelly. Il va falloir qu'on nous donne un coup de main pour les consulter.

— Non, répliqua Sean, car je vais les lire moi-même.

— Et si on allait se renseigner auprès du casier judiciaire ? dit Sally. Qui sait, il y a peut-être là-bas des informations dont ne dispose pas le greffe, qu'il s'agisse d'histoires anciennes ou de celles qui n'ont pas donné lieu à un procès.

— D'accord, tu t'en occupes. Fais-toi au besoin aider par des collègues.

— Et Hellier ? Qu'est-ce qu'il devient, celui-là ? s'enquit Donnelly.

— Depuis ce matin, il est placé sous surveillance. Je veux que tu prêtes main-forte aux types qui le filent, pour éviter qu'ils se plantent.

Donnelly hocha la tête en silence, persuadé que Sean avait envie de se débarrasser de lui.

— N'oubliez pas, cependant, qu'il est notre principal suspect et qu'on pense toujours que c'est parce que Graydon le faisait chanter qu'il l'a liquidé. On va examiner les autres éventualités, car on y est obligés, mais je n'ai pas envie de vous voir vous disperser et vous lancer sur de fausses pistes, alors qu'on est en présence d'un client sérieux. Quant à Simpson et James, on n'a qu'à contacter la douane pour savoir s'ils ont quitté la ville ou tenté de partir à l'étranger. Paulo, tu t'en charges, d'accord ? Bon, on a tous du pain sur la planche, alors au boulot.

C'est ainsi que s'acheva la réunion.

Donnelly rattrapa Sean au moment où il regagnait son bureau.

— Allez-vous finir par m'expliquer ce qui vous trotte dans la tête ? lui demanda son adjoint.

— Oh, rien d'important…

— Depuis combien de temps avez-vous compris que l'assassinat de Graydon n'a rien à voir avec une histoire de chantage qu'il aurait exercée sur Hellier ?

Sean ferma la porte de son bureau.

— Je n'en sais toujours rien.

— Allons, patron, si vous avez demandé que le greffe vous communique des dossiers qui peuvent remonter à cinq ans, c'est que vous cherchez autre chose.

Sean soupira. Ça ne rimait à rien de continuer à jouer à cache-cache avec Donnelly.

— Bon, d'accord, on ne faisait pas chanter Hellier. Il n'empêche que je pense toujours que c'est peut-être lui l'assassin. J'en suis venu à le croire la deuxième fois que j'ai l'ai vu.

— Et pour quelle raison ?

— Graydon ne se serait pas hasardé à le soumettre à un chantage. D'après ce qu'on sait, il n'avait pas assez de cran pour ça. D'autant que le camarade Hellier a de quoi vous donner froid dans le dos.

— Dans ce cas, pourquoi envoyer les autres courir après un maître chanteur et puis chercher à retrouver Simpson et James ?

— Je veux qu'on s'imagine encore un moment que c'est une histoire banale, ça me laisse le temps de réfléchir tranquillement. Une fois que j'abattrai mes cartes, ça va devenir nettement plus compliqué. Je ne peux pas avoir les idées claires quand ça se bouscule autour de moi. N'importe comment, il faut retrouver Simpson et James et les interroger. Il est toujours possible que je me trompe sur le cas d'Hellier.

— Vous ne croyez donc pas qu'on le faisait chanter, mais vous n'excluez pas que ce soit lui qui ait tué Graydon ?

— En effet.

— Vous pourriez éclairer ma lanterne ?

— Figure-toi que je ne crois pas aux coïncidences. Hellier est une véritable ordure, tu connais ce genre de personnage, on a déjà eu affaire à des individus comme lui. Or, voilà qu'un type qu'il connaissait est mort. C'est un mec spécial, et si je ne m'abuse, il tue pour le plaisir. Il n'y a quasiment aucun risque que Gradyon rencontre deux phénomènes de son espèce.

Agacé, Donnelly s'effondra sur une chaise.

— Tout ça reste très vague, patron, ça ne suffit pas pour le mettre en examen.

— C'est vrai, mais il y a un autre moyen de s'y prendre avec lui. Cette affaire ne l'angoisse pas du tout. Quand on en discute, tous les deux, ça n'a pas l'air de l'inquiéter, de le paniquer ou de faire naître le doute en lui. Comme s'il était certain de s'être assuré l'impunité.

— Si c'est bien lui, le coupable…

— Ça ne le dérange pas du tout de parler de l'assassinat de Graydon, d'où j'en déduis qu'il n'a laissé que très peu d'indices derrière lui, voire pas du tout.

— Et alors ?

— Eh bien, à d'autres moments j'ai trouvé au contraire qu'il n'en menait pas large.

— Pour quelle raison ?

— À cause d'autre chose, qui pourrait bien lui être fatal.

Sean s'assit face à Donnelly.

— Une histoire ancienne. Il se peut qu'il…

— Vous pensez qu'il a déjà tué ?

— Si c'est le genre d'énergumène que je crois, c'est fort possible. Espérons qu'il y aura quelque chose qui me sautera aux yeux quand je consulterai les dossiers du greffe.

— Vous vous rendez compte de ce que vous dites et des répercussions que ça peut avoir ?

— Bien sûr, c'est pourquoi il faut que ça reste entre nous. Je mettrai Sally au courant quand j'en aurai l'occasion.

— Pourvu qu'on n'apprenne pas en haut lieu que vous êtes persuadé qu'il s'agit d'un tueur en série ! Ils vont alors tous se bousculer pour passer à la télé.

— Mieux vaut donc qu'ils n'en sachent rien.

— Effectivement.

Donnelly s'apprêta à se lever.

— Il y a quand même un truc qui, pour moi, ne tient pas debout.

— Je t'écoute.

— Pourquoi Hellier aurait-il zigouillé Graydon s'il savait qu'on pouvait prouver qu'ils se connaissaient ? Se moquerait-il de nous, ou bien serait-il encore l'un de ces enfoirés qui cherchent à se faire prendre ?

— Non, il ne veut surtout pas se retrouver en taule. Crois-moi, il n'a rien de suicidaire, le lascar.

— Mais alors, pour quelle raison ?

— Parce qu'il en avait envie, ou bien parce qu'il ne pouvait pas s'en empêcher.

— Et vous optez pour quel cas de figure ?

— Aucun, pour l'instant. Je n'arrête pas d'y penser, et chaque fois que je crois avoir la réponse, elle me glisse entre les doigts. Et pourtant, je sens que je suis sur le point de découvrir le pot aux roses.

— Bah, on va bientôt déterminer les mobiles qui l'ont poussé à agir ainsi.

— Franchement, avec lui, je n'en suis pas si sûr. Voilà pourquoi on s'intéresse à ses antécédents, car il s'agit de savoir quels délits il a déjà commis. C'est ça qui le rend vulnérable.

— À supposer qu'il ait fait des saloperies.

— Ne t'inquiète pas, il en a fait, il n'y a pas de doute. Le tout est de savoir à qui il s'en est pris, où et quand, et de comprendre pourquoi on n'a jamais relevé et archivé ses empreintes digitales.

— Tout ça me paraît quand même un peu tiré par les cheveux. On ne devrait peut-être pas se focaliser comme ça sur lui, et tâcher de voir si on ne peut pas trouver d'autres suspects.

— Tu crois que je suis obnubilé par lui, s'emporta Sean, et que ça risque d'être préjudiciable à l'enquête ?

— Ce n'est pas ce que j'ai dit.

— Mais c'est ce que tu penses, répliqua Sean, qui regretta aussitôt de ne pas avoir su tenir sa langue.

Quel dommage qu'il ne puisse pas lui expliquer pourquoi il pouvait se montrer aussi affirmatif en l'absence de preuves, comment il avait pu s'imaginer concrètement l'assassin en train de se pavaner dans l'appartement de Daniel Graydon, serein et content de lui, en se souciant comme d'une guigne du cadavre qui gisait dans une mare de sang et qui ne lui servait plus à rien ! Non, il ne pouvait pas dire à Donnelly que, lorsqu'il avait dévisagé Hellier, il avait eu l'impression de se regarder dans une glace…

***

Sally arriva à Scotland Yard, dont les locaux se trouvaient dans un grand immeuble vitré, à deux pas de Parliament Square. N'ayant rien trouvé dans les bases de données du greffe et des services de renseignement de la police, elle avait décidé de changer de braquet et de consulter les dossiers du casier judiciaire, où sont archivés les crimes les plus graves, ceux qui ont été commis avec une violence particulière. Si un assassin avait eu recours plusieurs fois au même mode opératoire, on pouvait espérer retrouver sa trace ici.

Elle entra dans une petite pièce peinte en beige, meublée de bureaux en bois collés les uns aux autres et dont les murs étaient tapissés d'affiches vantant les services que pouvait rendre cette administration. Ici, tout avait l'air vieux et suranné. Les deux individus de faction eurent l'air surpris de voir débarquer quelqu'un. Le premier, un homme à lunettes d'une cinquantaine d'années, referma précipitamment le classeur devant lequel il se trouvait et vint à sa rencontre, non sans hésitation.

— Vous cherchez quelqu'un ? lui demanda-t-il d'une voix mal assurée, dans laquelle perçait l'accent du Yorkshire.

— Si je me trouve bien au casier judiciaire, c'est que je suis arrivée à bon port ! répondit-elle sur un ton enjoué. Je me présente : inspectrice principale Sally Jones, de la Section des crimes graves de la PJ.

Elle espéra le faire réagir en lui donnant le nom de l'unité dont elle faisait partie.

— La Section des crimes graves… dit-il, perplexe.

— La brigade criminelle de la PJ, si vous préférez.

— Ah, d'accord. C'est ainsi que ça s'appelle désormais… On n'arrête pas de changer le nom des services, je n'arrive plus à suivre.

Il sourit et lui serra la main.

— Inspecteur Harvey Williams. Cela fait quelques années qu'on m'a confié la responsabilité de cette petite équipe, mais j'ai bien l'impression que depuis lors on m'a oublié.

Il désigna un jeune homme aux cheveux longs, en train de compulser des dossiers.

— Là-bas, vous voyez Doug, un « civil ». Les autres ne travaillent pas aujourd'hui. En réalité, si vous nous trouvez là, tous les deux, c'est parce que nous sommes en train d'informatiser les fichiers. On n'a guère l'occasion de faire des heures supplémentaires et d'être payés en conséquence, aussi lorsqu'on nous a proposé…

Voilà donc l'équivalent britannique de la célèbre Unité pour l'étude du comportement humain du FBI, songea Sally : un vieil inspecteur tombé dans les oubliettes et quelques employés sous-qualifiés qui n'appartenaient même pas à la police ! Enfin, si elle s'était déplacée pour rien, elle n'aurait jamais perdu qu'un après-midi…

— En quoi pouvons-nous vous être utiles ? lui demanda Williams.

— J'aimerais consulter le profil des meurtriers dans des affaires qui ressemblent à la nôtre.

Williams pinça les lèvres.

— Malheureusement, nous n'établissons pas de profils, puisque nous ne nous intéressons qu'au mode opératoire des assassins.

En effet, malgré tout le tapage qu'on faisait autour d'elle dans les films et les médias, la police de Londres ne recourait guère au profilage, qui ne présentait qu'un intérêt limité, alors qu'il était bien plus rentable de s'intéresser à la façon de procéder des tueurs.

— Je m'excuse, j'ai parlé sans réfléchir.

— Il n'y a pas de mal. Asseyez-vous là où vous voulez, et puis expliquez-moi ce que vous recherchez, en me donnant le maximum de précisions. Le diable gît dans les détails, n'oubliez pas.

***

Londres était toujours une étuve. Sean ne se rappelait pas avoir connu pareil été, sans une goutte de pluie ni le moindre souffle d'air. Il faisait une chaleur atroce. Son portable sonna et il répondit, sans s'arrêter pour autant au bord de la route.

— Inspecteur divisionnaire Corrigan.

— Salut, patron.

C'était Donnelly.

— Je voulais vous prévenir que je suis en compagnie des collègues qui filent Hellier. Je voulais vérifier qu'ils ne s'étaient pas trompés d'individu.

— Très bien. Il a bougé, notre homme ?

— Non, il n'est pas encore sorti de chez lui. Il s'est contenté de jeter un œil par la fenêtre, mais pas pour voir si on surveillait la baraque, semble-t-il.

— Je te rejoins. Je t'appelle quand j'arrive dans les parages. De ton côté, fais-moi signe si jamais il quitte son domicile.

Sean mit fin à la communication. Donnelly se tourna vers Paulo Zukov, assis auprès de lui.

— Il y a un problème ? lui demanda son collègue.

— Non, mais ne t'endors pas, car le patron ne va pas tarder à débarquer.

***

— Qu'est-ce qui vous amène à croire qu'on peut vous aider à élucider cet assassinat ? Est-ce qu'il sort de l'ordinaire ?

— Plutôt, oui. La victime a été poignardée à plusieurs reprises, après avoir reçu deux coups à la tête qui l'ont laissée à moitié morte. L'assassin s'est servi d'un pic à glace où d'un stylet. À noter qu'il s'en est pris à un homosexuel qui, selon toute vraisemblance, se prostituait. Je ne recherche pas quelqu'un qui s'est distingué par son comportement homophobe, ajouta-t-elle, mais qui s'est rendu coupable de délits beaucoup plus graves, d'agressions sexuelles ou à connotations sexuelles, par exemple. Pouvez-vous m'être utile ?

— Je vais essayer. On n'aura toutefois pas gardé trace dans nos dossiers des violences commises contre des homosexuels par des individus alcoolisés.

Williams gagna un grand meuble de rangement installé dans un coin et consulta rapidement les dossiers rangés à l'intérieur.

— Certains dossiers, ceux qui sont vraiment sensibles, remontent à cinquante ans. On y a répertorié les façons d'opérer qu'affectionnent les terroristes et les tueurs à gages, par exemple, mais dans l'ensemble ils sont consacrés aux délinquants sexuels, aux pédophiles et à celles ou ceux qui sont susceptibles de récidiver. On n'y trouve pas beaucoup d'assassins, puisqu'il s'agit surtout d'affaires ennuyeuses et de gestes imbéciles uniques en leur genre. Mais ça, vous devez déjà le savoir.

Sally poussa un ouf de soulagement, car ça ne lui disait rien du tout de passer la journée à éplucher de vieilles fiches dans ce local exigu.

— Il n'y en a en tout que quelques centaines à examiner, ajouta Williams avec le sourire. À deux, on ne devrait pas en avoir pour longtemps.

Il en sortit le maximum et les déposa sur le bureau de Sally.

— Voici les meurtres d'homosexuels commis ces dix dernières années. Comme la plupart de nos archives ont déjà été informatisées, je vais aller voir ce que ça donne de ce côté-là, pendant que vous regardez ces dossiers.

Il se mit à siffloter en pianotant sur le clavier du terminal.

Sally ôta sa veste, poussa les documents du même côté, en attrapa un au hasard et l'examina.

***

Hellier savait qu'ils étaient là, il le sentait. Il ne les voyait pas de son bureau, mais ça revenait au même, ils étaient là. Eh oui, il avait affaire à de bons flics, qui ne commettaient aucune maladresse et ne cherchaient pas à aller trop vite en besogne. Il se demanda combien on en avait affectés à sa surveillance. Dans le jargon de la police, ceux qui se déplaçaient en motos étaient des « solos ». Il n'empêche que les choses se corseraient si les condés le prenaient en filature et ne le lâchaient pas d'une semelle. C'était à l'évidence Corrigan qui avait manigancé tout ça. Tu parles d'un enculé, celui-là ! Quelle était la meilleure attitude à adopter face à lui ?

Le moment était venu de donner un nouveau coup de téléphone. Ensuite, il irait peut-être courir un peu, se faufilerait entre tous les badauds du dimanche matin qui se pressent dans Upper Street où il y a une foire aux antiquaires, puis il sauterait d'un métro et d'un bus à l'autre, en se payant la tête de ces flics qui n'arriveraient pas à suivre la cadence et se feraient semer.

— J'espère que vous êtes prêts à passer une longue journée, bandes de salopards. En tout cas, il va vous falloir trouver un autre stratagème, si vous voulez décrocher la timbale !

***

Sally lut attentivement une dizaine de dossiers pour commencer. On avait estimé que les meurtres en question sortaient suffisamment de l'ordinaire pour figurer dans les archives du casier judiciaire recensant les atrocités. Dans certains cas, ils étaient tellement tordus qu'ils en devenaient presque drôles, mais en général on décrivait là des scènes d'horreur.

Elle en vint à penser aux victimes. S'étaient-elles doutées de ce qui allait leur arriver ? Avaient-elles eu peur, étaient-elles restées perplexes, ou bien la colère les avait-elle gagnées quand elles avaient compris qu'elles allaient mourir ? Et pourquoi les avait-on choisies, elles, en particulier ? Qu'est-ce qui, en elles, avait attiré l'assassin, leur allure, leur façon de bouger ou de parler ? Ou bien avaient-elles joué de malchance et s'étaient-elles trouvées au mauvais moment, là où il ne fallait pas ? Il y avait sans doute un peu de tout ça…

Cela faisait trois heures qu'elle compulsait les fiches. À deux ou trois reprises, quelque chose avait attiré son attention, mais elle avait vite déchanté en relevant des détails qui ne collaient pas avec ce qu'elle recherchait. La voix de Williams la fit sursauter :

— Sally Jones ?

— Qu'est-ce qu'il y a ?

— Vous devriez jeter un œil à ce truc-là. Il se peut que j'aie mis le doigt sur quelque chose.

**

Sean s'en était allé retrouver Donnelly et Zukov, et tous les trois faisaient le guet dans la Ford Mondeo banalisée. Assis à l'arrière, Sean regardait par la vitre en se demandant s'il n'y avait pas quelque chose qui lui aurait échappé. On entendit grésiller la radio :

— Cible toujours statique.

— Lima deux s'absente pour besoin naturel.

— Lima trois prend le relais.

— Bien reçu, Lima trois.

— Si Hellier décampe, j'espère qu'ils vont arrêter de baragouiner dans leur sabir, car j'y comprends que dalle, maugréa Donnelly, en disant tout haut ce que pensaient ses deux collègues.

Sean reçut un appel sur son portable. Il répondit aussitôt :

— Inspecteur divisionnaire Corrigan.

— Patron ? C'est Sally.

Elle avait l'air surexcitée.

— On dirait que tu as trouvé quelque chose.

— J'en ai bien l'impression.

Sean regarda sa montre. Il était presque l'heure d'aller déjeuner, et il comptait passer la journée à prendre Hellier en filature, comme si, à force de le suivre, il arriverait à comprendre comment il fonctionnait.

— Ça ne peut pas attendre demain matin ?

— Si, faut croire.

Mais c'était plus fort que lui, s'il ne savait pas aujourd'hui même ce que Sally avait découvert, il n'aurait pas la conscience tranquille.

— Tu ne peux pas me l'expliquer maintenant ?

— Désolée, mais je suis au volant et il faut que je vous montre ce dossier. Vous ne le regretterez pas.

— D'accord. On te retrouve le plus vite possible à Peckham, Dave et moi.

— J'y serai.

Donnelly se retourna :

— Il y a du nouveau ?

— Ça se peut. Il faut qu'on rentre au commissariat voir Sally. L'équipe de surveillance est capable de se débrouiller toute seule.

Leur voiture se mêla à la circulation et s'éloigna discrètement.

***

Sean était adossé au châssis de la fenêtre, tandis que Sally avait pris place sur une chaise bancale en bois, comme on en trouve dans tous les commissariats, et que Donnelly avait préféré rester debout, lui aussi.

Avec son classeur sur les genoux, Sally ressemblait à une institutrice qui s'apprête à lire une histoire.

— J'ai pêché ça aujourd'hui dans les dossiers du casier judiciaire, expliqua-t-elle. On a saisi les caractéristiques de notre meurtre sur le formulaire de recherche, pour voir si l'on trouvait des assassinats ou des modes opératoires analogues. L'ordinateur a fini par me balancer ce personnage.

Elle ouvrit le classeur et attrapa le dossier qui se trouvait à l'intérieur.

— C'est celui d'un dénommé Stefan Korsakov.

Elle remit la sortie imprimante à Sean, qui regarda aussitôt la liste des condamnations. Il n'en eut pas pour longtemps.

— Mais enfin quoi, se récria-t-il, il n'a été condamné qu'une seule fois, pour escroquerie, et ça remonte à plus de dix ans !

Perplexe, il passa le document à Donnelly.

— Le casier judiciaire ne répertorie pas que les condamnations, précisa Sally. Tenez…

Elle attrapa une liasse de formulaires à l'ancienne, comme Sean put le constater.

— Il est question ici d'un certain Stefan Korsakov, accusé en 1996 d'avoir violé un garçon de 17 ans qui souffrait d'un léger handicap mental. Ce n'était apparemment pas trop grave, mais enfin ça le rendait naïf et vulnérable. Korsakov a abordé ce jeune alors qu'il faisait du vélo du côté de Richmond Park. Ils ont sympathisé, il lui a fait boire une bière en boîte, dans laquelle il avait ajouté de l'alcool, puis il l'a entraîné dans un coin isolé, l'a ligoté, bâillonné et a abusé de lui, de diverses façons, pour finir par le violer. Le fait que ce jeune ait été victime d'une agression perpétrée par un prédateur plus âgé que lui n'est pas le seul point commun avec notre affaire, car il s'avère que l'autre l'a menacé avec un stylet.

— Le même genre d'arme que celle avec laquelle on a tué Daniel Graydon, dit Sean.

— Tiens, tiens, fit Donnelly.

— Reste qu'en fin de compte il n'a pas eu de bol, Korsakov, car il est resté trop longtemps avec le petit jeune, et il s'est fait surprendre par un agent de la brigade de surveillance des parcs et jardins publics qui traquait les exhibitionnistes. Il y en avait apparemment toute une flopée à l'époque, sauf que là, notre homme ne s'attendait pas à un coup pareil. On explique dans le dossier que l'agent pensait être tombé sur des adultes consentants en train de commettre des « outrages à la pudeur », mais qu'il a constaté que le jeune avait les poignets ligotés. Korsakov a bien essayé de s'enfuir, mais ça n'a servi à rien, et il s'est fait serrer quasiment sur le champ. La police des parcs et des jardins a ensuite transmis le dossier à la PJ. Ce n'est pas tout. Le collègue qui a mené l'enquête explique pourquoi, à son avis, c'était prémédité : d'abord Korsakov était arrivé avec de la bière trafiquée, et puis il avait sans doute déjà décidé à l'avance de s'en prendre à ce petit jeune en particulier, car il était un peu retardé. Voilà maintenant quelque chose qui va vous plaire. Il se trouve en effet que l'inspecteur a constaté que Korsakov savait parfaitement ce qui peut ressortir d'une expertise médico-légale.

— Tout comme notre gus, déclara Donnelly.

— Non seulement il avait mis un préservatif, mais il avait enfilé des gants en cuir tout neufs et portait aussi une veste et un pantalon imperméables. Enfin, il se baladait avec un sac-poubelle en plastique dans sa poche.

Sean n'ignorait pas que les vêtements imperméables, qui sont généralement en nylon, sont aussi efficaces que les tenues portées par les hommes de la police scientifique pour empêcher de transmettre à la victime des indices exploitables au cours d'une expertise médico-légale, ou à l'inverse, dans le cas de l'assassin, pour éviter d'en attraper.

— Je vous ai gardé le meilleur pour la fin, poursuivit Sally. Quand on l'a foutu à poil au commissariat, on s'est aperçu qu'il s'était rasé le pubis. Il a raconté alors qu'il avait attrapé des morpions et qu'il n'avait pas pu faire autrement pour s'en débarrasser.

— Il s'est rasé le pubis... Ça équivaut à une signature, conclut Donnelly.

— Il a pourtant été reconnu coupable ? demanda Sean.

— Eh bien non, pas de viol. En revanche, il a plongé pour escroquerie. Quand on a perquisitionné son domicile, on a retrouvé tout un tas de documents concernant une caisse de retraite qu'il avait mise sur pied. Ça l'a rendu définitivement antipathique aux yeux des collègues…

— Tu m'étonnes, ponctua Donnelly.

— Si bien qu'ils ont décidé de remuer la merde, ils ont donc appelé tous ceux qui s'étaient affiliés à sa caisse de retraite, puis ils ont cherché à savoir où était passé l'argent qu'on lui avait versé. Ils se sont alors aperçus que c'était une arnaque et que le fric lui permettait tout simplement de conserver le même train de vie, d'avoir une belle baraque, une BM, une Range Rover, ainsi qu'une villa en Ombrie. Le mec est un escroc, très doué dans le genre, et en plus il n'a pas son pareil pour fabriquer de faux papiers. Il a imité l'écriture de ses clients, de manière à augmenter le montant de leurs cotisations, sans qu'ils s'en aperçoivent. Il a aussi trafiqué quantité de documents officiels, des passeports et des permis de conduire de divers pays. Il excelle dans une foule de domaines… En tout, il a détourné plus de deux millions de livres, en s'en prenant essentiellement à des personnes âgées. Il a fini par être condamné à quatre ans de prison, au terme d'un procès qui a duré trois mois. Il avait alors 28 ans. On n'a jamais retrouvé le fric. Il a été remis en liberté le 24 août 1996. Depuis, on n'a plus jamais entendu parler de lui. Il n'a pas été interpellé ni condamné, rien du tout.

— Pourquoi n'a-t-il pas été reconnu coupable de viol sur le petit jeune ? demanda Sean.

— Celui-ci est revenu sur ses déclarations. Ses parents ont jugé préférable qu'il n'y ait pas de procès, de peur que l'affaire ne s'ébruite et que la presse ne fasse de lui une bête curieuse. Il est donc relâché dans l'affaire de viol, embraya Sally, ce qui n'empêche que les collègues se sont évertués à le faire tomber et qu'il a plongé pour une histoire d'escroquerie.

— Ceux qui commettent ce genre de délits ne s'en tiennent pas en général à un coup d'essai, déclara Sean, et il aurait récidivé, même s'il risquait gros. Il n'aurait pas pu rester inactif aussi longtemps.

— Ce qui veut dire qu'il est mort, ou bien qu'il est parti à l'étranger, ou alors qu'il a trouvé la foi et s'est amendé, ou encore…

— Quoi donc ?

— Ou encore qu'il s'est débrouillé pour changer d'identité et se construire une nouvelle vie.

— À quoi ressemble-t-il, ce Korsakov ?

— Je n'en sais rien, il n'y a pas de photo de lui dans le dossier, rien qu'un signalement.

— Et ça donne quoi ?

— Un Blanc qui n'avait pas loin de 30 ans, avec un corps athlétique et élancé, des cheveux châtains et aucun signe distinctif, ni tatouage ni cicatrice.

Sean et Donnelly se lancèrent un regard.

— Ça vous rappelle quelqu'un ?

Sean acquiesça d'un signe de tête.

— Je sais à quoi tu penses, mais ce n'est pas possible. Ce mec a été condamné, on a donc relevé et archivé ses empreintes. Or celles d'Hellier ne figurent nulle part, ce qui signifie qu'il n'a pas été sanctionné par la justice.

— Quel dommage, soupira Donnelly.

— Cela dit, on ne risque rien de se pencher sur la question. Tu t'en occupes, Sally. Dès demain matin, tâche d'en apprendre le maximum sur ce Korsakov. Va voir ce qu'ils ont sur lui au commissariat de Richmond, et puis essaie de retrouver celui qui a mené l'enquête. Quant à toi, Donnelly, tu as toujours la photo d'Hellier que tu as prise ?

— Oui.

Donnelly la sortit de la poche et la donna à Sean, qui la remit à Sally.

— Si tu retrouves le collègue en question, montre-la lui, pour voir s'il le reconnaît.

— Je croyais que vous aviez dit que ça ne pouvait pas être Hellier, fit Donnelly.

— On n'a rien à perdre à procéder à une nouvelle vérification, afin d'en avoir le cœur net. Ensuite, tu t'intéresses en priorité à Korsakov, jusqu'à ce que tu disposes d'assez d'éléments qui nous permettent de le rayer de la liste des suspects.

— Et si je n'y arrive pas ?

— Ne t'inquiète pas, tu y arriveras.

***

Hellier ne se risqua à sortir de chez lui qu'à deux reprises, d'abord pour aller chercher le journal du dimanche, ensuite pour se balader avec sa famille dans les rues de sa banlieue arborée, où il croisa d'autres parents accompagnés de leurs enfants. Sa femme marchait devant, en donnant la main à leurs deux filles.

Il n'aurait pas pu faciliter davantage la tâche des flics qui le surveillaient, puisqu'il avançait tout doucement. Il eut l'impression d'en repérer quelques-uns ; dans le doute, il jugea préférable de redoubler de précautions et de s'attendre au pire, ce qui était le meilleur moyen de ne pas être pris au dépourvu.

Il était à présent assis dans la cuisine, regardant Elizabeth qui débarrassait la table après le repas du soir. Il repoussa son assiette, à moitié pleine, et but un verre de Pauillac.

— Tu n'as pas d'appétit ? lui demanda gentiment sa femme.

Il ne l'entendit pas.

— Tu n'as pas faim, ce soir, mon chéri ? s'enquit-elle en haussant un peu la voix.

— Non, excuse-moi. C'était délicieux, mais je n'ai pas envie de manger.

Il se contentait de faire de la figuration, puisqu'en réalité il ne cessait de penser aux flics qui rôdaient et l'épiaient dans les parages, comme une bande de hyènes encerclant un lion isolé.

— Tu as des soucis ?

— Non, pourquoi ?

— Je pensais à cette histoire d'usurpation d'identité à propos de laquelle la police est venue m'interroger.

— Ce n'est rien. Les flics se sont trompés, comme par hasard... tu parles !

— Bien sûr.

— Tu leur as bien expliqué que je n'ai pas bougé de la maison ce soir-là ?

— Je leur ai dit ce que tu m'as demandé de leur raconter.

— Parfait.

Il sentit toutefois qu'il en faudrait davantage pour apaiser ses craintes.

— Écoute, reprit-il, en réalité j'ai eu une réunion pour le moins délicate dans la soirée. La boîte veut que je rencontre des clients éventuels, qui pourraient représenter énormément pour nous. Seulement on aimerait savoir à qui on a affaire exactement, et l'on me demande par conséquent de faire ma petite enquête, pour vérifier qu'ils n'ont pas fait fortune de façon contestable, auquel cas on ne traitera pas avec eux. D'un autre côté, on ne peut pas se permettre de voir la police fourrer son nez dans nos opérations financières, ce ne serait pas bon pour les affaires. Nos clients comptent bien que nous respections leur anonymat, je ne pouvais donc pas dire la vérité aux flics. Excuse-moi de t'avoir mêlée à ça, ma chérie, mais je n'avais pas le choix.

Elizabeth se contenta de cette explication, même si elle n'était pas entièrement convaincue.

— Tu aurais dû m'en parler tout de suite, dit-elle, j'aurais compris.

— C'est de ma faute.

— Mais à ta place, je me méfierais de ce Corrigan. Il ne m'a pas donné l'impression d'être un flic comme les autres, franchement il m'a mise mal à l'aise. Il a l'air malin comme un singe, ce type.

Le sang d'Hellier ne fit qu'un tour, il en frémit de rage. Il réussit toutefois à se contrôler, et sa femme ne s'aperçut de rien. C'est qu'il ne supportait pas qu'on souligne les qualités de son adversaire, fût-ce par dérision, car ça lui conférait un certain prestige et laissait entendre qu'il représentait une menace. Il serra les poings sous la table, en se voyant déjà en train de la boxer, la malheureuse, et de lui rectifier le portrait. Il attendit que la colère s'estompe, puis il se leva, la remercia de lui avoir préparé un bon repas et lui fit la bise.

— Je te demande de m'excuser, dit-il, mais il faut que je règle un petit truc.

Il gagna son bureau, récupéra la clé et ouvrit le coffre selon le scénario habituel, retrouva dans le carnet d'adresses le numéro qu'il cherchait et joignit au téléphone la personne en question.

— Allô ?

— Tu ferais mieux de rappeler tes chiens, lança-t-il.

— C'est impossible, je n'ai pas le bras assez long.

— Écoute, si ça m'amuse de voir ces incapables essayer de me filer le train, je n'ai pas envie qu'ils découvrent quelque chose de compromettant. Alors tu as intérêt à trouver une solution.

— J'ai déjà pris plus de risques que je n'aurais dû, il n'est pas question que je recommence.

— Enfin quoi, espèce d'abruti, j'espère que tu ne vas pas prendre l'habitude de te planter, car tu sais que ça pourrait te coûter cher !

Sur ce, il raccrocha. Il entendit alors sa femme lui demander s'il voulait un café.

Chapitre 11

Aujourd'hui, je suis arrivé en retard au boulot. Peu importe. J'ai rejoint mon bureau, qui se trouve dans l'angle d'un vieil immeuble du centre de Londres et d'où j'ai une belle vue sur la rue, ce qui me permet de regarder les passants, j'aime bien. Je suis seul dans cette pièce, et même si ça me rapporte, j'en ai horreur, de ce boulot. Et puis d'abord, je ne devrais pas être obligé de travailler. Tout le monde bosse, or je ne suis pas comme les autres. Non, mais c'est uniquement pour donner le change que j'exerce cette profession.

Je m'assieds dans mon fauteuil pour parcourir deux ou trois tabloïds, tout en buvant un crème avec deux sucres. Les canards racontent toujours les mêmes conneries : en Afrique, la famine risque de tuer des millions de gens, en Asie, ce sont les inondations qui font des ravages, alors on nous demande d'envoyer de l'argent et des vêtements, et à la télé on voit une rock star gagnée par la mauvaise conscience chercher à nous culpabiliser à notre tour.

Comment se fait-il que les gens ne comprennent pas ? Car enfin, ils sont par nature destinés à mourir, il ne faut donc pas aller contre l'ordre des choses. Si on leur sauve la mise aujourd'hui, c'est uniquement pour qu'ils meurent de maladie dans un an, ou bien qu'ils crèvent de faim. Et si l'on éradique la famine, eh bien, il va alors éclater des guerres tribales, et ça va se solder par des massacres. Ces bonnes âmes ne sont que des crétins qui se bercent d'illusions. Il faut les abandonner à leur sort, tous ces gens, et les laisser mourir.

Je suis la nature en soi. Je fais ce pour quoi je suis venu au monde, et ça ne me pose pas de problème de conscience. J'ai brisé les entraves de la pitié et de la compassion. Il y en a parmi vous que je suis voué à occire, et c'est ce qui va se passer. Comment oserais-je défier la nature ? Qu'est-ce qui vous permet de la contredire ? Nul ne saurait s'opposer à son dessein.

Il n'empêche que je ne suis pas un tordu cloué au lit, qui passe les nuits à se lacérer la poitrine avec des lames de rasoir, tout en se branlant devant des films pornos qui en remettent dans la violence. Non, pas moi. Je ne suis pas une espèce de maso qui attend de se faire piquer, pas plus que je ne recherche la notoriété. Je n'ai même pas envie de devenir un monstre aux yeux des gens. On ne me verra pas envoyer des indices aux flics, m'amuser avec eux, leur donner au téléphone des détails croustillants. Ça ne m'intéresse pas, ces trucs-là. Je ne vais rien leur donner, puisqu'il faut que je reste en liberté, de manière à poursuivre mon œuvre. À l'heure actuelle, il n'y a que ça qui compte. Et même si les flics me rattrapent, ils ne pourront rien prouver.

Je n'ai jamais rien connu d'aussi gratifiant que ce que j'ai vécu lorsque j'y suis allé pour la troisième fois. Ce fut quelque chose de nouveau, le signe que ma force et mon pouvoir s'accroissent.

D'une certaine façon, j'ai fait preuve de miséricorde. Un assassin débutant est capable de tout gâcher, de prolonger l'agonie de la victime. À l'inverse, c'est son efficacité même, justement, qui caractérise un tueur efficace, et à chaque meurtre, je fais preuve d'une efficacité accrue. Ce qui ne veut pas dire que je n'ai pas envie de m'amuser un peu, de temps à autre.

En outre, il faut aussi que je salope parfois le boulot, pour que la police continue à se poser des questions. Il n'est pas question que je procède toujours de la même façon pour zigouiller les heureux élus, ce serait trop simple. Déjà que les condés sont en train d'essayer de me piéger, même si je n'en fais pas une maladie.

J'ai loué une autre bagnole, une grande Vauxhall, ce coup-ci, avec un coffre assorti, puisqu'il allait me falloir de la place. J'étais devenu à Londres un bon client pour les agences de location de voiture, et elles me le rendaient bien. Une fois de plus, j'avais laissé la caisse toute la nuit sur un parking, en l'occurrence celui du centre commercial de Brent Cross, dans le nord de la ville, où je m'étais acheté un nouvel imper, des chaussures à semelles en plastique, un tee-shirt en nylon et un pantalon de survêtement Nike de couleur noire, le tout étant rangé dans la Vauxhall, elle-même planquée dans un coin discret.

J'étais fin prêt. Je retournai au parking le lendemain en début de soirée, à une heure où les magasins étaient encore ouverts. Je sortis les vêtements du coffre et allai me changer dans les toilettes publiques, puis je revins apposer en vitesse de fausses plaques minéralogiques au-dessus des autres. J'avais au préalable fait bien attention à me garer dans un endroit qui n'était pas surveillé par les caméras.

Tout s'est bien passé. J'ai alors pris le volant pour aller à la gare de King's Cross, un bâtiment hideux qu'on nous a construit il n'y a pas longtemps. J'ai roulé à contresens et suis arrivé là-bas aux alentours de 20 heures. Il ne faisait pas encore nuit, de sorte que j'ai trouvé une place dans une petite rue, où le soir le stationnement n'est pas payant. C'était là un détail important, dans la mesure où je ne pouvais pas courir le risque de récolter une amende où d'attirer l'attention d'un flic qui s'ennuyait.

Je descendis de véhicule et longeai Euston Road, en direction du West End. Comme j'avais effectué des repérages, je savais qu'il existait un Burger King à proximité de la gare Saint-Pancras. En dépit du trac et de la surexcitation, j'avais une petite faim, si bien que j'ai décidé d'avaler quelque chose, une façon comme une autre de passer le temps, en attendant la nuit noire. Attendez que l'hiver arrive, me dis-je. On aura alors seize heures d'obscurité sur vingt-quatre, ça va être génial.

Je mangeai mon Whopper au fromage, mâchonnai des frites et bus un 7 UP light. Je m'amusai à regarder les clients autour de moi, ces malheureux qui ne se rendaient pas compte qu'ils frôlaient la mort. Il s'agissait surtout d'étudiants étrangers, eux-mêmes servis par des ratés.

Je remarquai trois jeunes Espagnoles, qui riaient de bon cœur et autour desquelles se pressait une bande de basanés, qui avaient sans doute plus envie de leur piquer leur sac que de se les envoyer, les pucelles.

Ça m'aurait bien plu de les ligoter, ces petites pisseuses qui riaient bêtement, et de passer un bon moment avec elles, de les voir s'affoler et pleurnicher, d'entendre leurs cris étouffés alors que je les humilierais et les ferais souffrir, l'une après l'autre, par plaisir. Et ensuite, elles auraient bien été obligées de constater que je suis le plus fort, quand je les égorgerais.

Je fus contraint de me raisonner et de mettre un frein à mon imagination. J'avais en effet déjà trouvé mon sujet pour la soirée, tout était arrangé et planifié, il me fallait donc éviter d'agir sur un coup de tête. Les Espagnoles resteraient en vie, ce qui ne serait pas le cas de quelqu'un d'autre.

Je quittai le Burger King en temps voulu, ce qui me donna l'occasion de passer tout près des donzelles et de humer leur parfum, aussi suave que celui du bubble gum. L'une d'elles me jeta un coup d'œil et me fit un sourire. Je lui retournai la politesse. Ses copines s'en aperçurent, et elles se remirent à glousser toutes les trois. Une autre fois, peut-être…

Elles m'avaient troublé, mon cœur battait la chamade, je n'en pouvais plus. Pourvu que celle que j'avais choisie soit bien là ! Je marchais plus vite que je n'aurais dû. Quelqu'un m'aurait-il remarqué, et trouvé alors que j'avais un comportement bizarre ? Réflexion faite, je ne crois pas.

J'avais atteint mon poste d'observation, tout au bout de la gare de King's Cross, côté ouest. J'étais tellement excité que j'ai failli m'aventurer dans une zone balayée par les caméras de surveillance fixées au mur, mais je m'arrêtai à temps. Je regardai le petit bistrot bien éclairé de l'autre côté d'Euston Road, vit ce qu'il y avait à l'intérieur et constatai qu'il s'apparentait à tous les autres dans le coin, que c'était un rade pourri, où le taulier ne vendait que de la bouffe dégueulasse et des mômes qui tapinaient.

Les machines à sous installées à l'entrée servaient à attirer les jeunes SDF. En sortant de la gare, ceux qui s'étaient enfuis de chez papa et maman n'allaient souvent pas plus loin que ce troquet, où on les refilait à des proxos. Tel serait désormais leur sort, les passes, la délinquance, la dope et une mort précoce…

On voyait aussi se pointer d'autres prédateurs, un peu comme autour d'un trou d'eau en Afrique. En général, ils cherchaient à s'envoyer des mineurs, mais il y en avait également qui était à l'affût d'une proie pour la tuer, sans être pour autant dans la même dynamique que moi.

Elle se trouvait exactement là où il fallait, devant une machine à sous, en train d'y glisser des pièces. Une cause perdue qui militait pour une autre cause perdue. On lui donnait entre 14 et 16 ans, à cette petite blonde menue avec ses cheveux longs et sales et sa peau blafarde, et elle devait mesurer un mètre soixante.

Cela faisait quinze jours que je venais parfois observer cet endroit. Au début, il n'y avait rien qui me branchait, mais j'ai persévéré, et au bout de quelques jours elle a débarqué, avec son sac à dos qu'elle tenait à la main. Dès l'instant où je l'ai aperçue, j'ai compris qu'elle était à moi.

Je ne m'étais toujours pas approché d'elle, je ne lui avais pas non plus adressé la parole et je ne savais pas d'où elle venait. De même, j'étais incapable de dire de quelle couleur étaient ses yeux, mais j'espérais qu'ils étaient marron, car ça trancherait avec sa peau blanche, et ça en jetterait. Il fallait en effet que je voie couler son sang sur cette peau laiteuse. Je me mis à bander et dus respirer à fond pour me calmer.

N'ayant jamais vu personne l'embarquer, j'en avais conclu qu'elle n'était pas encore tombée dans la prostitution. Super. Je m'éclate d'autant plus qu'elles sont ingénues. Existe-t-il quelque chose de plus doux que l'innocence profanée ?

Je continuais à l'épier, en attendant qu'elle commette une erreur. Personne n'a fait attention à moi. Il faut dire que c'était noir de monde autour de la gare. Pour une fois, la météo ne s'était pas trompée et il tombait du crachin, il était donc parfaitement normal que j'aie un imper.

La même scène s'est répétée à plusieurs reprises : elle est sortie du café pour se rendre dans une ruelle, pas loin de là où je m'étais garé. Au début, je me suis demandé ce qu'elle fabriquait : elle allait pisser, tailler des pipes aux clients, ou quoi ? C'est alors que j'ai compris : elle s'en allait fumer une clope. Ben oui, elle ne voulait pas la partager avec ses semblables, les autres gamins en fugue. Elle n'avait d'ailleurs aucune raison de le faire, puisqu'il paraît que le tabac est nocif. Ben, tiens…

Je l'ai observée, toujours excité, mais néanmoins capable de prendre sur moi et d'attendre le moment propice.

Ma patience fut récompensée. Je la vis en effet s'adresser aux autres jeunes attroupés autour de la machine à sous, pour leur expliquer qu'elle était obligée de s'absenter quelques instants. Ils eurent l'air de s'en moquer éperdument.

Elle sortit, regarda de chaque côté de la rue, éprouvant une certaine appréhension à s'éloigner du troupeau et à devenir ainsi une proie facile, puis elle disparut dans la petite rue. J'empruntai le passage piéton pour traverser. Les lumières jaunes, rouges et vertes chatoyaient sous la pluie fine.

Je ne la voyais plus, mais je la sentais, dans tous les sens du terme. Je me rapprochais, littéralement aimanté, la main posée sur la carte de police dans la poche gauche de ma veste. Dans celle de droite, j'avais un couteau, au cas où elle essaierait de s'enfuir ou se mettrait à crier. Ça faisait plusieurs mois que je l'avais acheté, et je le planquais chez moi, dans mon bureau. D'une marque tout ce qu'il y a de plus ordinaire, il était très bien, m'avait dit le vendeur, pour découper les tomates.

Je la repérai à nouveau, en train de fumer sa clope devant la porte d'un magasin délabré. Elle me vit venir et resta sur ses gardes, mais sans avoir vraiment peur pour autant. Elle n'avait donc aucune raison de s'enfuir. Je ne la regardai pas directement, mais l'observai à la dérobée. Si elle avait pris ses jambes à son cou, elle aurait peut-être eu la vie sauve, oui, mais voilà, elle n'aurait pas dû lanterner. J'ai de la force et je suis rapide, bien plus qu'on ne le croit, car je m'entraîne en secret.

J'arrivai à sa hauteur et me tournai pour lui faire face. Elle m'apostropha :

— Si tu t'approches, je gueule ! Je crie au viol, et je raconterai ensuite aux flics que tu m'as tripotée.

Je reconnus l'accent de Newcastle. Je lui souris et envisageai de la massacrer sur-le-champ à coups de surin ; il faut dire qu'il n'y avait personne dans les parages. Je préférai toutefois m'en tenir à mon plan et lui sortis ma carte de police.

— Eh merde…

— Tu t'appelles comment et tu as quel âge ?

Elle se rebiffa, comme une enfant gâtée à qui des parents sans autorité demandent de faire son lit.

— Heather Freeman, répondit-elle en me regardant enfin dans les yeux.

Les siens étaient bleus. La belle affaire.

— Et j'ai 17 ans, ajouta-t-elle.

— Ça m'étonnerait, ma petite. Voilà une semaine que ton père et ta mère ont signalé ta disparition. Comme tu es mineure, tu vas être obligée de me suivre.

— Où ça ?

Elle n'en menait pas large, c'était évident, et pourtant je n'avais pas l'air de lui faire peur.

— Au commissariat. On préviendra alors tes parents, pour voir s'ils vont venir te chercher.

Elle discuta encore un peu, je lui expliquai qu'elle n'avait pas le choix. La rue était déserte, je voulais en profiter pour l'amener ailleurs. Je lui attrapai le bras, en serrant bien fort, ce qui lui arracha une grimace.

— Aïe, vous me faites mal !

— Il n'est pas question que tu te sauves, hein ?

Elle se braqua derechef. Avec sa peau chaude et satinée, elle devait être du genre à attraper facilement des bleus. Je relâchai un peu ma poigne, n'ayant pas l'intention d'imprimer la marque de mes doigts sur son épiderme.

— Allez, viens, ma voiture est tout près.

— T'as pas mieux à faire que de m'emmerder ? me lança-t-elle, avec son accent que je trouvais de plus en plus désagréable.

— Je te protège contre toi-même, ma petite. Tu n'es pas en sécurité, dans un quartier pareil. Il y a plein de sales types qui rôdent.

Là encore, je la sentis piquée dans son amour-propre. On arriva à la bagnole sans anicroches. Personne ne nous avait vus, normal, j'avais pris mes précautions et emprunté déjà plusieurs fois cet itinéraire pour vérifier. Même si la gare de King's Cross et Euton Road grouillaient de monde, il n'y avait quasiment jamais personne dans les petites rues alentour, à part évidemment les lascars qui zonaient pour se trouver une pute.

Je la fis s'arrêter derrière la voiture, elle était donc légèrement de profil, et j'ouvris alors le coffre, que j'avais préalablement tapissé de feuilles de plastique achetées deux ou trois semaines plus tôt à Homebase ; on s'en sert en général pour la décoration.

Terrifiée, elle écarquilla les yeux, soudain rongés par des pupilles grosses comme des soucoupes.

— C'est quoi, ça ?

Je lui en décochai une bonne dans la mâchoire, en évitant de la toucher à la bouche, car il n'était pas question pour moi de laisser des bouts de peau sur ses quenottes. Elle virevolta, plia les jambes, je la rattrapai au vol. Elle ne réagissait plus, poussait juste des petits gémissements.

Je n'eus aucun mal à la balancer dans le coffre de la berline. J'attrapai le rouleau de ruban adhésif en toile, encore un truc qui venait d'Homebase, et lui attachai comme il faut les mains dans le dos, en continuant ensuite avec ses genoux et ses chevilles, et pour finir, je lui collai ses jolies petites lèvres. Moyennant quoi, j'inspectai tranquillement les environs et constatai qu'il n'y avait toujours personne dans les parages. Je lui massai la peau du cou, diaphane, éprouvant une envie folle de l'égorger là, tout de suite. Je refermai brutalement le coffre, avant de faire une bêtise. Chaque chose en son temps, telle était la règle que je m'étais fixée.

Je repartis sur Pentonville Road, en mettant le cap à l'est, ce qui m'amena à traverser Islington, un quartier friqué, puis Shoreditch, qui pullule d'immigrés, ensuite le Mile End délabré et Plaistow, ennuyeux comme la pluie. Je parvins en définitive à destination, un grand terrain vague dans South Hornchurch, non loin de l'usine Dagenham Ford. Un endroit suffisamment lugubre et sinistre pour que la petite Heather Freeman y vive ses derniers instants.

J'empruntai la route goudronnée qui conduisait à une espèce d'édifice en brique planté au milieu du terrain vague et me garai dans le coin. J'enfilai des gants en caoutchouc et vérifiai que j'avais bien boutonné mon veston. Quand j'ouvris le coffre, elle était couchée sur le flanc, le visage baigné de larmes qui dégoulinaient sur son bâillon en ruban adhésif. Ses yeux humides brillaient comme de purs diamants… Avait-elle jamais été aussi belle ? Terrifiée, elle laissa échapper des petits gémissements.

Je lui collai la tête dans les feuilles en plastique et la mis sur le ventre. Elle pleurait maintenant à fendre l'âme. Je l'attrapai par la peau du cou et par les liens qu'elle avait autour des genoux, puis je la sortis du coffre. Elle était encore plus légère que je ne l'avais imaginé. Je la transportai dans la bicoque, en la tenant comme une valise, puis je la flanquai par terre. Si elle n'avait pas été bâillonnée, elle aurait hurlé de douleur.

Je la saisis par les cheveux et l'attirai à moi. Ses beaux yeux me fixèrent.

— Maintenant, je vais te libérer. Si tu fais ce que je te dis, tu auras la vie sauve. Sinon, au moindre cri, je te tue, lentement, tout doucement… Compris ?

Elle hocha la tête.

Je sortis le couteau, en m'arrangeant pour qu'elle le voie. Elle se mit à glapir derrière son bâillon et s'écarta. Je la ramenai à moi, sans ménagement. Elle n'insista pas.

Je tranchai les liens qui lui maintenaient les chevilles, puis j'ôtai le ruban adhésif qu'elle avait sur la bouche. Haletante, elle était sur le point de prendre la parole. J'y mis tout de suite le holà :

— Si tu dis un mot, je te zigouille !

Je lui libérai alors les chevilles et les poignets. Elle se frotta les articulations. Je reculai un peu pour mieux la voir. Oui, décidément, le tableau correspondait en tout point à ce que j'avais prévu et imaginé.

— Enlève le haut.

La peur et la honte se lurent sur son visage. Elle déboutonna son chemisier crasseux, sans se presser, ce qui me convenait parfaitement, puis elle l'ôta et le laissa tomber par terre. Elle ne portait pas de soutien-gorge. Pas besoin, car elle avait des petits seins moches comme tout, avec des tétons roses et pointus.

— Maintenant, baisse ton pantalon.

Voyant une fois de plus qu'elle allait protester, je me mis un doigt sur les lèvres.

— Chuuut !

Elle comprit, vira, non sans mal, ses baskets, avant de se débarrasser de son fute.

— Désape-toi complètement.

Elle sanglotait de plus belle. D'une main, elle enleva sa culotte et de l'autre dissimula sa poitrine ingrate. L'intérieur de l'immeuble était éclairé par les phares de ma voiture. Je la trouvai idéale, la petite. Elle avait encore sur le pubis des poils duveteux. Je ferai donc le nécessaire pour qu'elle reste à jamais parfaite.

Je me rapprochai d'elle.

— Mets-toi à genoux et suce-moi.

Elle fit mine de protester, je lui montrai le couteau que j'avais à la ceinture.

Je lui appuyai sur les épaules pour la forcer à s'agenouiller. Elle ouvrit ma braguette. J'en profitai pour lui tirer les cheveux dans le dos et lui basculer la tête en arrière, découvrant ainsi son cou gracile, puis je lui tranchai la veine jugulaire et fis un pas de côté.

Elle se prit la gorge à deux mains, et je me reculai un peu pour mieux jouir du spectacle. Le sang lui pissait entre les doigts et lui dégoulinait entre les seins, mais il n'atteignit pas le bas-ventre, car elle s'était alors déjà écroulée sur le flanc. Quel dommage !

Je fus témoin des dernières secondes de sa piètre existence. Au moins allait-on désormais se souvenir d'elle, sa mort revêtant bien plus de signification que sa vie n'en aurait jamais eue. Elle était devenue un chef-d'œuvre, un petit bijou. Je faillis me branler sur son cadavre encore chaud, mais parvins à me raisonner.

Je restai plus de deux heures à la regarder, complètement fasciné. Ce meurtre s'était avéré bien plus gratifiant que le premier, avec le couteau, l'intimité, la vie qui s'effaçait sous mes yeux, les couleurs…

J'avais certes pris davantage de risques, mais ça avait valu le coup. Je n'avais pas pu faire autrement, et puis il y avait moyen de tourner la difficulté. En effet, quand ils la retrouveraient à poil, les flics en déduiraient qu'elle avait été victime d'une agression sexuelle, alors que ce n'était pas le cas. Je ne nie pas que ça m'a fait jouir de la voir dans le plus simple appareil, mais à vrai dire, le sexe n'entrait pas en ligne de compte.

Je la laissai donc sur place, en attendant que la police la découvre, car je voulais quelle pense avoir affaire à un fou, un malade qui éprouve soudain l'envie de tuer et ne prend pas de gants. Tout le contraire de ce que je suis, quoi.

Je regagnai la voiture et me changeai. Je balancerai tout à l'heure les vêtements que je portais chez elle dans une décharge publique, en même temps que des cochonneries que ma femme m'avait demandé de jeter. Ensuite, je ramènerai la voiture à l'agence de location, une fois évidemment que j'aurai remis les bonnes plaques minéralogiques.

Je remontai vers le nord pour rentrer à Londres, bien dans ma peau et maître de moi. Je commençai à me rendre compte de tout le potentiel qui était le mien et qui m'avait permis de vivre quelque chose d'extraordinaire.

Il n'était plus possible de faire marche arrière.

Chapitre 12

Au bureau, Sean était recru de fatigue car il n'avait pas fermé l'œil de la nuit, tant il se posait de questions. Du coup, il avait mal partout. Il s'extirpa de sa chaise inconfortable et regarda par la fenêtre en bâillant et s'étirant. Les toits plats des immeubles environnants étaient jonchés de détritus. Il vit sautiller un oiseau dont le plumage bleu tirant sur le noir luisait au soleil, rendant presque invisible les parties blanches de son corps. La pie s'approcha prudemment de son objectif en dodelinant de la tête. Elle visait le cadavre à moitié dissimulé d'un autre oiseau, sans doute un pigeon dont elle allait se régaler. Mais c'est alors qu'il s'aperçut qu'elle tenait quelque chose de brillant dans son bec, comme un petit caillou lisse, qu'elle s'en fut déposer à côté de l'oiseau mort, puis elle poussa un cri et s'envola. Il plissa les yeux et constata que c'était une pie qui gisait sans vie sur le toit. D'autres congénères prirent alors le relais et répétèrent l'opération, en chassant les pigeons qui s'aventuraient dans les parages. Il observa leur manège jusqu'à ce que Donnelly débarque, des clés de voiture à la main.

— Tu vas quelque part ? lui demanda-t-il.

— Les collègues de l'identité judiciaire nous ont rappelés. Ils ont relevé dans l'appartement de Daniel Graydon une empreinte digitale d'Hellier. Celui-ci est donc allé là-bas, il n'y a pas de doute.

— Une seule empreinte ? Incomplète, j'imagine ?

— Non, non, une empreinte entière.

— Rien qu'une…

Sean avait l'air plus inquiet qu'autre chose, mais Donnelly ne cachait pas sa satisfaction.

— Et où est-ce qu'ils l'ont relevée ?

— Sur la poignée de la porte de la salle de bains, celle qui donne dans le couloir. On dirait que ça ne vous fait ni chaud ni froid.

— Pas étonnant qu'il ait refusé qu'on prenne ses empreintes ! Contacte tout de suite ceux qui le surveillent, et tâche de savoir où il se trouve en ce moment. Demande aussi à Sally de réunir deux équipes pour perquisitionner son bureau et son domicile, en se faisant assister d'experts de la criminalistique. Tu t'occupes de la baraque, et moi, de son lieu de travail.

Donnelly s'esquiva aussitôt.

« Ils commettent toujours une erreur, se dit Sean, c'est inévitable. »

***

Les trois voitures banalisées fonçaient vers Knightsbridge, l'équipe de surveillance ayant confirmé qu'Hellier était au bureau.

Sean, qui avait pris place dans le dernier véhicule du convoi, jubilait. Il se rappelait que c'était précisément pour cette raison qu'il était entré dans la police, pour avoir le loisir de rouler à toute blinde au milieu de la circulation, sirènes hurlantes et gyrophares allumés, de quoi rendre jaloux les autres conducteurs et exciter les enfants. Dommage que ça ne lui arrivait pas plus souvent…

Après avoir interpellé Hellier, et cela sans prendre de gants, tant pis si tout le monde alentour en était témoin, on fouillerait son bureau, centimètre par centimètre.

Il se pouvait qu'Hellier passe aux aveux, une fois qu'on lui aurait expliqué qu'on avait retrouvé l'une de ses empreintes digitales dans l'appartement de Daniel Graydon. Sinon, comment allait-il faire pour s'en sortir ? Avec un peu de chance, il serait mis en examen avant la fin de la journée.

Une autre équipe, avec Donnelly à sa tête, se dirigeait actuellement vers son domicile, dans le quartier d'Islington. Leurs collègues devraient attendre qu'il leur confirme l'arrestation d'Hellier, moyennant quoi ils auraient le droit de perquisitionner sa maison, pour essayer de trouver des éléments de preuve. Il n'en restait pas moins persuadé qu'ils auraient plus de chance de mettre la main sur quelque chose d'intéressant sur son lieu de travail que chez lui, car il avait dû vouloir éviter que sa femme ou ses enfants ne tombent dessus par hasard.

Les trois véhicules s'arrêtèrent dans un crissement de freins devant l'immeuble où se trouvait le siège de l'entreprise pour laquelle travaillait Hellier. Elles ne prirent pas la peine de se garer et restèrent au milieu de la rue. Neuf flics en sortirent, ne restant dans chaque voiture que celui qui était au volant.

Ils gagnèrent l'entrée de l'immeuble en marchant sur le goudron tout collant à cause de la chaleur, et ce fut Sally qui sonna, mais au premier étage, et non à celui où se trouvaient les bureaux de Mason and Butler. Ce n'était pas la peine de prévenir Hellier.

— Bonjour, Albert Bray and Partenrs. Vous avez rendez-vous avec l'un de nos consultants ? demanda une voix dans l'interphone.

— Police ! Il faut que je rentre tout de suite dans cet immeuble, répondit Sally. Cela n'a rien à voir avec votre société ni aucun de vos employés.

La porte s'ouvrit, et les flics s'engouffrèrent en silence dans le bâtiment, deux d'entre eux restant en faction devant la porte, puis grimpèrent quatre à quatre l'escalier.

Ils arrivèrent devant les locaux de l'entreprise d'Hellier et se heurtèrent une fois de plus à une porte close. Sean y cogna. Une secrétaire, tirée à quatre épingles, ne tarda pas à lui ouvrir. Il la poussa et entra, sans autre forme de procès. Elle en resta ébahie.

— Monsieur Hellier est-il dans son bureau ?

Médusée, elle ne répondit pas.

— Je vous ai demandé s'il se trouve dans son bureau ?

Devant son absence de réaction, il décida d'aller voir par lui-même, flanqué de Sally et de quatre flics, Donnelly et un autre demeurant sur place.

Ils foncèrent dans le couloir. Reprenant ses esprits, la secrétaire leur courut après :

— Vous ne pouvez pas le déranger, il est en réunion.

— Faux, répliqua Sean.

— Il vous faut un mandat de perquisition.

— Là non plus, ce n'est pas vrai.

Il ouvrit la porte et fit irruption dans le bureau d'Hellier, les autres restants à l'extérieur. Hellier était assis, Sebastian Gibran à ses côtés, tandis qu'en face de lui, deux types qu'il ne connaissait pas écarquillaient les yeux, l'air affolé. Hellier ne broncha pas. Sean s'avança et lui sortit sa carte de police.

— Inspecteur divisionnaire Sean Corrigan, et voici les inspecteurs principaux, Zukov et Jones. James Hellier, je vous arrête pour le meurtre de Daniel Graydon. Vous n'êtes pas tenu de faire la moindre déclaration, si vous ne le voulez pas, sachant que tout ce que vous direz pourra être retenu contre vous. Vous m'avez compris ?

Mieux valait respecter à la lettre les règles de procédure avec un type retors comme lui, d'autant que la scène se passait en présence de trois autres individus ahuris.

Hellier le fusilla du regard. Puis il sourit et s'adressa à ses compagnons :

— Je vous prie de m'excuser, messieurs. Il semblerait que la police ait besoin que je l'aide à mener son enquête.

Il se leva et tendit les poignets de façon théâtrale.

— Vous allez me passer les menottes, inspecteur ?

— Non, je ne vous ferai pas ce plaisir.

Il lui prit le bras et eut la surprise de constater qu'il était musclé.

— Allons-y.

Gibran tenta de s'interposer.

— Êtes-vous bien sûr que ce soit indispensable ? demanda-t-il d'une voix calme et détachée, en digne patron de Mason and Butler. Ces méthodes expéditives sont tout de même déplacées…

— Excusez-moi, j'ai oublié votre nom, dit Sean.

— Vraiment ? C'est drôle, je n'ai pas l'impression que vous soyez du genre à oublier quoi que ce soit.

— Ne vous mêlez pas de ça, monsieur Sebastian Gibran. Et laissez-nous décider de ce qui est indispensable ou pas.

Gibran s'écarta à contrecœur et leur fit signe de passer, comme s'ils avaient besoin de son aval.

Sean et Zukov embarquèrent Hellier, qui avait toujours le sourire aux lèvres. Quand il fut certain qu'ils se trouvaient tous les deux seuls, il leva le masque et se montra sous son vrai jour.

— Maintenant, prévenez mon avocat, lança-t-il, le regard haineux.

***

On était déjà en train de perquisitionner le domicile d'Hellier. Au salon, Donnelly fouillait les tiroirs et parcourait les documents et les lettres d'un œil exercé, tandis qu'à ses côtés, Fiona Cahill lui remettait des papiers qu'elle avait trouvés dans la pièce.

Passé le premier instant de stupeur, Elizabeth Hellier courait dans tous les sens et ne cessait de récriminer. Elle avait beau menacer les flics, rien ne les empêcherait de mettre la maison sens dessus dessous.

Donnelly finit par en avoir assez.

— On va fouiller la maison, quoi que vous disiez, madame Hellier. Si vous ne voulez pas qu'on s'attarde ici, laissez-nous faire. Allez donc boire un thé à la cuisine, comme ça, vous ne nous dérangerez pas.

Il l'y conduisit et la fit asseoir sur un tabouret. Un autre flic passa la tête par la porte.

— Dave, annonça-t-il, on s'est heurtés à une porte close.

— C'est celle du bureau de mon mari, expliqua Elizabeth Hellier. Je ne sais pas où se trouve la clé. À mon avis, il l'emporte avec lui au travail.

— Dans ce cas, enfoncez-la, dit Donnelly.

— Quoi ? Je vous en prie, appelez mon mari, il viendra l'ouvrir, j'en suis sûre.

— Il doit avoir d'autres chats à fouetter, en ce moment.

Au même instant, on entendit le bois craquer et se fendre…

***

Sean laissa ses subordonnés achever de passer au peigne fin le bureau, ce qui allait prendre des heures, et regagna le commissariat de Peckham en compagnie d'Hellier, qui regarda par la vitre pendant tout le trajet. Il demeura impassible et ne réagit pas quand Sean se montra tour à tour écœuré, agressif, menaçant, compatissant ou compréhensif.

Même quand on le mit en garde à vue, il ne desserra pas non plus les dents, sinon pour décliner son identité et donner les coordonnées de son avocat, avec lequel il exigea d'avoir un entretien dans les plus brefs délais. Le flic à qui il avait affaire l'assura qu'on allait le contacter sous peu. Il s'apprêtait à le placer en cellule quand Sean intervint :

— Encore une chose.

— Oui ?

— Il nous faut tous les vêtements qu'il a sur le dos.

— D'accord. Bouclez-le dans la cellule 4, elle est inoccupée. Les combinaisons en papier se trouvent dans le placard, au bout du couloir.

Sean savait où on les rangeait, puisque c'est avec elles qu'on habillait ceux qui se retrouvaient soudain nus comme un ver. Elles permettaient de reconnaître tout de suite les individus interpellés pour des crimes particulièrement graves, les violeurs, les meurtriers, ceux qui avaient commis un vol à main armée…

— Y a-t-il quelqu'un que je puisse appeler pour lui demander de vous apporter une tenue de rechange ? lui demanda l'inspecteur principal.

Devant le mutisme d'Hellier, il conclut :

— Il est à vous, patron.

Sean hocha la tête et conduisit Hellier en cellule. Un inspecteur du nom de Sam Jesson y apporta les sacs en papier kraft dans lesquels on glissait les vêtements considérés comme des pièces à conviction, plutôt que dans des sacs en plastique qui risquaient de conserver l'humidité, et de détruire ainsi des preuves.

Sean demanda à Hellier de se déshabiller entièrement, puis d'enfiler la combinaison en papier blanc.

Hellier sourit et s'exécuta. L'inspecteur plia soigneusement son costume Hugo Boss et sa belle chemise, avant de mettre le tout dans l'un des sacs en papier kraft. Il ne s'agissait pas tant dans son esprit d'éviter de froisser les vêtements en question que de ne pas laisser filer des indices accrochés au tissu.

Sean regarda à la dérobée Hellier, pratiquement nu, et ne put s'empêcher d'admirer son corps d'athlète. Sur le plan physique, il ne pouvait rivaliser avec lui, ce qui n'arrivait pas souvent.

Hellier se promit, quant à lui, de se venger de toutes les humiliations qu'il était en train de subir et de les lui faire payer très cher…

***

Voilà plus de trois heures que Donnelly et son équipe perquisitionnaient le domicile d'Hellier. Ils avaient mis dans des sacs et étiquetés la plupart de ses vêtements et de ses chaussures, sans rien trouver de génial.

Actuellement, il était en train de fouiller dans les tiroirs du bureau. Elizabeth Hellier n'en ayant pas les clés, ils avaient été obligés de les forcer l'un après l'autre.

Ça leur avait seulement donné la confirmation qu'Hellier était bien aussi riche qu'il en avait l'air. Il avait en effet plusieurs comptes en banque, auprès de la Barclays, d'HSBC, de la Bank of America et de l'ASB Bank de Nouvelle-Zélande. Il détenait un avoir de plus de cent mille livres dans chacun de ces établissements, ce qui représentait en tout une coquette somme, comme le calcula Donnelly.

Il se leva et s'étira. En reculant la chaise du bureau, il sentit que quelque chose lui piquait la cuisse et constata qu'il avait fait un accroc à son pantalon.

— Eh merde ! s'exclama-t-il. Qu'est-ce que c'est encore que ce machin-là ?

Il glissa la main sous le bureau, sentit un petit truc métallique. Il écarta la chaise, se glissa sous le meuble et vit alors deux clés collées au bois avec du scotch. Il se garda bien d'y toucher avant qu'on les ait prises en photo et que l'on ait relevé les empreintes digitales se trouvant dessus, puis que l'on ait glissé le scotch dans un petit sachet en plastique. C'est seulement à ce moment-là qu'il les récupéra. Restait encore à découvrir ce qu'elles étaient censées ouvrir.

Il regarda les tiroirs qu'il avait forcés, mais dont la serrure était restée intacte. Il essaya d'ouvrir le premier, sans résultat, et répéta l'opération avec le second, et cette fois, ça marcha. Idem pour les autres.

— Mince ! On risque de devoir payer un dédommagement pour avoir abîmé un meuble ancien, bougonna-t-il.

Mais il ne voyait toujours pas à quoi était destinée la seconde clé.

— Si l'un d'entre vous tombe sur un truc fermé à clé, prévenez-moi aussitôt.

Un collègue, qui était en train d'examiner les meubles de rangement en noyer, se manifesta :

— Holà, il y a peut-être quelque chose là-dessous.

Donnelly s'approcha, le vit soulever la moquette en bas du meuble et découvrir le coffre inséré dans la semelle en béton.

Les deux hommes échangèrent un regard. Donnelly glissa sans peine la clé dans la serrure, comme si celle-ci avait été huilée. Le coffre s'ouvrit.

Ils tombèrent d'abord sur de grosses liasses de billets bien roulées et tenues par des élastiques. Il y avait surtout des dollars en grosses coupures, mais aussi des livres sterling ainsi que des dollars de Singapour. Ensuite, il aperçut un passeport britannique, reconnaissable à sa couverture rouge. Il le feuilleta et constata que c'était celui d'Hellier. Autrement dit, ce type pouvait au besoin quitter le pays d'un moment à l'autre. Un petit livret noir, peut-être un carnet d'adresses, était posé juste à côté.

— Fais revenir tout de suite le photographe, et puis la fille qui relève les empreintes digitales. Je ne sais pas trop quoi en penser, mais ce n'est certainement pas anodin.

***

Sally et son équipe revinrent au commissariat aux alentours de 14 heures. Elle retrouva Sean dans son bureau pour lui expliquer ce qu'ils avaient découvert et qui se résumait essentiellement à son ordinateur, qu'on allait envoyer au labo pour que les spécialistes le fassent parler et découvrent ce qu'il avait dans le ventre. Ils découvriraient peut-être alors quelque chose, mais ça prendrait du temps. Sean reçut un appel, c'était la réception qui lui signalait qu'un certain Templeman désirait le voir.

— Dites-lui que j'arrive tout de suite.

Il raccrocha et quitta le bureau.

— L'avocat d'Hellier est ici, expliqua-t-il à Sally.

Il enfila les couloirs où régnait une grande animation, dévala l'escalier, salua au passage le « civil » visiblement stressé qui tenait la réception et fit signe à Templeman, qui attendait avec d'autres gens. L'avocat coupa court aux amabilités et entra tout de suite dans le vif du sujet :

— J'exige d'avoir immédiatement un entretien avec mon client.

— Bien sûr.

Sean le fit entrer dans le commissariat par une porte latérale.

— Je vais vous conduire à l'endroit où il est détenu. Suivez-moi.

— Et quand envisagez-vous de l'interroger ? Bientôt, j'espère.

— Une fois que les perquisitions seront terminées et que j'aurai eu le temps d'en évaluer le résultat.

— C'est-à-dire ?

— Dans deux ou trois heures.

— C'est inadmissible. Vous n'êtes pas en mesure, à l'évidence, de soumettre mon client à un interrogatoire. Je vous suggère, par conséquent, de le remettre en liberté provisoire sous caution, en attendant que vous soyez prêt.

— J'enquête sur un meurtre, lui rappela Sean, et non sur une vulgaire escroquerie. Hellier restera en garde à vue jusqu'à ce que je dispose d'assez d'éléments pour l'interroger.

Il tapa le code sur le boîtier électronique, puis il poussa la porte quand retentit un bip et chercha aussitôt un gardien qui le débarrasse de Templeman.

— Qu'il s'agisse d'un meurtre ou d'une escroquerie, tout le monde a le droit d'être défendu, inspecteur. Et je vais veiller à ce que ce soit le cas pour lui.

— Tout le monde, sauf les morts, sauf Daniel Graydon, répliqua Sean sur un ton glacial.

Il alpagua un gardien qui passait dans le coin.

— Voici l'avocat d'Hellier. Il aimerait voir son client le plus vite possible.

— Pas de problème. Si vous voulez bien me suivre, maître, je vais arranger ça.

Sean avait déjà tourné les talons. Templeman le héla :

— Je suis en droit de prendre connaissance de toutes les déclarations relatives à cette affaire que vous avez pu recueillir et d'en avoir la primeur, inspecteur. Je suis fondé à savoir ce que vous avez retenu contre mon client.

— Vous obtiendrez satisfaction, répondit Sean, qui avait hâte d'annoncer qu'on avait retrouvé une empreinte digitale d'Hellier dans l'appartement de Daniel Graydon, sans trop savoir toutefois lequel des deux il se réjouissait à l'avance de voir dans ses petits souliers, Hellier ou Templeman…

Il grimpa en vitesse l'escalier et enfila les couloirs, entendant au passage des éclats de voix dans la salle des opérations, ce qui signifiait que Donnelly et son équipe étaient rentrés. Il croisa d'ailleurs celui-ci et lui demanda de venir le voir dès que possible. Une fois dans son bureau, il se laissa tomber sur sa chaise. Donnelly le retrouva peu après.

— Alors, qu'est-ce que tu as pour moi ?

— On a saisi toutes ses sapes et ses pompes, et on les enverra demain au labo.

— Il me faut quelque chose tout de suite, de manière à procéder à l'interrogatoire d'Hellier. Je veux le faire mettre en examen ce soir ou demain, au plus tard.

— Désolé, patron, mais on n'a pas retrouvé d'indice flagrant chez lui, même s'il y a quand même des trucs louches là-bas, comme le fait que son bureau est toujours fermé à clé dans la journée, qu'il soit à la maison ou pas, sauf évidemment quand il se trouve à l'intérieur. Sa femme nous a dit qu'elle ne sait pas où il en cache les clés, tout comme elle ignorait l'existence du coffre encastré dans la semelle en béton de la baraque.

— Un coffre ?

— Eh oui, le mec a un coffre dans son bureau.

— C'est le cas de tas de gens qui ont du fric. On ne peut pas en déduire grand-chose.

— C'est vrai, mais il y en a combien qui planquent à l'intérieur des liasses de dollars en même temps que leur passeport ? On a également récupéré un carnet d'adresses.

— Il était donc prêt à prendre la poudre d'escampette. Va savoir pourquoi… Il n'empêche que ce n'est pas un crime de se méfier des banques, sinon on serait tous en taule.

— En tout cas, ça ne l'a pas empêché d'avoir des comptes bien garnis. Au total, ça se chiffre à près d'un million de livres, dirait-on. Voire bien davantage…

— Et le carnet d'adresses ?

C'était bien souvent le petit truc qui ne payait pas de mine, qui recélait les indices les plus précieux : un bout de papier sur lequel on a noté quelque chose et qui était glissé parmi des relevés de compte ; un objet de collection d'une personne âgée que l'on retrouvait chez un jeune…

— Je me suis contenté d'y jeter un coup d'œil. Il ne comporte que des initiales et des numéros, peut-être des numéros de téléphone, mais pas de la région, sans doute de pays étrangers. Rien n'y est classé par ordre alphabétique. Reste que je n'y ai pas vu les initiales de la victime, DG.

— Si ça se trouve, tout ça est codé. Envoie l'ensemble au service de renseignement de Scotland Yard, en leur demandant d'essayer d'identifier les abonnés téléphoniques qui correspondent à ces numéros. Je veux être fixé demain midi, dernier carat.

— D'accord, mais ça ne va pas être évident.

— Essaie quand même. Si je ne dispose pas d'éléments supplémentaires, je vais interroger Hellier demain, afin qu'il nous explique comment on a pu relever l'une de ses empreintes digitales dans l'appartement de Daniel Graydon.

***

Donnelly assista à l'interrogatoire, même s'il était mené par Sean. Cela se passait dans une pièce au décor minimaliste, une table en bois, quatre malheureuses chaises, des murs d'un beige douteux, pas de photos. Ça sentait le caoutchouc, à cause du tapis de sol, et le tabac froid. Un magnétophone à deux pistes était posé sur la table, et des micros étaient accrochés sur le mur d'en face.

Sean, Hellier et Templeman regardaient Donnelly sortir les cassettes neuves de leur emballage en cellophane, puis les installer dans l'appareil.

— Quand on appuiera sur le bouton, vous entendrez un bourdonnement pendant environ cinq secondes, et ensuite l'enregistrement démarrera. Compris ?

— Compris, inspecteur, répondit Templeman à la place d'Hellier.

Sean eut le sentiment que cet interrogatoire n'allait pas déboucher sur grand-chose. Il fit signe à Donnelly de mettre l'appareil en marche et on vit tourner les bandes magnétiques, le magnéto ronronna plus fort que prévu, tout le monde retint son souffle, même Sean, puis cela cessa, et au bout de quelques secondes, il prit la parole.

— Cet interrogatoire est enregistré. Je me présente, inspecteur divisionnaire Sean Corrigan. Je suis accompagné d'un collègue…

Il laissa Donnelly donner son nom et son grade, puis déclara :

— C'est moi qui procède à l'interrogatoire, auriez-vous l'amabilité de décliner votre identité ?

Hellier regarda Templeman, qui lui fit signe de répondre. Il se pencha en avant :

— James Hellier, déclara-t-il avant de reprendre une position normale sur sa chaise.

— Et la troisième personne ici présente s'appelle ?

— Jonathan Templeman, avocat. Je tiens à préciser que je représente James Hellier et que je lui expliquerai quels sont ses droits. Je veillerai également à ce que cet interrogatoire se déroule suivant les règles et je m'opposerai à toute question que j'estimerai déplacée, déloyale, n'ayant aucun rapport avec l'enquête ou relevant d'une hypothèse. Je voudrais aussi dire qu'en dépit de mes conseils, monsieur Hellier a décidé de répondre à toutes les questions que vous lui poserez.

Sean se demanda s'ils avaient mis au point ce petit numéro à l'avance. C'était sans doute Templeman qui en avait eu l'idée, l'objectif étant de faire d'Hellier une victime des circonstances, quelqu'un qui cherchait à faire reconnaître son innocence. En tout cas, ça le prit au dépourvu.

— Nous sommes aujourd'hui le 14 août 2005, dit-il, et il est 14 heures. Cet interrogatoire se déroule au commissariat de

Peckham. Vous avez le droit de vous entretenir avec votre avocat ou votre représentant légal, et cela au téléphone. Il s'avère toutefois que votre avocat, maître Templeman, est ici présent. Avez-vous eu le loisir de discuter en privé avec lui ?

— Oui, répondit Templeman, qui parlait toujours au nom de son client.

— Je dois vous rappeler que vous êtes libre de garder le silence, mais que cela peut se retourner contre vous si vous refusez ici de répondre à une question et de faire état de quelque chose que vous invoquerez ensuite pour votre défense lors du procès. Tout ce que vous direz pourra être retenu contre vous. Vous avez compris ?

— Il a compris, déclara Templeman.

— Il faut que ce soit monsieur Hellier qui réponde et que je l'entende me le dire lui-même.

— J'ai compris, inspecteur, déclara Hellier, sans laisser le temps à Templeman de protester. Le moment est venu pour moi de répondre à vos questions et de vous donner des explications.

Sean retint son souffle : allait-il par hasard se mettre à table ? Se sentait-il accablé par le poids de la culpabilité ? Il n'y en a pas tellement qui emportent leurs secrets dans la tombe, surtout s'ils sont horribles…

Les deux hommes se dévisagèrent. Sean posa alors la question déterminante :

— Monsieur James Hellier, avez-vous tué Daniel Graydon ?

***

Sally entra dans le commissariat de Richmond, où se trouvait une antenne des services de renseignement de la police.

— Vous êtes l'inspectrice principale de la Section des crimes graves ? lui demanda tout de go un agent en tenue.

— Oui. Et je…

— Qu'est-ce qui vous intéresse ? coupa son interlocuteur.

— Je voudrais voir ce que vous avez sur un dénommé Stefan Korsakov, qui a été inculpé en 1996 d'agression sexuelle et d'escroquerie.

— Les deux ensemble, c'est rare.

— Oui, hein… On a fini par abandonner les poursuites pour agression sexuelle, en revanche il a été condamné pour escroquerie. Vous devriez avoir sa photo. J'ai besoin d'y jeter un œil.

— Ça remonte à 1996, aussi vous aurez de la chance si on a conservé une trace de lui. On n'a pas dû informatiser sa fiche, sauf s'il a récidivé depuis cinq ans, et il se peut qu'on l'ait carrément détruite. On n'a en effet gardé que les plus intéressantes, celles des individus qui risquent de commettre de nouveaux méfaits. C'était quoi, cette agression sexuelle ?

— Il a violé un petit jeune de 17 ans dans Richmond Park, après l'avoir menacé avec un couteau, puis ligoté.

— Mouais, fit l'agent se grattant la joue. C'est bien le genre de dossier qu'on a dû conserver. Je vais vérifier dans nos archives. Comme il s'appelle déjà, ce gus ?

— Korsakov. Stefan Korsakov.

Le flic longea les petits meubles de rangement, dans lesquels il n'y avait pas assez de place pour abriter autre chose que des fiches.

— K, K, K… Ça y est.

Il ouvrit le classeur, en feuilleta le contenu et trouva ce qui l'intéressait.

— Vous avez du bol, on a gardé la sienne. Évidemment, ça n'a pas loupé !

— Qu'est-ce qu'il y a ?

— Les photos ont disparu. Il y a un saligaud qui les a embarquées.

***

— Si j'ai tué Daniel Graydon ? Eh bien non, inspecteur, je ne l'ai pas tué. Vous avez peut-être du mal à y croire, mais c'est la vérité.

Il conservait un regard impénétrable. Décidément, il n'était pas facile de savoir ce qu'il avait dans le ventre, cet animal.

— Pourquoi nous avoir menti ? Vous avez déclaré n'être jamais allé chez lui, de sorte que je ne comprends pas très bien comment on a pu retrouver l'empreinte d'un de vos doigts sur la poignée de la porte de la salle de bains.

— Je vous ai menti, soupira Hellier, et j'ai eu tort. C'était idiot de ma part, et je ne peux que m'excuser de vous avoir fait perdre votre temps. J'espère au moins que je ne vous ai pas empêché d'arrêter le coupable. Effectivement, je suis allé chez Daniel Graydon, car j'étais l'un de ses clients. Cela fait quatre ou cinq mois que ça dure.

— Et le soir de sa mort ?

— Non, je ne l'ai pas vu ce jour-là, je ne suis donc pas allé chez lui, ni pendant les huit jours précédents.

— Il se trouve que celui qui a assassiné Daniel Graydon est entré chez lui sans effraction. Nous en concluons, par conséquent, qu'il l'a laissé entrer, et cela à 3 heures du matin. Mais de qui pouvait-il bien s'agir ? D'un ami ? Ou alors… d'un client ? De quelqu'un qui venait régulièrement, et en qui il avait confiance.

Templeman n'y tint plus :

— En posant ces questions, vous ne faites référence qu'à des hypothèses. Si vous avez la moindre preuve, vous devriez…

Hellier lui posa la main sur le bras pour le faire taire.

— J'ai l'intention de répondre à toutes les questions que vous me poserez. Je le répète, je ne suis pas allé chez Daniel Graydon ce soir-là.

— Dans ce cas, pourquoi avoir prétendu n'y avoir jamais mis les pieds ? Vous n'ignoriez pourtant pas que j'enquête sur un meurtre et que cela peut vous coûter cher de mentir. Vous n'êtes pas idiot, que je sache.

Hellier baissa les yeux :

— J'avais honte, inspecteur, je ne crois pas que vous puissiez comprendre. Dommage.

Il était loin de se douter que Sean avait passé son enfance à avoir peur et se sentir humilié, et que ça le rendait malade de l'écouter.

— Vous vivez dans le mensonge, lui dit-il. Vous vous payez des gitons, puis vous rentrez faire dodo avec bobonne. Vous mentez à la police, même en sachant que cela risque d'empêcher l'enquête d'avancer. Malgré tout, vous voudriez que je croie que c'était pour dissimuler vos préférences sexuelles que vous m'avez raconté des histoires. Ça m'étonnerait que vous n'ayez jamais éprouvé de la honte.

Hellier leva les yeux. Il avait un regard vitreux :

— Vous vous trompez, inspecteur. Tout cela me fait honte, et je ne suis vraiment pas fier de moi.

— Qu'est-ce qu'il avait de particulier, ce Daniel, pour que vous reveniez sans cesse le voir ?

— J'ai des besoins, et grâce à lui, je pouvais les satisfaire.

— Mais encore ?

— En matière de sexe, je suis un adepte du sadomasochisme. Voilà pourquoi j'allais chez lui, en général une fois tous les quinze jours, trois semaines. C'est cela que j'ai voulu cacher, comme un imbécile que je suis.

— Et ça se passait comment ?

— Là n'est pas la question, coupa Templeman.

— Au contraire. On a relevé des marques inexpliquées sur le corps de Daniel Graydon. Les pratiques sexuelles de monsieur Hellier nous permettront peut-être alors de les comprendre.

— Bah, il n'y a rien de vraiment choquant là-dedans. Je l'attachais avec de la ficelle, en général par les poignets. On se bandait les yeux, et parfois on se donnait des coups de fouet. Bref, on se livrait surtout à des jeux de rôle inoffensifs, mais enfin je ne voulais pas que ça s'ébruite.

— Ça, je le comprends, dit Donnelly.

— Vous a-t-il attaché un jour ? s'enquit Sean.

— Non, jamais.

— Ce qui signifie que, dans le couple, c'était vous, le sadique ?

— Pas toujours. Il lui arrivait de me frapper, mais je n'ai jamais trop aimé le bondage, quand c'est moi qui suis ligoté. D'après Daniel, je n'avais pas assez confiance en moi. Il avait sans doute raison.

Hellier avait réponse à tout. Sean déposa sur la table le carnet d'adresses, toujours glissé dans son sachet en plastique.

— Qu'est-ce que c'est que ça ? demanda-t-il.

— Un carnet d'adresses, ça saute aux yeux.

— Il était bien planqué, pour quelque chose d'aussi anodin. D'autant qu'à l'intérieur ne figure aucun nom, rien que des numéros et des initiales.

— J'y ai noté des contacts sur lesquels je tiens à garder le secret vis-à-vis de ma femme et de mes enfants.

Là encore, ça paraissait logique.

— Y avez-vous marqué le numéro de téléphone de Daniel Graydon ?

— Non, répondit Hellier, après un instant d'hésitation.

— Vous en êtes bien sûr ?

— Oui. Vous ne l'y trouverez pas.

Sean décida d'en rester là pour le moment, en attendant d'y voir plus clair.

— Et tout cet argent liquide ? On a retrouvé une petite fortune, essentiellement en dollars.

— J'aime bien avoir une grosse somme à la maison. Nous vivons une époque où nul ne sait de quoi demain sera fait.

— Et l'argent que vous avez sur des comptes en banque, en Grande-Bretagne ou dans divers pays étrangers ?

Sean savait que ça ne le mènerait à rien de lui poser ce genre de questions, mais il y était obligé.

— S'il est une chose à laquelle je me refuse, inspecteur, c'est de m'excuser d'être riche. Je travaille beaucoup, et mes efforts se voient récompensés. Tout ce que je possède, je l'ai gagné. Mes comptes sont bien tenus, je peux vous montrer d'où vient mon argent et les Impôts peuvent confirmer que je dis la vérité.

Sean tournait en rond, c'était évident. Il avait envie de déstabiliser Hellier et de se montrer pour cela délibérément blessant, afin de voir sa réaction.

— Votre déclaration fiscale, l'argent que vous avez en banque sur vos différents comptes, votre poste chez Butler and Mason, tout cela vous situe en haut du panier, pas vrai ?

Les pupilles d'Hellier se rétractèrent, l'ombre d'un instant.

— Vous-même, James, avec vos belles pompes et votre super-costard, vous êtes quelqu'un de distingué, je vous l'accorde.

— Je ne saisis pas où vous voulez en venir, coupa Templeman, mais on dirait que vous vous égarez.

Hellier lui pinça la cuisse, pour lui demander de se taire.

— Il n'empêche qu'au fond, vous êtes un homme plein de rancœur. Qu'est-ce qui vous contrarie ? Allez, dites-le moi. Qu'est-ce que vous essayer de cacher ? Le fait que vous êtes issu d'un milieu modeste, ou bien que vous avez un enfant naturel. À moins que vous n'ayez eu un comportement regrettable dans l'un de vos précédents emplois et que l'on ne vous ait surpris en flagrant délit, ce qui vous aurait valu de vous faire virer… Allons, James, expliquez-moi ce que vous essayez de garder secret ?

Hellier le regarda sans ciller, un sourire narquois flottant sur ses lèvres pincées. Une fois de plus, il demeurait impénétrable.

— Vous savez, reprit Sean, vous pouvez avoir un travail prestigieux, de l'argent et une maison dans un quartier chic, vous ne serez jamais comme les bourgeois, et ils ne vous accepteront jamais vraiment. Vous ne serez jamais comme… Sebastian Gibran, par exemple, vous le savez très bien. Vous avez beau essayer de lui ressembler, il y aura toujours une différence entre vous, dans la mesure où il est issu du sérail, tandis que vous n'êtes qu'une pièce rapportée, une caricature, et que vous ne le supportez pas.

Sean recula sur sa chaise, content d'avoir remué le couteau dans la plaie, mais Hellier ne broncha pas et garda le silence.

Sean tapota sur la table avec un stylo. Il restait une question qui lui brûlait les lèvres, mais il se retint toutefois de la lui poser, tant qu'il n'en mesurait pas mieux l'enjeu. Il avait en effet du mal à comprendre pourquoi l'on n'avait retrouvé qu'une seule et unique empreinte digitale de lui chez Daniel Graydon.

— Nous allons maintenant devoir vérifier vos déclarations. À moins que vous n'ayez quelque chose à ajouter, cet interrogatoire est donc terminé, déclara-t-il.

— Je n'ai rien à ajouter.

Donnelly éteignit le magnétophone.

— Et maintenant ? demanda Templeman.

— Vous aimeriez sans doute avoir un nouvel entretien avec votre client. On le remettra ensuite en cellule, en attendant de décider de son sort.

— Il n'y a aucune raison de le maintenir en garde à vue. Il a répondu à toutes vos questions, et on devrait le remettre tout de suite en liberté, sans qu'on retienne quoi que ce soit contre lui.

— Je ne suis pas de cet avis.

Templeman protesta vigoureusement, mais Sean et Donnelly avaient déjà tourné le dos.

Sean était déçu, car cet interrogatoire n'avait pas donné les résultats escomptés, et il ne s'expliquait pas pourquoi le numéro de téléphone de Daniel Graydon ne figurait pas dans le carnet d'adresses d'Hellier.

***

La porte du pavillon de banlieue s'ouvrit. Sally trouva aussitôt qu'avec ses bras et ses jambes maigres, le quinquagénaire ventripotent aux yeux verts et aux cheveux blonds roux ressemblait à une araignée. Mais il avait aussi un regard intelligent, et on le sentait sûr de lui. Nul doute qu'il ait jadis été un bon flic.

— Monsieur Jarratt ? Inspectrice principale Sally Jones. Je m'excuse de passer chez vous à l'improviste, mais comme j'étais dans le coin, j'en ai profité pour voir si vous pourriez m'aider dans mon enquête.

— Ah oui ?

— Il s'agit d'une affaire de meurtre. Vous vous êtes occupé il y a quelques années d'une histoire mettant en cause un individu qui pourrait bien être l'assassin que nous recherchons.

— Entrez, je vous en prie.

Sally découvrit un intérieur bien tenu et le suivit à la cuisine, où il lui offrit un thé.

— Depuis combien de temps avez-vous quitté la police ? s'enquit-elle.

— Il doit y avoir quatre ans. Une vieille blessure s'est rappelée à mon bon souvenir, alors que je n'avais que vingt-cinq annuités sur trente, mais enfin j'ai réussi à toucher une pension complète, ce qui fait que je ne me plains pas. Bon, il m'arrive de m'ennuyer un peu, mais enfin… Ceci étant, qu'est-ce que je peux faire pour vous ?

— Comme je vous l'ai dit, je suis sur une affaire de meurtre. Celui de Daniel Graydon, un jeune homosexuel qui a été lardé de coups de couteau.

— Il a été victime d'une agression homophobe ?

— Non, on ne croit pas. Mais comme on ne sait pas de quoi il s'agit au juste, je voulais voir si vous pourriez éventuellement nous donner un coup de main.

— Ce n'est pas évident, répondit-il, car j'ai surtout travaillé dans la brigade de répression des fraudes, de sorte que je ne m'occupais pas des histoires de meurtres.

— Certes, mais il n'empêche que vous avez été affecté à un moment à la PJ de Richmond.

— Oui, c'est vrai. J'y ai travaillé de 1995 à 1998, si ma mémoire est bonne. Ensuite, je suis retourné à la brigade des fraudes.

— C'est une affaire dont vous avez hérité à l'époque qui

m'amène. Elle concernait un dénommé Stefan Korsakov qui, en 1996, s'est fait interpeller par la brigade de surveillance des parcs…

— Parce qu'il était en train de violer un jeune homme, compléta Jarratt. Après l'avoir ligoté et bâillonné, il l'avait menacé d'un stylet, puis avait abusé de lui. Je ne crois pas que je l'oublierai, celui-là… Et vous non plus, d'ailleurs, si vous vous retrouviez face à lui.

Le silence retomba dans la cuisine. Jarratt venait de lui tenir des propos qui n'étaient pas banals, puisque les flics n'exagéraient jamais le choc qu'ils avaient pu ressentir devant un assassin. Sally se demanda, par conséquent, ce que ce Korsakov avait de particulier.

— Qu'est-ce qu'il avait de spécial ?

— Une absence totale de remords. Son seul regret, c'était de s'être fait piquer, et encore uniquement parce qu'il allait se retrouver à l'ombre et, par conséquent, dans l'impossibilité de recommencer avec un autre. Il n'en a pas parlé pendant l'interrogatoire, en fait il n'a rien dit du tout, mais je savais qu'il aurait assassiné le petit jeune s'il n'avait pas été dérangé. On a été effondrés que la famille refuse qu'on le poursuive pour viol ; je me souviens de la tête qu'il a faite en apprenant la nouvelle. Décidément, il n'y en a que pour la canaille. À tout prendre, il aurait mieux valu qu'il tombe par mégarde d'une fenêtre du cinquième étage.

Sally eut un sourire gêné, mais garda le silence. Jarratt s'en fut lui servir une tasse de thé.

— Je n'ai pas besoin de vous expliquer ce qu'on ressent lorsqu'on voit une ordure comme lui être relâché, surtout quand on sait qu'il ne va pas tarder à commettre un autre viol, voire pour le coup un assassinat.

— Mais il ne s'en est pas sorti comme ça, puisqu'il a plongé pour une histoire d'escroquerie. Il paraît d'ailleurs que c'est grâce à vous.

Dans la bouche de Sally, c'était là un compliment.

— Oui, pour moi, il n'était pas question qu'il s'en tire à bon compte. Quand j'ai appris qu'il avait monté une arnaque, j'ai décidé d'en avoir le cœur net. Et même s'il a fait de la taule, il n'a pris que quatre ans. Quand on pense à tous ceux qu'il a entubés et au fric qu'on n'a jamais retrouvé…

Sally s'intéressait en l'occurrence moins au voleur qu'au violeur.

— Vous a-t-il donné l'impression de savoir ce qui pouvait ressortir d'une expertise médico-légale ? demanda-t-elle.

— Absolument. Il suffisait de voir comment il était habillé, quel genre d'individu il avait choisi, l'endroit où il avait décidé de l'aborder, sans oublier non plus qu'il avait mis un préservatif. Il a tout simplement joué de malchance, et c'est tant mieux. D'autant plus qu'il aurait tiré la leçon de ses échecs et n'aurait cessé de faire des progrès. Il était par-dessus le marché très organisé et il avait monté des arnaques tout simplement géniales, en se débrouillant, comme je l'ai dit, pour faire disparaître le fric. Ce qui n'est pas facile, de nos jours, enchaîna-t-il. Les dealers milliardaires, les comptables véreux qui travaillent pour la municipalité, les gouvernements corrompus dépensent tous une fortune pour placer discrètement leur argent sur des comptes en banque. Il n'est pas possible de planquer des millions sous son matelas, et même si c'était le cas, on ne peut pas payer de grosses sommes en liquide. Ça paraît louche. C'est ce qui nous permet le plus souvent de les coffrer et de récupérer l'argent. Mais Korsakov, lui, était trop malin pour procéder ainsi. Maintenant, dites-moi, il a commis un autre viol, ou bien il a assassiné quelqu'un ?

Sally hésita à répondre, sans trop savoir pourquoi.

— On ne sait pas si c'est Korsakov qui a fait le coup. Disons que l'on a constaté des ressemblances entre l'affaire dont vous vous êtes occupé et la nôtre. Il y a quand même quelque chose qui me gêne.

Jarratt la regarda, sans trahir la moindre expression.

— Je vous écoute.

— Tout indique que Korsakov est un récidiviste, vous l'avez vous-même souligné.

— En effet.

— Or la police n'a plus jamais entendu parler de lui.

— Parce qu'il est mort ou qu'il est parti à l'étranger. Espérons que la première hypothèse soit la bonne.

— Ou alors on n'a pas encore réussi à le coincer.

Cela fit rigoler Jarratt.

— Je sais bien que nous ne sommes pas parfaits, mais on a toujours réussi à choper les récidivistes au bout de deux ans maximum. Même avant de croiser les fichiers informatiques, de recourir à l'ADN et de faire appel à la télé par le truchement d'émissions comme *Crimewatch*, on finissait par les avoir, car ils commettaient toujours une erreur. Bref, s'il se trouvait en Grande-Bretagne, il continuerait à sévir, il ne pourrait pas s'en empêcher. À moins qu'il ne change constamment d'identité et ne reste jamais plus d'un mois ou deux au même endroit. Il en est capable.

— Il y a peut-être quelque chose sur lui aux archives nationales, je vais me renseigner. Enfin, grâce à vous, on a ses empreintes digitales et on va voir si elles correspondent à celles qu'on a retrouvées sur la scène du crime.

Jarratt plissa les yeux :

— Si vous découvrez un acte de décès, prévenez-moi. En revanche, s'il est en train de se dorer la pilule en Thaïlande, je préfère ne pas le savoir.

Sally trouva que d'un seul coup Jarratt faisait vieux, elle préféra donc ne pas insister et se leva.

— Merci de m'avoir reçue. J'ai juste encore une dernière chose à vous demander.

— Oui ?

— Quand vous l'avez déféré devant le juge d'instruction, vous l'avez pris en photo ?

— Évidemment.

— Eh bien, figurez-vous que celles-ci ont disparu de son dossier conservé à Richmond.

— C'est dommage, mais ça arrive.

— Voyez-vous quelqu'un qui aurait eu envie ou besoin de les récupérer ?

— Non, personne ne m'a jamais parlé de lui.

— Tant pis. Enfin, ce n'est pas grave.

Jarratt la raccompagna, posa la main sur la poignée de la porte, mais sans la tourner.

— Puis-je vous demander ce qui vous a mis sur la piste de Korsakov, et incidemment sur la mienne ?

— Le casier judiciaire, puisque c'est vous qui vous étiez chargé de l'enquête à l'époque.

Jarratt ne réagit pas.

— Oh, j'allais oublier, j'aimerais que vous jetiez un œil à cette photo.

Elle lui en montra une d'Hellier, prise quelque temps plus tôt par les flics qui le filaient.

— Est-ce que cette tête vous dit quelque chose ?

Jarratt la regarda, sans manifester la moindre émotion.

— Non. Pourquoi, je devrais ?

— Pas du tout, c'était juste un dernier point que je voulais régler. Maintenant, il ne me reste plus qu'à vous remercier de m'avoir consacré du temps.

— Quand vous voulez. C'est un plaisir de se sentir encore utile.

Ils se serrèrent la main, et Sally regagna sa voiture.

***

— Il faut reconnaître que c'est un malin et qu'il réagit au quart de tour. Dès qu'on découvre quelque chose qui permettrait de l'incriminer, il s'arrange pour que ça n'ait plus aucune valeur, soupira Donnelly.

— Dans ce cas, il ne nous reste plus qu'à trouver d'autres preuves, dit Sean.

— Qu'est-ce que ça donne du côté de l'ADN et des fluides organiques ?

— Ça ne marche pas. Il reconnaît avoir eu des rapports sexuels avec Daniel Graydon, puis être allé chez lui, de sorte qu'on peut retrouver tout ce qu'on veut de ce côté-là, ça ne prouve rien. Il faudrait qu'on relève du sang de la victime sur ses vêtements pour que les autres indices le désignent comme le coupable.

— Alors qu'est-ce qu'on fait, on le remet en liberté ?

— Absolument. Le déférer maintenant devant un juge, ce serait admettre implicitement que nous ne disposons pas d'assez d'éléments concordants pour le faire reconnaître coupable. En outre, nous n'aurions plus le droit de l'interroger ou de réaliser sur lui d'autres prélèvements de fluides organiques. Il nous serait même impossible d'organiser un tapissage. J'ai déjà commis l'erreur de procéder ainsi, et je ne vais pas recommencer. Il va donc falloir s'y prendre autrement pour le coincer, en l'attaquant là où il ne s'y attend pas.

— Vous voulez dire trouver un autre crime qu'il aurait commis ? fit Donnelly, qui n'y croyait guère.

— Tout juste. Pendant l'interrogatoire, je me suis demandé brusquement s'il ne nous avait pas menés en bateau en nous racontant qu'il était un client habituel de Daniel Graydon.

— Je ne vous suis pas.

— Et si justement il ne se passait rien entre eux, que faudrait-il en conclure, sinon qu'il l'a choisi parmi tous ceux qui se trouvaient là, et qu'ensuite il l'a assassiné ? Par conséquent, il nous baladerait en nous racontant qu'il le voyait tous les quinze jours et il nous aiguillerait sur une fausse piste. Au fond, c'est peut-être beaucoup plus simple qu'on ne le croit : il a zigouillé un mec qu'il avait pêché dans le lot, seulement il a commis des erreurs : on l'a reconnu dans la boîte de nuit, et il a laissé une empreinte digitale sur la scène du crime, alors maintenant il essaie de brouiller les pistes. Il sait pertinemment que s'il reconnaît n'être allé qu'une seule fois chez

Daniel Graydon, il se désigne du même coup comme étant un prédateur.

— On sait pourtant qu'il l'avait déjà vu au moins une fois, objecta Donnelly. Le videur, Young, les a aperçus un soir en train de discuter dehors, puis ils sont partis ensemble.

Sean avait déjà réfléchi à la question.

— Bien sûr qu'il le connaissait et s'était déjà rendu chez lui. Il y tenait, figure-toi.

— Pour quelle raison ?

— Parce que ça donnait de la consistance à celui qui allait devenir sa victime. Il avait besoin de le sentir, de le déguster, de fantasmer sur lui. Il l'a donc dragué dans la boîte, ou bien dehors, peu importe, et ils sont vraisemblablement allés chez le petit jeune pour baiser. Une fois sur place, il a tout noté, tout enregistré, et une fois qu'il a été certain que l'autre méritait qu'il lui témoigne des égards très particuliers, il est reparti. Il l'a ensuite surveillé, s'excitant chaque jour davantage, ses fantasmes devenant de plus en plus pervers et violents, jusqu'à ce qu'il n'en puisse plus et qu'il aille l'attendre devant la boîte de nuit. Quand Daniel Graydon est sorti, il l'a suivi, ou alors il l'a abordé dans la rue, sans l'effrayer, puisqu'il avait déjà été son client. Quoi qu'il en soit, une fois arrivé chez le petit jeune, il les a réalisés, ses fantasmes. Mais comme il avait commis deux erreurs, il nous a raconté qu'il entretenait des rapports suivis avec Daniel Graydon, afin de nous égarer et de faire en sorte qu'on ne comprenne pas du tout pourquoi il avait eu envie de l'assassiner, alors que la véritable raison, c'est qu'il s'y est senti obligé.

— Putain… Et maintenant, qu'est-ce qu'on fait ?

— Prends quelqu'un avec toi et libère Hellier sous caution, en lui demandant de se pointer ici dans quinze jours. Son avocat va te demander pourquoi on veut qu'il revienne, tu lui répondras qu'à ce moment-là on vérifiera ses déclarations, car on ne l'a pas encore disculpé. Et puis rappelle sur-le-champ les gus chargés de le surveiller. Dès qu'il sort d'ici, je ne veux pas qu'ils le lâchent d'une semelle. On va continuer à lui mettre la pression, jusqu'à ce qu'il fasse une connerie.

***

Templeman sortit le premier du commissariat, afin de vérifier que la voie était libre et qu'Hellier pouvait s'en aller incognito. Celui-ci déchanta bien vite.

— Désolé, James, lui dit son avocat, mais on dirait que la presse a eu vent de votre interpellation.

— Vous êtes sûr qu'ils sont là à cause de moi ?

— J'en ai bien peur, puisqu'ils m'ont déjà demandé de faire une déclaration. Ils savaient que l'on vous a interpellé parce que l'on vous soupçonne d'avoir commis un meurtre.

— Quel salaud, ce Corrigan ! C'est lui qui les a prévenus, il essaie de me détruire.

— Je vais leur expliquer que l'on vous a remis en liberté et que vous n'avez fait que répondre aux questions que la police vous a posées. Attendez-moi ici, et quand j'en aurai fini, je reviendrai vous prendre avec la voiture. Je vous conseille, à ce propos, de vous cacher le visage quand vous sortirez.

— Hein ?

— Au cas où il y aurait un photographe en embuscade. Vous n'avez qu'à vous servir de mon imper, ajouta-t-il en le lui donnant.

— Vous voulez que je me couvre la tête avec ce machin-là, comme un vulgaire pédophile ? Autant leur raconter que je suis coupable !

— Je vous en prie, calmez-vous. Peu importe que l'on cite votre nom, si l'on ne voit pas votre visage.

— D'accord, mais sachez bien que moi, on ne m'humilie pas impunément.

— À votre place, je ne chercherais pas à me venger, lui conseilla Templeman.

Écœuré, Hellier se rapprocha de son avocat.

— Faites ce que je vous demande et sortez-moi de là, compris ? Je dois participer ce soir au dîner de gala de l'industrie. Ça va barder si je n'y vais pas, Sebastian est déjà en train de me talonner.

Hellier tendit le cou, pour tâcher de remédier à son torticolis, ce qui fit craquer ses vertèbres et tressaillir Templeman, puis il lui prit son imper.

— Trouvez-moi un taxi, dit-il.

***

Sally revint à la PJ en début de soirée, et elle avait hâte de savoir s'il y avait du nouveau. Il ne restait plus que Sean, installé dans son bureau. Elle frappa, il leva les yeux.

— Tout va bien ?

— À merveille, grinça-t-il.

— J'imagine qu'Hellier n'a pas avoué.

— En effet.

— Et l'empreinte digitale que l'on a retrouvée dans l'appartement de Daniel Graydon ?

— Il a expliqué qu'il nous avait menti, au départ, et qu'il y était déjà venu plusieurs fois.

— C'est aussi ce que j'aurais raconté, à sa place.

— Moi de même. On l'a remis en liberté provisoire sous caution, en attendant la suite de l'enquête. Au fait, qu'est-ce que ça a donné du côté de Machin Chouette ?

— Korsakov. Eh bien, j'ai réussi à retrouver l'un de ceux qui ont mené l'enquête à l'époque, ça n'a pas été inintéressant, mais il ne m'a pas appris grand-chose de plus que ce que je savais déjà après avoir consulté les dossiers du casier judiciaire. Il n'a pas travaillé longtemps à la PJ et il n'a pas non plus été en mesure de me montrer des photos.

— Si ça ne te dérange pas, j'aimerais faire comparer ses empreintes digitales à celles qu'on a relevées sur la scène de crime.

On ne sait jamais.

— Comme tu veux. Adresse-toi pour ça à Collins. Maintenant, si tu veux bien m'excuser, il faut que je rentre chez moi avant que mes enfants oublient à quoi je ressemble. Tu devrais faire pareil et aller dormir.

— C'est ce qui va se passer. En tout cas, s'il est coupable, on le coincera tôt ou tard. On finira pas prouver que c'est lui l'assassin, ce n'est qu'une question de temps.

— Bien sûr, c'est toujours comme ça. À ce propos, tu lui as montré la photo ?

— Oui.

— Et alors ?

— Sa tête ne lui disait rien.

— Ce n'est pas grave. D'ailleurs, je ne me faisais pas trop d'illusions.

**

Jarratt était chez lui, en train de regarder la télé avec sa femme et ses enfants. On annonça, aux infos locales, que l'on avait procédé à une interpellation dans le cadre du meurtre de Daniel Graydon. Le nom du suspect était bien celui que lui avait indiqué Sally Jones, l'inspectrice principale.

Le journaliste en faction devant le commissariat de Peckham avait expliqué que l'individu en question « répondait aux questions des policiers », en clair qu'on l'avait arrêté. Ce n'était qu'un bref reportage, puisque de nos jours on ne se formalise pas trop à Londres de la mort d'un homme qui se prostituait. Il en écouta la fin : « La police s'est jusqu'alors refusée à tout commentaire, mais on pense que l'homme interpellé est un dénommé James Hellier, expert-comptable et associé renommé au sein de Butler and Mason, une société ayant pignon sur rue, dont les locaux se trouvent à Knightsbridge, un quartier très chic du centre de Londres. Si l'avocat de monsieur Hellier n'a pas voulu confirmer que c'était bien son client qui a été placé en garde à vue, il a néanmoins affirmé que celui-ci n'avait rien à cacher et qu'il était heureux d'apporter son concours à la police. »

Pour lui, c'était une véritable catastrophe. Ce qu'il appréhendait le plus était en train d'arriver. Il s'en fut à la cuisine se servir un grand whisky, qu'il but à grandes gorgées en tenant le verre d'une main tremblante. Il ne fallait surtout pas qu'il s'affole s'il voulait rester maître de la situation. Mais c'était plus fort que lui, il cédait à la panique, car il savait pertinemment ce qui allait se passer.

***

Sean était assis en silence devant la télé, sans vraiment la regarder. Il s'était installé sur une chaise, et non sur le canapé auprès de Kate, pour éviter qu'elle le sente crispé.

— Sean ? lui lança-t-elle.

Il resta muet.

— Sean ?

Cette fois, il tourna la tête dans sa direction.

— Tu veux m'expliquer ce qui te tracasse ?

— Pas vraiment.

— Ça peut te faire du bien d'en parler.

— Bah, ce n'est rien. Je croyais avoir chopé le suspect numéro un, mais il a trouvé une échappatoire.

— Tu l'auras. Rappelle-toi ce que tu m'as toujours dit, il faut laisser le temps au temps, même si ça semble très compliqué au départ.

— Oui, mais celui-là me cause des soucis. Chaque fois que je pense l'avoir coincé, il parvient à s'en sortir. Au début, je pensais qu'il réagissait au quart de tour et trouvait tout de suite la parade quand on retenait quelque chose contre lui, mais maintenant je n'en suis plus certain. À mon avis, il a une stratégie. Dès l'instant où il a su qu'on l'avait dans le collimateur, il a trouvé le moyen de nous envoyer sur une fausse piste, et ça, c'est de ma faute. J'ai abattu mes cartes trop tôt. Je n'aurais jamais dû lui montrer qu'on le soupçonnait, je n'aurais pas dû non plus aller le voir sur son lieu de travail. J'aurais dû me borner à le surveiller, en attendant qu'il nous fournisse de lui-même la preuve de sa culpabilité. Il faut désormais que je joue le jeu, or d'après ce que j'ai pu constater, il excelle dans ce domaine. J'irais même jusqu'à dire qu'il s'est amusé à nous rouler dans la farine.

Sean se leva brusquement de sa chaise et s'en fut se servir un verre d'eau à la cuisine. Kate le suivit. Elle l'avait déjà vu dans cet état lorsqu'il patinait dans une enquête, mais pas à chaque fois. Il était donc préférable de l'amener à parler plutôt que de le laisser ruminer et ressasser son passé, avec tout ce qu'il avait pu avoir d'affreux.

— Allons, ne sois pas obnubilé par lui.

— Comment ça ?

— Tu devrais éviter de trop t'investir dans cette enquête et d'en faire une histoire personnelle.

— Au contraire, c'est toujours ce qui me permet de les coffrer.

— Je sais, mais fais gaffe et n'essaie pas de tout résoudre par toi-même.

— Pourquoi, tu as peur que je pète les plombs ?

— Ce n'est pas ce que je voulais dire.

— Ah bon ?

Elle était au courant de ce qu'il avait vécu dans son enfance, des problèmes qu'il avait eus avec son père qui le frappait et le maltraitait. Il ne lui avait rien caché, et elle n'ignorait pas qu'il en restait traumatisé et en gardait une immense rancœur. C'était inévitable. Mais elle savait aussi qu'il n'avait rien de commun avec son père, ni avec ceux qu'il traquait. Aurait-elle eu le moindre doute à ce sujet qu'elle ne l'aurait jamais épousé, et certainement pas eu d'enfants avec lui.

— Ne me traite pas comme ça, Sean, je ne le mérite pas.

— Excuse-moi.

Il but un peu d'eau.

— Malgré tout, est-ce qu'il t'arrive d'y penser et d'avoir peur que je devienne comme lui ?

— Non. Tu as compris que tu portais ça en toi et tu as tenu à t'en débarrasser avant que ça ne rejaillisse sur autrui.

— On m'y a aussi beaucoup aidé.

— Mais il fallait, au départ, que tu décides de t'en sortir.

— Tu parles, dit-il avant de boire une autre gorgée, je me demande parfois si je ne suis pas en train de correspondre au schéma classique du petit garçon maltraité par son père et qui se comporte ensuite comme lui, à l'âge adulte.

— Sauf que ce n'est pas ce qui s'est passé, car tu es devenu flic. Ce que tu as connu autrefois te sert à venir en aide aux autres, et non à les agresser.

Ils se turent, Kate s'approcha et lui prit le visage entre les mains.

— Tu restes traumatisé par ton passé, mais c'est également ce qui te permet de te mettre à la place des criminels que tu pourchasses et de prévoir leurs réactions. Tu les reconnais tout de suite, ce qui n'est pas le cas de la plupart des gens.

— Pas avec ce type. Je n'arrive toujours pas à le percer à jour.

— Ça va venir, sois patient.

Ils observèrent de nouveau un moment de silence. Sean reprit la parole :

— Est-ce que tu imagines ce que c'est que d'arriver à se glisser dans leur peau ?

— Non. À chaque fois que je te vois dans cet état, je suis bien contente de ne pas en être capable.

— Je sais comment ils fonctionnent, comment ils ressentent les choses, comment ils s'excitent, souffrent, ou bien sont désemparés.

Elle lui caressa les cheveux.

— Oui, mais ça t'aide à les arrêter.

— Il m'arrive d'avoir l'impression de trop leur ressembler et de risquer de tomber dans les mêmes travers qu'eux.

— Tu devrais peut-être en parler à ta psy ? Ça fait un moment que tu n'es pas allé la voir.

— Non, ça va, je vais régler ça tout seul. Il faut seulement que tu me rappelles de temps à autre qui je suis.

— Tu le sais, qui tu es, et cela depuis l'instant où tu as décidé d'entrer dans la police.

— Il faut croire…

— Il y a autre chose qui te tracasse, je le vois bien à ta tête. Qu'est-ce que c'est ?

— J'ai été témoin d'une scène étrange aujourd'hui.

— Ça nous arrive tous les jours, dans nos métiers.

— Il y avait un oiseau mort sur le toit, en face de la fenêtre de mon bureau, au milieu des bouches d'aération. J'ai d'abord cru que c'était un pigeon, puis je me suis rendu compte qu'il s'agissait d'une pie, car il y en a plein d'autres qui sont venues se poser autour. Non pas pour la dévorer, mais pour lui apporter des cadeaux : des brindilles, des petits cailloux brillants, de quoi manger… Au bout d'un moment, j'ai compris que les pies venaient tout simplement pleurer la mort de l'une des leurs. J'étais loin de me douter qu'elles puissent agir ainsi.

— Et ça t'a dérangé ?

— Non, mais ça m'a donné à réfléchir.

— À quoi ?

— Au fait qu'on ne les juge pas. Quand elles bouffent les autres bestioles écrasées sur la route ou quand elles tuent les petits des autres oiseaux, on ne les juge pas, dans la mesure où elles ne font qu'obéir à leur instinct. Au fond, ce ne sont que des animaux qui, de surcroît, n'hésitent pas à se repaître des autres, et pourtant elles font comme nous le deuil de leurs morts, ce que je ne savais pas.

— Et alors ?

— Eh bien, ça prouve que, contrairement à l'idée reçue, nous ne sommes pas très différents de ces bêtes qui mangent leur proie, et que les assassins que je pourchasse ne tuent peut-être que parce qu'ils ont ça dans le sang et qu'ils ne peuvent pas faire autrement. Ça ne nous empêche pas de nous ériger en juges et de les traiter comme s'ils étaient des individus normaux.

— Il faut bien quand même mettre un terme à leurs méfaits, ce qui est précisément ton rôle.

— Je sais.

Kate poussa un soupir.

— Je suis fière de ce que tu fais, déclara-t-elle, et de savoir que c'est toi qui cherches à les coincer. Il arrive que ça me fasse peur, mais tant pis.

Sean repoussa son verre.

— Merci, merci de me supporter. Promets-moi seulement une chose.

— Quoi donc ?

— De ne pas me laisser tomber, de ne pas perdre espoir en moi.

Kate noua les bras autour de son cou et l'attira à elle.

— Ne t'inquiète pas à ce sujet. Mais, de ton côté, ne me rejette pas.

***

Sebastian Gibran était attablé au milieu du Criterion, une ancienne et vaste salle de bal de Piccadilly Circus transformée en restaurant chic et hors de prix. Habituellement fréquenté par les gens riches et célèbres ainsi que par les frimeurs, cet établissement était ce soir-là réservé aux financiers de Londres. L'éclairage avait beau être davantage tamisé qu'en temps normal, Gibran distinguait quasiment tous ceux qui se trouvaient là. Il chercha Hellier, tout en échangeant des banalités avec d'autres convives, ne le vit pas et regarda sa montre. Son associé était en retard, on avait déjà eu droit aux amuse-gueules, et d'ici peu plusieurs personnes prononceraient une allocution. L'absence d'Hellier ne passerait pas inaperçue, il ne fallait pas se leurrer. Le patron du restaurant vint lui glisser un mot à l'oreille :

— Excusez-moi, mais il y a au salon des messieurs qui aimeraient vous dire un mot.

Gibran comprit tout de suite de quoi il retournait, et pour quelle raison ces types désiraient le voir.

Il déposa sa serviette sur la table, se leva et traversa discrètement la salle de restaurant, avant de grimper les quelques marches qui conduisaient au salon, où des agents de sécurité et des serveurs s'écartèrent sur son passage, comme si on les avait prévenus de son arrivée. Deux gorilles sanglés dans des costumes impeccables lui tinrent la porte, et il entra dans une pièce au décor feutré où était réuni tout le gratin de la finance. Deux hommes d'un certain âge étaient assis dans des fauteuils, devant une table. Le teint hâlé, les cheveux gris argenté, le regard vif, ils avaient chacun une montre en platine enchâssée de diamants. Il n'eut pas de mal à imaginer leur bagnole, leur baraque et les putes de luxe en compagnie desquelles ils allaient finir la soirée. Le premier buvait du vin rouge, l'autre un Martini, tout en tirant sur un Havane, sans que personne ne songe à lui dire que l'on n'avait pas le droit de fumer ici. Il reconnut les deux propriétaires de Butler and Mason, même s'il ne les avait vus qu'à deux reprises et ne leur avait adressé la parole qu'une seule fois.

Ils ne se levèrent pas pour l'accueillir.

— Excusez-nous, Sebastian, de vous soustraire quelques instants à votre repas, mais il y a longtemps que nous n'avons pas eu l'occasion de discuter, lui dit avec un accent germanique le type au cigare.

— Ça, c'est vrai, répondit-il, en se rendant compte aussitôt qu'ils s'offusquaient qu'on ne leur témoigne pas plus d'égards, mais je sais que vous êtes très occupés, et l'on me transmet toutes les informations indispensables.

— Bien sûr, déclara l'autre type qui, pour sa part, avait un accent slave, et nous espérons que vous savez à quel point vous être précieux pour notre société.

— Je me suis toujours senti à ma place à Butler and Mason, déclara Gibran, pour les flatter. Je crois en ce que nous faisons, et rien ne compte davantage à mes yeux.

— À la bonne heure, dit le fumeur de Havane. Il paraît néanmoins que l'un de nos employés a amené la police à s'intéresser à nos affaires, ce qui est regrettable.

Gibran s'éclaircit la gorge.

— Les mauvaises nouvelles se propagent vite… observa-t-il, ses deux interlocuteurs restant de marbre.

Le premier téta son cigare et le dévisagea, au milieu d'un nuage de fumée bleue. Gibran se voulut rassurant :

— Il n'y aura pas de problème. Les flics ont tout simplement fait erreur sur la personne et ils vont vite dissiper ce malentendu.

Les deux autres le sondèrent du regard, et il se rendit bien compte qu'à la moindre erreur de sa part il serait viré sur le champ. Mais ça ne le dérangeait pas qu'on le mette sous pression, car il en avait l'habitude et il aimait ça, ce qui expliquait justement pourquoi on le payait aussi bien.

— Nous devrions peut-être le suspendre provisoirement, en attendant que ce… malentendu soit dissipé, suggéra l'amateur de vin rouge.

— Ce ne serait pas très avisé, puisque rien ne prouve qu'il a commis quelque chose de grave, du moins c'est ce que m'explique son avocat. Pour l'instant, je préfère l'avoir près de moi et le tenir à l'œil.

— Sait-il que vous êtes en contact avec son avocat ? demanda l'homme au cigare.

— Non.

— Parfait, conclut son acolyte. Nous constatons que vous êtes conscient des responsabilités qui vous incombent.

Là encore, c'était une menace à peine voilée : si jamais il ne réglait pas cette histoire dans les plus brefs délais, il ne ferait pas de vieux os à la tête de Butler and Mason.

— Oh, mais j'en ai parfaitement conscience, déclara-t-il.

— Évidemment. Vous avez de multiples compétences, Sebastian, voilà pourquoi nous aimerions savoir si vous avez déjà envisagé de vous lancer dans la politique.

Gibran cacha mal sa surprise.

— Me lancer dans la politique ? Désolé, messieurs, mais je ne suis pas fait pour ça.

Le fumeur de Havane s'esclaffa.

— Croyez-moi, dit-il, pour réussir en politique, mieux vaut ne pas trop la prendre au sérieux.

Le buveur de vin l'approuva en riant à son tour. Gibran, quant à lui, ne vit pas ce qu'il y avait de drôle, et il n'appréciait guère l'arrogance et le mépris de ces types qui s'imaginaient savoir comment marchait le monde, ou plutôt, qui avaient le sentiment de tout contrôler sur terre.

— Nous ne vous demandons pas de devenir député, mais de nous dire si ça vous intéresserait d'être nommé conseiller auprès du gouvernement. En effet, nous pouvons arranger ça.

— Dans quel parti politique faudra-t-il que je m'inscrive ?

— Celui qui vous plaira. Nos entreprises se montrent très généreuses aussi bien envers les travaillistes qu'à l'égard des conservateurs. Nous pensons qu'un homme comme vous pourrait très vite occuper un poste influent au sein du gouvernement. Ça vous dirait de conseiller le ministre du Commerce ?

— À moins que vous ne préfériez faire partie du ministère des Affaires étrangères, suggéra le fumeur de Havane.

— Je vais y réfléchir, promit Gibran, mais j'ai toujours cultivé la discrétion dans mon activité professionnelle et je suis resté en retrait. C'est ce qui sert le mieux mes ambitions.

— Soit, mais décidez-vous vite, car nous vous faisons là une proposition très intéressante. N'oubliez pas, Sebastian, que la religion est morte et que les hommes d'Église n'ont plus aucune influence. Ce sont désormais les gens comme nous qui les ont remplacés et qui fabriquent les idoles. Ça ne vous plairait pas d'en devenir une ?

« Quand je pense, se dit Gibran, que le pouvoir de ces deux vieillards repose sur des marchés qui peuvent s'écrouler d'un moment à l'autre, et qu'ils n'ont pas l'air de s'en rendre compte ! »

— Il vous faudra également régler le petit problème dont nous avons parlé tout à l'heure, avant que cela ne devienne gênant pour nous, ajouta son interlocuteur.

— Certes, mais dites-vous bien que l'employé en question n'ignore rien de nos pratiques et de nos façons d'opérer. S'il s'avérait indispensable de lui trouver une autre affectation, je suggérerais de l'envoyer dans l'une de nos succursales, à Vancouver ou Kuala Lumpur, par exemple, là où on pourrait continuer à le surveiller. Il ne serait pas sain que quelqu'un qui en sait autant que lui travaille pour la concurrence.

— D'accord, dit le buveur de vin rouge.

Le patron du restaurant revint lui chuchoter quelque chose à l'oreille. Gibran se leva.

— Je vous prie de m'excuser, messieurs, mais il faut que je prononce maintenant une petite allocution.

***

Hellier arriva au Criterion peu après 21 heures. Il était en retard, mais ça ne le dérangeait pas outre mesure, il fut même soulagé de constater que Gibran n'était pas là, et il en profita pour boire un verre. Il salua les convives assis à la même table que lui. Dans le lot, il en connaissait certains, mais au fond il se souciait comme d'une guigne de ce que tous ces gens pensaient de lui. Il attrapa un serveur au passage.

— Un grand Scotch avec des glaçons, lui dit-il, et surtout, du Single Malt !

Il chercha des yeux Gibran, sans le voir ; sans doute était-il en train de répéter son discours annuel dans les toilettes… Quel dommage qu'on ne l'ait pas invité, lui aussi, à prendre la parole, il aurait bien aimé leur dire leurs quatre vérités, à tous ces hypocrites !

En attendant qu'on lui apporte son whisky, il repensa à Corrigan. Les flics, il les connaissait et il savait comment ils fonctionnaient, mais il y avait chez celui-ci quelque chose d'inquiétant, qui l'incitait à redoubler de précautions. Ce n'était donc pas le moment de faire le malin et d'essayer de se montrer original, il devait au contraire s'en tenir à la ligne de conduite préétablie. Corrigan représentait un danger, c'était évident. Un homme en smoking donna des petits coups sur le micro installé devant l'estrade.

— Mesdames et messieurs, je vous présente Sebastian Gibran, de Butler and Mason, qui va nous faire part de ses réflexions.

Gibran fut chaudement applaudi, sans déclencher toutefois un véritable enthousiasme, tandis qu'Hellier étouffait un grognement. Heureusement, on lui apporta alors son verre, dont il but la moitié d'un seul coup.

Gibran leva la main pour réclamer le silence.

— Comme vous le savez, je ne suis pas un orateur, mais c'est toujours un grand honneur d'être invité à parler devant autant de personnalités marquantes de notre économie.

Quelques applaudissements saluèrent cette déclaration liminaire. Hellier marmonna dans son coin.

— J'ai toujours travaillé dans le secteur de la finance, mais jamais dans des conditions aussi éprouvantes qu'en ce moment, où la création et la détention de richesses sont décriées, non seulement par les jaloux, mais aussi par les démagogues qui veulent d'abord calmer l'inquiétude de tous ceux qui ne versent pas leur écot. Ces gens parlent, hélas, à tort et à travers. Il y déjà longtemps, se sentant mourir, l'un des hommes les plus riches du monde donna tout, absolument tout ce qu'il possédait. «Il n'y a rien de pire que d'être le milliardaire du cimetière», expliqua-t-il à ceux qui lui demandaient pourquoi il agissait ainsi. Il se trouve qu'il avait raison, et que la richesse ne présente en soi aucun intérêt. Ce n'est pas seulement ma conception des choses, mais aussi celle de la société dans laquelle je travaille. Depuis que le secteur bancaire a privilégié de façon inconsidérée la recherche du profit individuel, les gens ne font plus confiance à quiconque entretient des liens, même distants, avec les marchés financiers, ce qui nous concerne au premier chef. Nous sommes devenus la proie idéale de ceux qui veulent faire endosser aux autres la responsabilité de leurs propres erreurs. Je dînais il y a quelque temps avec ma femme et des amis lorsqu'une dame n'a pas hésité à me dire que l'ennui, avec nous, c'est que nous ne produisons rien et que, par conséquent, nous ne méritons pas qu'on nous témoigne de l'estime.

Hellier se rendit compte qu'il n'avait quasiment rien de commun avec les autres invités qui paniquaient à l'idée d'être mis sur la touche, alors qu'il était prêt à s'y résoudre, en cas de besoin, et d'y puiser de la force. Mais il n'en écouta pas moins attentivement le discours de Gibran, en observant aussi bien sa façon de changer de ton et de moduler sa voix que sa gestuelle, ainsi que les efforts qu'il déployait pour croiser le regard de ceux qui l'écoutaient. S'il devait un jour parler en public, il prendrait modèle sur lui. Il repensa alors à ce que lui avait dit Corrigan, pendant l'interrogatoire, à savoir qu'il n'était qu'une pièce rapportée, une simple caricature de Gibran. Or celui-ci était presque aussi perspicace que lui, il ne devait jamais l'oublier s'il voulait gagner la partie.

— J'ai donc expliqué à cette dame que sans des gens comme nous, Microsoft n'existerait pas et Bill Gates n'aurait jamais eu les moyens de réaliser ses projets. Il a fallu pour cela que des sociétés comme les nôtres réunissent des fonds. Il suffit de songer aux entreprises pharmaceutiques, grâce auxquelles des millions de gens ne sont pas morts de maladie : sans argent, elles n'auraient pas vu voir le jour. Il en va de même pour toute autre société privée, qu'elle fabrique des voitures ou des cartes postales. Qu'on ne vienne donc pas nous dire que nous ne produisons rien.

Il fut salué par une salve d'applaudissements.

— Cependant, reprit-il, nous ne pouvons pas nous en tenir là. À quoi bon constituer une petite élite disposant de moyens considérables, si les autres vivent comme des parias et n'ont plus aucun espoir ? Je partage l'idéal socialiste, mais à condition que nous soyons tous égaux dans la richesse, et non dans la pauvreté. Aucun gouvernement ne peut cependant atteindre cet objectif, car il voit sa marge de manœuvre réduite par des élections qui ont lieu tous les quatre ans et qui lui imposent d'obtenir très vite des résultats. Il faudra des dizaines d'années pour construire un monde dans lequel il fera bon vivre, ce qui explique pourquoi nous devons nous charger de ce qui est depuis trop longtemps le monopole de l'État. Il convient ainsi de mettre sur pied des écoles privées qui ne soient pas trop chères, mais où l'on dispense aux enfants une éducation solide, dans un cadre où règnent l'ordre et la sécurité.

Une fois de plus, il déchaîna l'enthousiasme de son auditoire.

— Nous financerons aussi la construction d'hôpitaux privés, réservés à ceux qui ne sont pas responsables de la maladie qu'ils ont contractée ou de la blessure qu'ils ont subie, sans avoir à nous occuper des alcooliques, des fumeurs et des obèses. Dans le même état d'esprit, nous apporterons les fonds nécessaires à la construction de lotissements disposant chacun de leur police privée, où les émeutiers et autres pillards ne pourront accéder. Tout le monde finira par adopter ce mode de vie, tant et si bien que le secteur public, dans lequel on engloutit des milliards en pure perte, n'aura plus de raison d'être. Grâce au milieu de la finance, le secteur privé réussira là où tous les gouvernements ont échoué.

Les dernières déclarations de Gibran mirent carrément en transe son auditoire, Hellier lui-même ne pouvant s'empêcher d'admirer son habileté. Il n'avait pourtant aucune raison de se réjouir et il s'en rendit compte presque aussitôt, car il venait de constater que Gibran était un adversaire redoutable. Avec Corrigan, ça lui en faisait maintenant deux. Au moins avec le flic on n'était jamais surpris, il vous fonçait dessus tête baissée, comme un taureau, advienne que pourra. Gibran en revanche était aussi traître et perfide qu'un serpent à l'affût, aussi discret qu'un requin qui évolue dans une mer calme, à quelques mètres de profondeur, et attend que l'eau se teinte de sang pour attaquer sa proie. Ils représentaient l'un et l'autre une menace, et pourtant il ne se laisserait pas intimider.

— Il est cependant indispensable que cette collaboration s'effectue dans un cadre concurrentiel, expliqua Gibran pour conclure. Autrement dit, il n'est pas question de former des cartels mais, afin de parvenir à ce but, les entreprises privées doivent chercher à atteindre leurs propres objectifs.

Gibran balaya la salle du regard et croisa celui de son associé qui jubilait intérieurement, car sans rien faire, il venait de marquer des points. Le patron de Butler and Mason se croyait peut-être malin, mais il venait de commettre une imprudence en abattant ses cartes. Sachant désormais à quoi s'en tenir, Hellier n'avait plus qu'à attendre le moment propice pour lui régler son compte…

Chapitre 13

J'ai attendu longtemps avant de le trouver et j'ai dû faire preuve d'une grande patience. Je l'ai cherché pendant des années, et en fin de compte, c'est lui qui m'a découvert. Un beau jour, il est entré dans ma vie, nul doute qu'on me l'avait envoyé et que c'était un cadeau de la nature.

Son regard l'a trahi. J'ai su tout de suite que nous étions pareils, lui et moi. Le même genre d'individu, pour sûr. Il avait bien réussi à donner le change et à avoir l'air normal. Les autres s'y sont laissé prendre, mais pas moi, et quand il m'a regardé, il n'a rien remarqué. Moi, j'ai vu le mépris qu'il éprouvait à mon endroit, comme pour n'importe qui d'ailleurs. Même ceux de mon espèce sont incapables de me reconnaître sous mon déguisement. Il ne me restait plus qu'à patienter encore un peu, un an ou deux, et je pourrais alors m'y mettre…

Le film que je préfère, c'est *West Side Story*. Pourquoi ? À cause de la violence, de la violence à l'état pur et poussée à l'extrême. La chorégraphie est violente, la musique est violente, le décor est violent, à l'image du soleil rouge qui embrase New York du début jusqu'à la fin. C'est un film à message, sur le fait que la violence prévaut dans tous les aspects de notre vie. Roméo et Juliette, ou le triomphe de la violence sur l'amour, puisqu'il n'y a de vrai que la violence.

Moi, je le comprends, mais pas vous. Devant la violence, vous tremblez et vous allez vous cacher dans votre coin. Vous dénoncez en elle le fléau de la vie moderne, vous punissez les jeunes parce qu'ils se montrent hyperviolents, vous essayez de la bannir à la télé, d'empêcher qu'elle ne se manifeste lors des matchs de foot. Votre gouvernement dépense chaque année des sommes folles pour tenter de l'éradiquer de la vie sociale.

Sauf que la violence, c'est la vie. Sans elle, il n'y aurait pas de vie, car elle en est la force motrice, qui révèle son immense beauté.

L'évolution s'opère dans la violence, par le truchement de la rivalité qui existe entre les espèces. Sans cela, nous vivrions toujours dans les arbres. Non, même pas, nous ne serions encore que des organismes unicellulaires. Vous n'en considérez pas moins la violence comme un ennemi, alors que c'est votre allié le plus précieux.

Moi, je la comprends, la violence. Elle rencontre mon adhésion, et j'en tire parti. Grâce à elle, je suis en train de devenir quelque chose d'inimaginable…

Chapitre 14

Mardi matin

On n'était qu'en début de matinée, mais Sean se trouvait déjà au bureau, et il y avait de plus en plus d'animation dans le commissariat à mesure que les flics venaient prendre leur service. On frappa à la porte, il leva les yeux. Le commissaire Featherstone attendit qu'il lui dise d'entrer.

— Comment ça va, patron ?

Featherstone arrivait avec deux express achetés dans une boutique de plats et de boissons à emporter. Il en déposa un devant Sean, puis s'assit.

— Je n'ai encore jamais vu un inspecteur principal dire non quand on lui offre un kawa.

— Merci.

Sean prit son café et comprit à ce moment-là ce qui amenait Featherstone : il ne lui avait pas demandé son avis pour procéder à l'interpellation d'Hellier, alors qu'il aurait dû obtenir son accord.

— Puisque vous êtes là, il y a deux ou trois petits trucs qu'il faut que je vous annonce.

— Tiens donc, comme le fait que vous avez mis un suspect en garde à vue, par exemple ?

— Entre autres.

— C'est à la télé que j'ai appris qu'on l'avait arrêté.

— Désolé, j'ai oublié de vous prévenir.

— Je sais qu'il vous arrive de ne plus savoir où donner de la tête, mais mon rôle est de vous permettre de faire votre boulot tranquil-

191

lement, sans qu'on vienne vous casser les pieds, et pour cela j'ai besoin de savoir ce qui se passe. La prochaine fois, vous m'appelez, d'accord ?

— Oui.

Il ne pouvait pas rêver d'avoir meilleur supérieur que Featherstone, il n'était donc pas question de le mettre sur la touche.

— Ce James Hellier, vous êtes sûr que c'est lui, le coupable ?

— Autant que je peux l'être dans les conditions actuelles, mais tant qu'on n'a pas de preuves, on n'est guère avancés.

— S'il n'y a que ça, vous en trouverez, des preuves. En tout cas, vous aurez toujours mon soutien.

— Merci.

— De rien.

Featherstone se leva.

— Au fait, ce Hellier, il a l'air d'avoir des relations, si vous voyez ce que je veux dire.

— Je ne l'oublierai pas.

— Il vaut mieux.

— Dernière chose, dit Sean, êtes-vous toujours d'accord pour passer à la télé à ma place ?

— Vous ne devriez pas vous défiler, ça ne vous ferait pas de mal de cultiver un peu votre notoriété. C'est le genre de truc qui fait bien sur un CV, si l'on veut prendre du galon.

— Ça ne me tente pas vraiment.

— À vous de voir. Cela dit, quelles mesures devrions-nous prendre, selon vous ?

— À mon avis, il serait temps d'organiser un point de presse. Je m'en occupe et je vous tiens au courant.

— J'irai donc parler aux journalistes… soupira Featherstone.

***

Assis sur un fauteuil en cuir à dossier droit, Hellier écoutait Gibran, installé de l'autre côté d'un immense bureau en chêne entre deux types plus âgés, lui débiter son laïus d'une voix monocorde. Les autres devaient être les propriétaires de la boîte, des individus sur qui on ne savait pas grand-chose, même au sein de l'entreprise. Le teint mat, ils se débrouillaient en anglais, sans plus. Il trouva qu'ils faisaient vieux et physiquement diminués.

— Il faut bien que vous compreniez, James, que vous pouvez compter sur nous dans les épreuves que vous traversez, votre famille et vous, et je peux vous assurer que personne, dans notre société, n'accorde le moindre crédit à ces allégations ridicules.

Perdu dans ses rêveries, Hellier sursauta.

— Oui, bien sûr, et je vous remercie de me soutenir. Ça compte beaucoup pour moi.

— James, reprit Gibran, depuis votre arrivée, vous avez été l'un de nos meilleurs éléments, vous n'avez donc pas besoin de nous remercier.

« Arrête de jouer les saintes-nitouches, espèce de saligaud ! pesta intérieurement Hellier. C'est moi qui les ai gagnés, ces millions, hein, et les deux autres cons, là, ils s'en fichaient complètement de la façon dont je m'y suis pris. Le principal, c'était de faire rentrer régulièrement du fric. À ce qu'il paraît donc, je peux compter sur votre appui en ces temps difficiles. Comme si vous aviez le choix ! Je vous suis bien plus indispensable que vous ne me l'êtes… »

— Il n'empêche que je sais tout ce que je vous dois, répondit-il. J'ai l'impression de faire partie de la famille, et ça m'ennuierait beaucoup d'être viré.

— Ça ne me plairait pas non plus de devoir me séparer de vous, dit Gibran, mais il y a certainement des gens qui ont remarqué que vous êtes arrivé en retard à la soirée la plus importante de l'année, en ce qui nous concerne. Je suis sûr que vous comprenez.

— Je comprends, et je m'excuse d'avoir manqué de ponctualité.

Une fois que tout ce cirque sera terminé avec les flics, je pourrai à nouveau me consacrer à fond à la boîte.

— À la bonne heure. Car vous n'êtes pas seulement important pour l'entreprise, mais je vous considère personnellement comme un ami précieux.

***

Sally avait passé toute la matinée aux Archives nationales, et elle commençait à trouver le temps long. L'employé qui l'aidait dans ses recherches sur le dénommé Stefan Korsakov n'avait d'ailleurs pas l'air de s'amuser davantage, au contraire. C'était une espèce d'adolescent attardé et boutonneux de 25 à 30 ans, qui n'avait pas semblé impressionné par sa carte de police. Elle ne savait même pas comment il s'appelait, puisqu'il n'avait pas daigné se présenter.

Tout étant désormais informatisé, il suffisait de se connecter au système pour obtenir les renseignements désirés. Tant mieux si ça pouvait abréger sa visite dans cet immense bâtiment mal éclairé, qui croulait sous les dossiers.

Elle entendit s'approcher quelqu'un au milieu des rayonnages, et eut la satisfaction de voir revenir le type avec un document.

— J'ai trouvé l'individu que vous recherchez : Stefan Korsakov, né le 11 décembre 1967 à Twickenham, dans le Surrey.

Il déposa le papier sur le bureau et le défroissa, pour qu'il lui soit plus facile d'en prendre connaissance.

— Voici l'acte de naissance de Stefan Korsakov, expliqua-t-il. C'est bien ce type qui vous intéresse ?

— Oui. Je commençais à me dire qu'il n'existait que dans mon imagination.

— Je vous demande pardon ?

— Ce n'est rien, je parlais toute seule.

— Ah bon, fit-il, l'air las.

— Est-il toujours en vie ? Toute la question est là, car s'il est mort, ajouta-t-elle en le regardant, il faut que je voie son certificat de décès.

— Savez-vous où il aurait pu décéder ?

— Je n'en ai pas la moindre idée.

— J'imagine que vous voulez qu'on lance une recherche dans tout le pays ?

— Oui, désolée.

Le type commençait visiblement à en avoir marre, de cette inspectrice à la con, qui le forçait à remuer la poussière.

— Ça va prendre du temps, des jours, voire des semaines, bougonna-t-il. Il va falloir que j'envoie un mot à nos bureaux en province, puis que j'attende leur réponse.

— D'accord.

Elle lui donna une carte de visite.

— J'ai besoin d'avoir ce renseignement le plus vite possible. Appelez-moi dès que vous avez du nouveau, à n'importe quelle heure du jour ou de la nuit.

— Ce sera tout ?

— Non. En fait, vous savez, pendant que j'y suis, j'aimerais que vous essayiez aussi de me retrouver deux autres documents.

— Quoi donc ?

— L'acte de naissance et le certificat de décès de cet homme.

Elle nota un nom et une date de naissance sur un bout de papier, qu'elle lui remit.

— James Hellier. Je m'en occupe, mais…

— Ça va prendre du temps, oui, je sais.

***

Hellier s'excusa et quitta le bureau après son entretien avec Gibran. Personne ne posa de questions, comme de bien entendu.

La police détenait toujours son carnet d'adresses, et elle ne l'avait pas non plus autorisé à le photocopier. Son avocat faisait son possible pour qu'on le lui rende, ou du moins pour qu'on lui en remette un double. Au fond, ce n'était pas très grave. Si Corrigan voulait jouer au dur, ça ne le dérangeait pas, car il avait prévu le coup et pris ses dispositions.

C'était bizarre, il n'avait pas l'impression d'être suivi, ce matin-là. Peut-être son sixième sens s'était-il émoussé avec la fatigue… Il faut dire qu'il avait eu la veille une journée bien remplie. Corrigan avait, semble-t-il, pris pour argent comptant ses déclarations, mais il ne s'y fiait pas. Où étaient-ils donc passés, les flics qui le filaient ?

Il longea Knightsbridge, puis Harvey Nicholls en se dirigeant vers Harrods, et enfin il tourna à gauche dans Sloane Street et mit le cap au sud, en marchant d'un bon pas. D'un seul coup, il prit ses jambes à son cou et traversa la rue à toute allure, en évitant les voitures. Un chauffeur de taxi lui donna un coup de klaxon et l'insulta. Il reconnut l'accent prolo de l'East End.

Il emprunta Pont Street au pas de course, sans vraiment se faire remarquer, car on devait le prendre pour un homme d'affaires qui avait peur d'arriver en retard à une réunion, et bifurqua dans Hans Place, qu'il contourna.

Il entra chez un traiteur situé à l'angle avec Lennox Gardens, examina les viandes froides et commanda une demi-livre de salami italien, tout en jetant un coup d'œil aux deux autres clients. À l'évidence, ce n'étaient pas des flics. Pendant que le commerçant lui emballait tout ça, il quitta le magasin en courant, ce qui déclencha les hurlements du type qui l'avait servi, mais tant pis, il ne s'arrêta même pas pour voir si le mec s'était lancé à sa poursuite. Il ralentit au bout de cent cinquante mètres, pour marcher cette fois au milieu de la route, sur la ligne jaune, et il regarda autour de lui, scrutant les piétons, les voitures et les motos, sans voir aucune raison de s'inquiéter, aucun passant ou conducteur n'ayant un comportement suspect.

Il n'était plus suivi, il en était sûr. Même si les flics l'avaient pris tout à l'heure en filature, il avait réussi à les semer. Ils l'avaient sous-estimé, les abrutis, bien fait pour eux ! Mais ce n'était que partie remise, car la prochaine fois, ils seraient sur le qui-vive et lui donneraient du fil à retordre.

***

Sean prit connaissance du rapport d'autopsie de Canning. À la différence de certains collègues qui trouvaient plus facile de regarder des clichés que de s'attarder sur la scène du crime, il préférait se rendre sur les lieux même si, en l'occurrence, il appréciait que l'on ait tout photographié. Reste qu'il ne ressentait rien devant des photos, ce qui ne lui plaisait pas beaucoup, car il avait vu trop d'assassins rester eux aussi indifférents devant leurs victimes.

Le rapport était, comme d'habitude, un modèle du genre. Canning s'était montré méticuleux, il avait examiné et décrit la moindre blessure, récente ou pas. Sean était plongé dans la lecture du document, quand il remarqua que Zukov attendait dans l'entrée.

— Qu'est-ce qu'il y a, Paulo ?

— On vient de recevoir ça pour vous.

Paulo arrivait avec une pile de dossiers. À sa demande, il les déposa sur le bureau et s'en alla. Ils arrivaient tout droit du greffe et répertoriaient les crimes « ordinaires », et non pas ceux qui étaient uniques en leur genre, comme les meurtres archivés au casier judiciaire, auxquels Sally s'était intéressée. Là, on avait droit aux atrocités banales : jeunes mecs tués à coups de couteau devant des pubs, enfants torturés à mort par leurs parents, prostituées qui n'avaient pas survécu à la correction administrée par leur maque, le tout étant de savoir s'il allait tomber sur quelque chose qui le ferait sursauter, parce que ça ressemblerait à la façon de procéder du tueur qu'il recherchait, c'est-à-dire peut-être à celle d'Hellier.

Il s'apprêtait à en consulter un premier quand Donnelly fit irruption dans la pièce :

— J'ai une mauvaise nouvelle à vous annoncer, patron. Hellier a réussi à semer les copains.

— Quoi ?

— Désolé.

— Dis-leur de se mettre en planque autour de son bureau et de son domicile. Il va bien finir par réapparaître, et ils pourront alors reprendre la filature.

— Ce n'est pas si simple, car les équipes de surveillance ont toutes été affectées à une opération antiterroriste. C'est un signe des temps, hein…

— Dis-moi quelque chose qui me remonte le moral, Dive. Qu'est-ce que ça donne du côté du labo ?

— On a comparé les fluides organiques de Daniel Graydon à ceux des mecs qui ont reconnu avoir baisé avec lui, mais ça n'a servi à rien, car il n'y avait pas de sang, de sperme ou de salive sur leurs vêtements. Au total, il ne nous reste plus qu'Hellier comme suspect. Le labo n'a toujours pas examiné ses sapes, mais je ne me fais pas d'illusions.

— Et question empreintes digitales ?

— On en a parlé ce matin. Il y a trois jeux d'empreintes qui ne correspondent à aucune des personnes répertoriées. Les autres sont celles de l'individu dont on a retrouvé des fluides organiques sur la scène du crime.

— Il ne pourrait pas s'agir de celles de gens qui ont été condamnés ?

— Non. Elles ne nous servent donc à rien tant qu'on n'a pas celles d'un autre suspect à qui les comparer.

— Quel bordel ! Bon, dans ces conditions, on va le filer nous-mêmes, Hellier. Qui a été formé pour ça ?

— Moi, répondit Donnelly, et deux autres aussi je crois, Jim et Frank.

— Parfait, dit Sean, en parlant par antiphrase. On va se répartir en deux équipes et le surveiller à tour de rôle pendant douze heures d'affilée.

— Holà, patron, pas si vite ! Il s'agit de réunir deux équipes de combien, cinq flics, dont pratiquement aucun n'a été formé à prendre quelqu'un en filature. On perdrait notre temps, sans parler du fait qu'il a vu la moitié d'entre nous quand on l'a interpellé.

— C'est pourquoi je ne viendrai pas avec vous, dit Sean. Je veux croire qu'il a surtout fait attention à moi, ce jour-là. De ton côté, il te faudra redoubler de prudence, car il doit se souvenir de ta tête. Sans vouloir te vexer.

— Il n'y a pas de mal, mais enfin je n'y crois guère.

— On n'a pas le choix. Allez, au boulot ! Prends les voitures et les radios dont tu as besoin et excuse-moi auprès des autres. Je leur dirai un mot plus tard.

— Très bien.

Donnelly n'était pas content, ce qui se comprenait, même s'il ne pouvait rien y faire. Il fallait bien qu'ils tentent quelque chose.

**

Il était aux alentours de 13 heures quand Hellier arriva dans la petite boutique de Cromwell Road. L'antiquaire le reconnut tout de suite et nota qu'il était en sueur. Ça n'aurait pas dû le surprendre, car il faisait encore chaud, mais en principe ce type ne se départissait jamais de son flegme.

— Monsieur Saunders ! Ça fait un moment que je ne vous ai pas vu. Comment ça se passe pour vous, en ce moment ?

— Ça va, merci, répondit Hellier, le visage grave. Je viens chercher quelque chose, j'espère que ça ne présente pas de risques.

— Bien sûr que non, monsieur. Vous allez emporter cela avec vous ?

— Oui.

— D'accord.

L'antiquaire disparut dans le fond. Hellier se promena tranquillement dans le magasin, glissa la main sur de beaux meubles en bois, s'arrêta pour regarder des porcelaines qui coûtaient si cher que la plupart des gens n'auraient pas osé y toucher, mais pas lui, il les attrapa comme s'il s'agissait de vulgaires Tupperware. Il s'imprégna de l'odeur qui régnait dans la boutique, où se mêlait celle du cuir, du bois, des objets de valeur et des vieilles choses…

L'antiquaire revint avec un petit coffre métallique.

— Me confirmez-vous, monsieur Saunders, que c'est le coffre numéro 12 qui vous a été attribué ?

— Je le confirme.

— Parfait.

L'antiquaire sortit une clé de la poche de son gilet et déverrouilla le cadenas, puis il recula, pour laisser Hellier ouvrir le coffre. Celui-ci prit une petite enveloppe qui se trouvait à l'intérieur, ainsi qu'une autre, plus grande. Il en vérifia en vitesse le contenu, la seconde abritant, entre autres, un passeport irlandais. Il les glissa toutes les deux dans sa poche et referma le coffre.

— Vous dois-je quelque chose ?

— Non, vous m'avez déjà versé tout ce qu'il faut, monsieur Saunders.

Hellier n'en sortit pas moins cinq cents livres de son portefeuille et les déposa sur le bureau, à côté de la caisse.

— Comme ça, je suis sûr qu'il n'y aura pas de problème d'argent entre nous.

À défaut de s'emparer des billets, l'antiquaire se pourlécha les lèvres.

— Allez-vous revenir aujourd'hui même me confier ce que vous venez de prendre, monsieur Saunders ?

— C'est possible.

Sur ces mots, il tourna les talons.

L'antiquaire ne crachait certes pas sur cet argent auquel il ne s'attendait pas, mais il espérait bien que ce serait la dernière fois qu'il verrait cet individu qui, de tous ceux qui avaient clandestinement déposé chez lui des choses dans un coffre, était celui qui le mettait le plus mal à l'aise…

***

Sally prit toute seule le volant pour revenir au commissariat de Peckham. Elle avait passé aux Archives nationales une matinée fastidieuse et décevante et elle commençait à se sentir reléguée à des tâches subalternes, au lieu de participer à l'enquête proprement dite. Par-dessus le marché, il faudrait attendre plusieurs jours pour obtenir les renseignements qu'elle avait demandés, et Sean serait furieux.

On l'appela sur son portable. Elle répondit, sans prendre la peine de s'arrêter, ce qui est une infraction au code de la route.

— Collins, de l'identité judiciaire. Vous m'avez demandé de comparer les empreintes digitales d'un certain Stefan Korsakov à celles que l'on a relevées dans l'appartement de Daniel Graydon.

— C'est exact, répondit-elle, tout excitée.

— Eh bien, ça ne va pas être possible.

— Ah bon ? Pourquoi ?

— Parce qu'on n'a aucune empreinte digitale à ce nom.

— Allons donc, il a été reconnu coupable d'escroquerie, ce qui signifie qu'on a pris et archivé ses empreintes.

— Je ne sais pas quoi vous dire. J'ai interrogé notre base de données, sans rien trouver.

Ça la laissa songeuse. Collins s'inquiéta de son silence.

— Vous êtes toujours là ? lui demanda-t-il.

— Oui. Au fait, tout bien pesé, il vaut mieux que je vienne vous voir.

***

Hellier héla un taxi pour se rendre à l'agence de la Barclays sise Great Portland Street, tout près d'Oxford Circus, un quartier du centre de Londres où régnait une cohue indescriptible : badauds et touristes se bousculaient sur les trottoirs, les rues étaient encombrées, les gaz d'échappement se conjuguaient à l'odeur d'oignons frits et de mauvaise viande, tout cela avec une chaleur lourde et suffocante…

Le taxi le déposa devant la banque. Il en sortit aussitôt et glissa un billet de vingt livres au chauffeur, puis s'éloigna sans dire un mot.

Une fois dans l'agence, il s'adressa à une jeune et sémillante employée et lui remit la grande enveloppe qu'il venait de récupérer chez l'antiquaire. S'y trouvaient les documents attestant qu'il détenait ici un coffre, auquel il voulait justement avoir accès. La jeune femme lui demanda de présenter un papier d'identité. Il lui sortit un passeport irlandais.

— Ça ira ?

Elle regarda le nom et la photo, sourit et le lui rendit.

— Très bien, monsieur McGrath. Allez donc vous asseoir dans la salle des coffres, je vais vous chercher ça.

La fille revint quelques minutes après avec une sorte de grosse boîte en inox, qu'elle posa sur la table devant lui.

— Maintenant je vais vous laisser seul. Prévenez-moi quand vous en aurez fini.

Elle tourna les talons et referma la porte. Hellier sortit la petite enveloppe de la poche, en souleva le rabat et en déversa le contenu sur la table, à savoir une petite clé gris argenté. Il la glissa dans la serrure, regarda machinalement autour de lui. Il eut tout d'abord du mal à ouvrir le coffre, mais finit par y arriver. À l'intérieur, rien n'avait bougé depuis la dernière fois. Il poussa les diamants, ne prêta aucune attention aux liasses de dollars, vira un solitaire à cinq carats qui se baladait tout seul et trouva ce qu'il cherchait, un vieux bout de papier. Il l'examina de près à la lumière et constata avec satisfaction que l'on arrivait toujours à lire le numéro inscrit dessus. Moyennant quoi, il consacra un quart d'heure à l'apprendre par cœur, en omettant les trois premiers chiffres, qui étaient ceux de l'indicatif téléphonique de la banlieue de Londres.

***

Sean parcourait les dossiers que lui avait communiqués le greffe. Au début, il avait eu du mal à se concentrer, à cause de tous les problèmes d'intendance que lui posait cette enquête, mais à mesure que le calme revenait dans le commissariat, il avait pu se plonger dans sa lecture.

Il avait déjà éliminé plusieurs affaires de crimes accompagnés de violence, qui n'avaient toujours pas été élucidées, car ça ne collait pas, il le sentait bien.

Il ouvrit le prochain dossier qui lui tomba sous la main et eut droit aussitôt à une photo de la scène du crime. Il fut horrifié de découvrir une adolescente de 16 ans au maximum qui gisait par terre dans une mare de sang en s'étreignant la gorge, qu'on lui avait tranchée.

Son sixième sens se réveilla, il eut alors la certitude que l'assassin de la petite était le même que celui de Daniel Graydon.

Le compte rendu de l'enquête expliquait que la victime était une fugueuse de Newcastle, dont les parents avaient signalé la disparition quelques jours plus tôt. On excluait que le coupable puisse être son père ou sa mère, tout comme on avait disculpé son copain. Enfin, elle ne faisait pas le tapin et ne bossait donc pas pour un proxo. C'était dans un terrain vague de Dagenham que l'on avait retrouvé le corps d'Heather Freeman, et personne, apparemment, n'avait assisté à son assassinat.

Sean prit aussitôt connaissance du rapport du médecin légiste, très bref, ce qui n'était pas bon signe. On n'avait en effet par relevé d'empreintes digitales, d'ADN ou de sang de l'assassin, qui avait seulement laissé des traces de pas sur la scène du crime. Or, celles-ci comportaient très peu de stries…

Il constata également que ce meurtre avait eu lieu quinze jours avant celui de Daniel Graydon. Ce type avait donc déjà tué, mais combien de fois ? Il nota le nom de son collègue qui avait mené l'enquête, un certain Ross Brown en poste au commissariat d'Old Ilford, ramassa ses affaires, prit le dossier avec lui et s'en alla.

**

Hellier marchait maintenant sur Great Tichfield Street, une autre rue commerçante du West End, plus calme, toutefois. Il trouva rapidement une cabine téléphonique, glissa trois pièces dans l'appareil, attendit d'avoir la tonalité, puis composa le numéro qu'il venait d'apprendre par cœur. Son correspondant décrocha au bout de la troisième sonnerie, ce qui laissait penser qu'il escomptait recevoir un coup de téléphone.

— Salut, mon pote, railla Hellier. On a plein de choses à se dire.

— J'attendais que tu m'appelles. Je croyais que tu me contacterais plus tôt.

— Tes copains m'ont piqué mon carnet d'adresses, et tu es sur liste rouge. J'ai donc eu du mal à te joindre.

— La police détient le répertoire dans lequel figure mon numéro ? Comment t'es-tu débrouillé, nom d'un chien ?

— Ne t'excite pas, je l'ai noté en code, comme le reste. Personne ne le découvrira.

— J'espère bien. Et puis d'abord, comment se fait-il que tu le connaisses ?

— Parce que tu me l'as donné, tu ne t'en souviens pas ? La première fois que tu es venu me supplier, tu l'as griffonné sur un bout de papier. Et moi, je l'ai gardé, en me disant que ça pourrait peut-être me servir un jour.

— Il faut que tu t'en débarrasses immédiatement.

« Si jamais tu étais en face de moi, mon petit bonhomme, je te ferais ravaler ton insolence », pesta Hellier.

— Écoute-moi, connard ! hurla-t-il.

Un passant le regarda, puis détourna les yeux dès qu'il vit les siens.

— Ce n'est pas toi qui vas me donner des ordres, compris ?

Silence au bout de la ligne. Hellier se ressaisit, sortit un mouchoir de la poche de son pantalon pour s'éponger le front.

— Qu'est-ce que tu attends de moi ? demanda son correspondant.

— Débrouille-toi pour que Corrigan et ses hommes me fichent la paix.

— À mon avis, ça ne va pas être possible. Si je voyais un moyen… Malheureusement, je n'ai pas le bras assez long.

Hellier fulmina.

— Espèce d'imbécile ! Bon, alors attends que je t'appelle, je vais bien trouver une solution.

Il raccrocha, maintenant qu'il avait repris du poil de la bête. Il tourna la tête dans tous les sens, se massa la nuque, regarda sa montre. Il n'y avait plus de temps à perdre, il lui fallait retourner au bureau.

***

Sally attendait sur son siège, dans un bureau de l'identité judiciaire, à Scotland Yard. Un quinquagénaire mince et de grande taille entra brusquement dans la pièce.

— Je vous remercie de me recevoir aussi vite, lui dit-elle.

— Il n'y a pas de souci, répondit Collins. Que puis-je pour vous ? Elle respira profondément.

— Il s'agit d'une affaire délicate, vous comprenez…

— Bien sûr.

— Vous m'avez dit, au téléphone, que vous n'arriviez pas à retrouver les empreintes digitales de Korsakov. Aussi j'aimerais comprendre comment celles d'un individu condamné par la justice peuvent disparaître.

— Ce n'est pas possible d'effacer des dossiers de la base de données.

— Et si on les avait prises avant que tout cela ne soit informatisé ?

— Oui, j'imagine que ça aurait pu se produire, répondit Collins en se mordillant le pouce. Mais on nous les aurait vite rapportées.

— Comment ça ?

— Il arrivait à l'époque que des collègues d'un service quelconque désirent examiner les empreintes d'un individu. La plupart du temps, ils venaient ici les regarder, mais parfois ils repartaient avec, pour les comparer avec celles de quelqu'un sur qui l'Immigration avait des doutes ou avec celles d'un détenu que l'on soupçonnait de s'être fait passer pour un autre. On voit le cas, vous savez, de types qui purgent une peine de prison à la place d'un autre, moyennant contrepartie financière. À moins qu'on ne leur ait fichu la trouille, tout simplement…

— Ou bien qu'il n'ait trouvé que ce moyen pour que bobonne et les moutards lui fichent la paix, dit Sally sur le ton de la plaisanterie.

— Oui, évidemment, s'esclaffa Collins. N'importe comment, si d'aventure on nous emprunte un jeu d'empreintes digitales et qu'on ne nous l'a pas rendu quelques jours après, on les réclame à cor et à cri, et on finit toujours par le récupérer. On ne peut pas se permettre de l'égarer.

— Mais alors, comment expliquez-vous que ces empreintes aient disparu ?

Elle poussa un dossier de l'autre côté du bureau.

— Stefan Korsakov, condamné en 1996 pour escroquerie.

Collins accusa le coup, mais il se ressaisit vite et sourit.

— Ce doit être une erreur d'écriture. Je vous demande quelques minutes, je vais aller voir si j'arrive à le retrouver.

— Si ça peut vous ôter un poids du cœur, dites-vous qu'il en ira de même pour moi. Je serai à la cantine, appelez-moi sur mon portable.

***

L'inspecteur principal Ross Brow attendait son homologue Sean Corrigan à l'endroit où l'on avait assassiné Heather Freeman. La scène de crime était toujours condamnée par un ruban jaune, mais celui-ci était maintenant défraîchi et flottait au vent.

Il se faisait tard, mais ça ne le dérangeait pas de guetter l'arrivée de son collègue. L'enquête sur l'assassinat de l'adolescente n'avait guère avancé, dans la mesure où il était très difficile d'élucider rapidement les histoires de ce genre, celles de meurtres commis par un inconnu. À moins de vouloir à tout prix asseoir sa réputation de fin limier, elles représentaient un véritable cauchemar pour les flics, et à trois ans de la retraite, Ross Brown n'avait plus rien à prouver. Reste que si Sean était en mesure de lui donner un coup de main, il l'attendrait au besoin toute la nuit.

Sean déboucha sur le terrain vague situé à proximité de Hornchurch Marshes, dans lequel il pénétra en voiture. Un grand gaillard montait la garde à côté d'une sorte de remise. Sean se gara à côté de la voiture de son collègue et descendit de véhicule.

Ross Brown referma une grande main sur la sienne, mais en la serrant à peine.

— C'est sympa d'être venu jusqu'ici, lui dit-il.

— J'espère que je ne vous fais pas perdre votre temps.

Brown désigna le petit bâtiment.

— C'est là qu'elle a trouvé la mort, à 15 ans. Elle s'était enfuie du domicile familial, après que ses parents se sont séparés et que sa mère s'est trouvé un autre mec. Elle a alors atterri à Londres, où elle est tombée sur un détraqué. On a eu du mal à obtenir des renseignements des autres SDF du quartier, mais on a quand même pu reconstituer ses derniers faits et gestes. On est pratiquement certains qu'on l'a enlevée dans le secteur de King's Cross le soir même où on l'a égorgée, il y a maintenant presque un mois. On a réalisé une enquête de voisinage, sans trouver personne qui ait assisté à la scène, ce qui signifie qu'on a affaire à un type extrêmement prudent et qui va vite en besogne. On a bien essayé de mettre la presse dans le coup, mais elle n'en a pas beaucoup parlé. Il est difficile de rivaliser avec les attentats suicides à la bombe, et puis dans les journaux et à la télé, on aime bien que les victimes soient des petits jeunes modèles, et non des ados en fugue. Le mec l'a ensuite amenée ici en voiture, il l'a fait entrer dans ce bâtiment, l'a foutue à poil et l'a égorgée.

Brown avait l'air troublé, ce qui amena Sean à penser qu'il avait des filles du même âge qu'Heather Freeman. Une immense usine automobile bouchait l'horizon, ce qui rendait l'endroit encore plus sinistre.

— À quoi a-t-elle dû penser, quand elle s'est retrouvée toute seule avec ce type qui l'a forcée à se déshabiller… Apparemment, il n'a pas abusé d'elle, mais on ne sait pas ce qu'elle a été obligée de faire. Quel salopard !

— Voilà dix jours que Daniel Graydon a été assassiné, expliqua Sean. On lui a enfoncé le crâne avec un objet contondant, qui n'a pas été retrouvé, puis on lui a flanqué toute une série de coups de pic à glace, sur lequel on n'a pas réussi non plus à mettre la main. On l'a tué chez lui, au petit matin, sans qu'il y ait eu effraction. Il était homosexuel et se prostituait.

Brown ne voyait pas très bien le rapport que cette histoire avait avec l'enquête qu'il menait.

— On ne dirait pas qu'on a affaire au même individu, déclara-t-il, car il s'est attaqué à une victime d'un autre genre, avec une arme différente et dans un endroit qui ne ressemble en rien à celui-ci.

— Non, objecta Sean en levant la main, ce n'est pas de ce côté-là qu'il faut chercher les similitudes.

Il se dirigea vers la bicoque, et Brown lui emboîta le pas.

— Les seuls éléments exploitables que nous avons retrouvés sur la scène du crime, ce sont des traces de pas laissées par des chaussures d'homme enveloppées dans des sacs en plastique. Or le rapport du médecin légiste précise que vous en avez relevées, vous aussi.

— Oui, à l'intérieur de la baraque.

— Rien d'autre ? demanda Sean.

— Vous êtes venu me voir parce qu'on ne dispose, l'un et l'autre, que de traces de pas ?

Le silence de Sean fut éloquent.

— Autant dire qu'on est dans la merde, tous les deux, conclut Brown, car si vous avez raison de penser que ces deux meurtres sont l'œuvre du même individu, on a affaire à une ordure qui n'arrêtera pas de sévir, tant qu'on n'y aura pas mis le holà.

Sean n'eut pas le temps de répondre, car on l'appela sur son portable. C'était Donnelly qui lui annonçait que ses hommes s'étaient remis en planque devant Butler and Mason et que celui-ci avait repris le travail.

— Ne le lâchez pas, les gars. Je te rappelle plus tard.

Où diable Hellier était-il passé, quand il leur avait faussé compagnie, et qu'avait-il à cacher ?

— Il y a un problème ? demanda Brown.

— Non.

**

Voyant Collins entrer dans le réfectoire, Sally lui adressa un signe de la main. Il s'assit en face d'elle et déposa soigneusement une boîte à fiches.

— Voilà quelque chose qui date d'avant l'informatique, observa-t-il. J'ai regardé sur la base de données, puis dans nos archives sur support papier, et enfin sur les microfiches, sans rien trouver concernant Korsakov.

— Ce qui signifie ?

— Normalement, j'aurais dit que vous vous trompez et qu'on n'a peut-être jamais détenu les empreintes digitales de cet individu.

— Et alors ?

— Seulement j'ai découvert ça, le registre de toutes celles qui ont été communiquées à un autre service, expliqua-t-il en tapotant le coffret à fiches. Il nous tient lieu de sauvegarde pour les fichiers informatiques, ce qui nous permet également de demander la signature de la personne qui nous les emprunte et nous garantit qu'elle nous les restituera. Ce répertoire remonte jusqu'en 1999.

Collins se reporta à la page consacrée à tous ceux dont le nom commençait par un K, et dont on était venu chercher les empreintes digitales. On les comptait sur les doigts d'une main.

— Tenez, les empreintes du dénommé Stefan Korsakov ont été empruntées le 14 décembre 1999 par l'inspecteur principal Graham Wright de la PJ du commissariat de Richmond.

— De sorte que vous les aviez bien ici.

— Il faut croire.

— Et j'imagine que notre collègue ne les a jamais rapportées ?

— C'est ce que j'ai du mal à comprendre. Car le même collègue nous les a restituées quarante-huit heures plus tard, ainsi que les microfiches correspondantes qu'il nous avait également empruntées.

— Alors où sont-elles ?

— Je n'en sais rien du tout.

Sally observa quelques instants de silence.

— Et si quelqu'un était venu ici les dérober ? suggéra-t-elle.

— Ça m'étonnerait. Il y a toujours quelqu'un dans le service, et les fiches sont sous clé. Seule une personne de chez nous pouvait y avoir accès.

« Pour quelle raison un employé de l'identité judiciaire aurait-il eu envie de faire disparaître le dossier de Korsakov ? Celui-ci aurait-il graissé la patte à un membre du personnel afin qu'il lui rende un service ? Or, à l'époque, il était toujours en prison, comment aurait-il donc su à qui s'adresser ? » se demandait Sally.

— Est-ce qu'on vérifie les empreintes, quand on vous les restitue ?

— On les regarde en vitesse, c'est tout.

— Et les microfiches ?

— Non. Dès lors que les empreintes sont en bon état, il n'y a pas lieu de s'appesantir sur les microfiches.

***

Sean et Brown pénétrèrent dans la bicoque. Il faisait encore jour, mais cette petite baraque était sombre et humide, ce qui n'empêcha pas Sean de voir par terre, au milieu, une grande tâche rougeâtre. Seul un flic comprenait tout de suite de quoi il s'agissait et il lui arrivait parfois d'envier la candeur du profane…

Le sang avait giclé de gauche à droite à travers la pièce, jusqu'au pied du mur, à quatre mètres de là. Les deux flics avancèrent tout doucement dans la pénombre. On avait depuis longtemps passé la scène du crime au peigne fin et emporté tous les éléments de preuve. Sean n'en examina pas moins les lieux de près, non pas pour y retrouver quelque chose qu'on aurait oublié, mais pour se glisser une fois de plus dans la peau de l'assassin.

— Il suffit de mesurer la distance parcourue par le sang et la position dans laquelle on a retrouvé son corps pour comprendre qu'elle était à genoux quand il l'a égorgée, expliqua Brown d'un ton grave. Mais avant de la saigner, il lui a basculé la tête en arrière.

Ça ne lui plaisait pas du tout d'exposer les conclusions auxquelles son équipe et lui étaient parvenus, il avait l'impression de jouer les voyeurs.

— Vous pensez vraiment qu'il pourrait y avoir un lien entre ces deux meurtres ? demanda-t-il.

Au lieu de répondre, Sean s'agenouilla, de manière à être dans la même position qu'Heather avant de mourir.

— On a un suspect, déclara-t-il à brûle-pourpoint.

— Un suspect ?

— Oui.

Peu à peu le scénario prenait forme dans sa tête, et ce qu'il répugnait à envisager se dessinait maintenant sous ses yeux.

— Un certain James Hellier, déclara-t-il. Jusqu'à présent, reprit-il, il joue les hommes respectables, avec un métier, une femme et des enfants, mais il s'est maintenant démasqué. Il choisit ses victimes indépendamment de leur sexe, car la seule chose qui compte pour lui, c'est d'exercer un pouvoir absolu sur des jeunes gens vulnérables, qui sont par conséquent des proies faciles.

— Pourquoi n'hésite-t-il pas à laisser des traces de pas, s'il est aussi méfiant ?

— Oh, là aussi il prend des précautions. Il a sans doute expérimenté plusieurs façons de procéder, et à chaque fois il est parvenu à la même conclusion, à savoir qu'il laissera toujours des traces de pas, quelles que soient les chaussures qu'il porte et le sol sur lequel il marche. Et cela même s'il ne fait qu'imprimer une empreinte sur la moquette, comme chez Daniel Graydon. Il s'efforce par conséquent de les masquer, en mettant des pompes neuves et tout ce qu'il y a de plus banal, qui ne sont d'ailleurs pas forcément de la même taille d'un crime à l'autre.

— Pourquoi ne commet-il pas ses meurtres uniquement sur un sol dur ? Il n'y laisserait ainsi aucune trace.

— Parce que ça limiterait sa capacité d'action. Il a dû envisager cette solution, puis la rejeter, dans la mesure où il a besoin de passer du temps avec ses victimes, chez elles ou dans un endroit comme celui-ci. Dès lors, peu importe s'il laisse ou non une trace de pas, le jeu en vaut la chandelle. D'autant que ces traces de pas ne sont quasiment pas identifiables et n'ont rien d'extraordinaire, au contraire. C'est donc un risque qu'il est prêt à courir. En plus, il sait que pour établir un rapprochement entre plusieurs scènes de crime nous essayons d'y retrouver des objets qui se ressemblent, de montrer qu'on a utilisé une arme similaire et qu'on a recouru au même mode opératoire pour s'en prendre à des individus qui ont des points communs. Voilà pourquoi il s'attaque à des gens des deux sexes, qu'il tue chacun d'une façon différente, dans des lieux divers et variés. C'est ainsi qu'il a enlevé la petite Heather Freeman, alors qu'il connaissait déjà Daniel Graydon, tout cela pour brouiller les pistes. En général, les assassins récidivistes procèdent toujours de la même façon, c'est en quelque sorte leur signature. Quand ils optent pour un mode opératoire, ils s'y tiennent. La plupart du temps, ils sévissent dans leur quartier, qu'ils connaissent bien et où ils se sentent en sécurité. Si jamais ils essaient de maquiller leurs crimes et de faire croire qu'ils ont une autre signification que celle que l'on imagine, on peut être sûr qu'ils n'ont absolument aucune envie de se faire piquer.

— Et vous pensez que votre suspect entre dans cette catégorie ?

— Pendant des années, il a certainement payé des mecs pour avoir avec eux des rapports sexuels de type sadomasochiste. Ça lui a sans doute permis de refouler ses besoins et ses pulsions, mais au bout d'un moment, ça ne lui a pas suffi. Il a dû remarquer un jour la petite, et commencer à fantasmer sur elle. À partir de là, il n'a pas pu résister et il a tout organisé en détail, car c'est quelqu'un de très méfiant. Comme ça l'excite de dresser des plans, il a pris son temps, et en fin de compte il l'a enlevée, en se servant pour cela d'une grosse voiture ou d'une camionnette, louée ou bien volée. Il a conduit la gamine ici, où il était déjà venu un ou deux jours auparavant, car il ne voulait pas avoir de surprises, puis il l'a trimballée à l'intérieur. À ce propos, elle pesait combien ?

— Euh… je n'en sais rien, bredouilla Brown.

— Elle était grande ou petite ?

— Petite. Comme j'ai assisté à l'autopsie, j'ai pu constater qu'elle était frêle et menue.

— Donc il l'a portée ici dans ses bras, c'était plus rapide que de l'y traîner. L'avez-vous retrouvée ligotée, ou attachée avec du ruban adhésif ?

— Il a dû l'attacher avec du ruban adhésif, si l'on en juge par les traces que l'on a relevées sur sa bouche, ses chevilles, ses poignets et ses genoux.

— Une fois à l'intérieur, reprit Sean, il l'a flanquée par terre. Il avait envie de la détacher, mais il ne voulait pas qu'elle se débatte ou se mette à crier. Et pour empêcher ça, qu'est-ce qu'il fait ? demanda-t-il en regardant son collègue.

— Il l'a menacée, répondit Brown.

— Exactement. Gageons qu'il lui a montré le couteau avec lequel il finira par la tuer. A-t-on retrouvé sur elle des traces de lutte ?

— Non.

— Il lui a alors raconté qu'il ne lui ferait pas de mal, elle l'a cru et a accepté de se plier à ses exigences, si bien qu'il l'a détachée. Mais comme il ne l'a pas violée, pourquoi lui ôter son bâillon et ses liens ?

Sean s'interrompit, comme si tout d'un coup il avait un passage à vide, et il se mit à arpenter la pièce, le regard braqué vers le sol.

— Il a été obligé de la détacher parce que ça lui gâchait tout le plaisir, expliqua-t-il au bout d'un moment. Au départ, il avait été obligé de la ligoter, mais maintenant ça l'empêchait de réaliser ses fantasmes, c'est-à-dire de la tuer d'une façon bien précise et de la regarder mourir. Il l'a donc forcée à se mettre à poil, pour nous faire croire que c'était là un crime à caractère sexuel, alors que ça n'avait rien à voir avec ça. Il voulait absolument éviter qu'on fasse le rapprochement avec d'autres meurtres.

Sean s'arrêta quelques secondes, pour se glisser une fois de plus dans la peau de l'assassin.

— À sa demande, elle s'est mise à genoux pour le sucer, mais elle n'en a jamais eu le temps, car il ne voulait pas risquer de laisser sur elle des indices exploitables par la médecine légale. À la place, il lui a basculé la tête en arrière et l'a égorgée comme un mouton. À quelle heure a-t-elle trouvé la mort ?

— Entre 23 heures et 3 heures du matin.

— Il faisait donc nuit.

Sean regarda autour de lui et constata qu'il n'y avait pas d'éclairage dans cette bicoque.

— La pièce était plongée dans l'obscurité, conclut-il, or ce type avait besoin de lumière pour jouir du spectacle.

— Il avait peut-être une lampe de poche ? suggéra Brown.

— Non, car il avait besoin d'avoir les deux mains libres, et de toute façon une lampe de poche n'aurait pas suffi pour ce qui l'intéressait.

— Et qu'est-ce qui l'intéressait ?

— D'assister à son agonie.

En regardant par la fenêtre, Sean vit le soleil couchant se refléter sur les supports métalliques des phares de leur voiture.

— Il s'est servi des phares de sa bagnole, déclara-t-il soudain. Il avait sans doute vérifié auparavant que ça lui procurerait un éclairage suffisant. Une fois qu'elle est morte, il est resté un bon moment avec elle. Il ne pouvait pas s'en aller comme ça, alors qu'il rêvait depuis si longtemps d'être acteur et témoin de cette scène. Vous n'avez pas retrouvé d'indices laissant penser que l'on a déplacé ou mutilé le corps après la mort ? demanda-t-il à Brown.

Il lui posa cette question pour la forme, car il connaissait déjà la réponse.

— Non, répondit son collègue.

— Il ne voulait pas abîmer le tableau parfait qu'il venait de créer, son seul désir étant désormais de l'admirer.

Sean se tut un instant, le temps de rassembler ses esprits.

— Avez-vous fouillé le terrain vague, pour essayer de retrouver une capote ?

— Je ne crois pas, pourquoi ?

— Parce qu'à mon avis, il est possible qu'il se soit branlé en la regardant mourir, mais pour être sûr de ne pas semer son ADN sur place, il a dû alors mettre une capote.

— Nom d'un chien, où est-ce que vous allez chercher tout ça ! s'exclama Brown.

— Ensuite il est reparti, sans recouvrir son cadavre, même partiellement, poursuivit Sean, car il aurait montré ainsi qu'il avait mauvaise conscience. Or il n'a éprouvé aucun remords. Il s'est tout simplement senti soulagé, ce qui, chez lui, veut peut-être dire heureux…

— Mais quelles sont ses motivations, à ce type-là ? N'y aurait-il que l'assassinat qui le fasse bander ?

— Ça n'a rien de sexuel, répondit Sean, puisqu'il cherche seulement à exercer du pouvoir sur l'autre.

— Il n'en demeure pas moins que ses crimes ont des connotations sexuelles. En l'occurrence, il l'a fait mettre à poil, la petite, puis s'agenouiller devant lui, et comme vous le dites, il s'est sans doute ensuite branlé.

— Parce que c'est le sentiment de puissance qui l'excite et lui donne l'impression d'exister pleinement. Le sexe n'est qu'un symptôme, un moyen d'évacuer cette force qui monte en lui.

Brown trouva que l'analyse de Sean était très brillante, mais aussi quelque peu déconcertante.

— Vous avez déjà décortiqué comme ça des affaires de meurtre ?

— Ça m'est arrivé à plusieurs reprises, répondit Sean avec un petit sourire.

— Puis-je me permettre de faire, à mon tour, une remarque ?

— Je vous écoute.

— Si notre assassin est aussi malin que vous le dites et s'il sait aussi bien maquiller ses crimes, comment savoir alors s'il n'a pas tué d'autres personnes ?

— Il faut bien reconnaître que s'il ne se décide pas à nous le dire, on ne le saura sans doute jamais.

***

Ils étaient de retour, Hellier en eut le pressentiment avant même de les voir. Sauf que ceux-ci étaient plus maladroits que les autres auparavant. Pour quelle raison Corrigan affecterait-il maintenant des rigolos à sa surveillance ? Pousserait-il l'arrogance à le faire suivre par des médiocres ?

Je réussis d'autant mieux que l'ennemi commet des erreurs.

Il ne se trouvait plus dans son bureau. Il y avait séjourné un bon moment, tout à l'heure, pour que les flics l'y voient, mais depuis il s'était rendu en catimini dans celui d'un subalterne, en expliquant qu'il avait du travail en retard. En réalité, il voulait consulter divers comptes en banque qu'il détenait à l'étranger et il ne voulait pas utiliser pour cela son ordinateur, de peur que la police l'ait piraté et surveille ainsi toutes ses activités sur Internet. Ils n'en avaient sans doute pas eu l'idée, mais enfin il ne voulait pas prendre de risques.

Tout le monde était parti, et c'était très bien, car il avait besoin d'être seul pour aller vite. Les flics avaient saisi chez lui toute une flopée de relevés d'identité bancaire et ils savaient donc où se trouvait le plus gros de sa fortune, cependant il lui restait encore, ici et là, de l'argent dont ils ignoraient l'existence.

Ils allaient bloquer ses comptes, mais ça prendrait plusieurs jours car il faudrait une décision de justice, et laisser ensuite les banques s'organiser en conséquence.

Il se brancha sur un site web qu'il avait créé deux ans plus tôt mais qui n'était qu'une façade, une couverture, comme peuvent l'être un bar ou un restaurant, dans lesquels on peut rentrer par une porte dérobée, le tout étant de savoir où elle se trouve.

Le site s'appelait *Les banques et le petit actionnaire*, et l'écran recelait une icône cachée. Hellier place le curseur à l'arrière du cheval dressé sur les pattes arrière, le symbole du site copié sur celui des Ferrari. Il cliqua deux fois, puis attendit. Une deuxième boîte apparut à l'écran et demanda d'entrer un mot de passe. Il le tapa : *Qu'ils aillent se faire foutre !*

***

Quand Sean regagna son bureau au commissariat de Peckham, il n'y avait plus personne d'autre que Sally, plongée dans la paperasse et qui tirait sur sa clope, même s'il était rigoureusement interdit de fumer ici. Elle fut soulagée de voir que c'était lui qui débarquait et leva sa cigarette :

— Ça vous dérange ?

— Non. Mais qu'est-ce que vous fabriquez là ?

— Il y a un truc que j'aimerais bien comprendre.

— Quoi donc ?

— Par quel mystère les empreintes digitales de Korsakov ont pu disparaître des archives de Scotland Yard.

Sean ne vit pas de quoi elle parlait et ne lui demanda pas non plus d'explications, puisqu'Heather Freeman était encore présente à son esprit.

— Pourquoi êtes-vous encore ici, alors que tous les autres sont partis ? lui demanda Sally.

— Je suis allé faire un tour dans l'est de Londres.

— Pour quelle raison ?

— Eh bien, je crois avoir identifié un autre meurtre commis par notre homme.

— Quoi ?

Elle se leva de son siège.

— Vous en êtes sûr ?

— Absolument.

— C'est encore un jeune mec ?

— Non, une jeune fille. Une ado en fugue, qu'il a enlevée devant le King's Cross pour l'emmener dans un terrain vague de Dagenham. Là, il l'a forcée à se déshabiller, puis il lui a tranché la gorge.

— Je ne vois pas le rapport. Est-ce qu'il la connaissait déjà, elle aussi ?

— Je ne crois pas, mais il l'a surveillée avant de la tuer, afin de connaître ses moindres faits et gestes et de pouvoir tout organiser.

— Il ne savait donc pas qui elle était, alors qu'il fréquentait déjà Daniel Graydon depuis un certain temps.

— Je n'en suis plus certain.

— De quoi ?

— Du fait qu'il connaissait Graydon, ou du moins qu'il le connaissait aussi bien qu'il voudrait nous le faire croire.

— Je ne vous suis pas.

— Je pense qu'il a choisi Graydon au hasard. Il est allé à l'Utopia huit jours avant le meurtre, il l'a sélectionné parmi tous les autres, puis il a payé pour baiser avec lui, ce qui lui a permis de l'aborder sans lui faire peur le soir où il a décidé de l'assassiner.

— Pourquoi ne pas le zigouiller dès la première fois ?

— Parce qu'il fallait qu'il le tue chez lui, c'était là son fantasme. Mais pour cela, il devait mettre le jeune homme en confiance, et c'est pourquoi il l'a abordé en public. S'il l'avait assassiné ce soir-là, ça aurait été trop facile à comprendre par la police : un inconnu débarque dans une boîte pour homosexuels et repart avec l'un d'eux qui fait le tapin et qu'on retrouve le lendemain, lardé de coups de couteau. Hellier aime bien compliquer les choses, multiplier les fausses pistes pour nous égarer et nous empêcher de prouver que c'est lui, le coupable. Mais surtout, il voulait absolument fantasmer pendant une semaine sur ce que ça lui ferait d'assassiner Daniel Graydon, sur ce qu'il ressentirait à ce moment-là et qui, pour lui, comptait autant que le meurtre proprement dit. En égorgeant la petite, il a ouvert la boîte de Pandore, il ne pouvait plus faire marche arrière, même s'il savait qu'on le surveillait. Au contraire, ça l'excite encore davantage et le rend d'autant plus dangereux.

— A-t-il laissé des indices sur la scène du crime de Dagenham ?

— Non, à part une trace de pas inexploitable.

— Comment allons-nous faire pour établir sa culpabilité ?

Sean s'accorda un instant de réflexion.

— Si Hellier a un point faible, s'il existe une faille dans son armure, c'est son côté perfectionniste.

— Mais encore ?

— Il est extrêmement méticuleux. Il suffit de voir qu'il est toujours tiré à quatre épingles et de constater que, chez lui, tout est bien rangé. Il a horreur du désordre, même quand il tue. Tout doit être bien agencé et correspondre à l'idée qu'il s'en fait.

Sally tira sur sa clope.

— Comment savez-vous tout ça ? Je vous ai vu regarder des photos de scènes de crime et, d'un seul coup, vous transporter littéralement sur les lieux. À croire que vous êtes…

Elle croisa son regard et s'interrompit.

— J'envisage la situation en trois dimensions, voilà tout, expliqua-t-il. La plupart du temps, on recherche le motif du crime, sans se demander ce qu'il y a derrière. Il est indispensable de s'interroger sur les moindres faits et gestes de l'assassin, même s'ils paraissent dérisoires. Pourquoi a-t-il décidé de s'en prendre à cet individu-là, avec cette arme-là, à ce moment-là et en cet endroit-là ? D'ordinaire, on se contente de retrouver une arme et d'identifier la scène du crime, mais l'ennui, c'est qu'on reste à côté de la plaque. Si l'on veut choper en vitesse ces pauvres mecs, il faut essayer de se mettre à leur place, même si ce n'est pas forcément très agréable.

— Ils vous font pitié ?

— Pardon ?

— Vous venez de dire que ce sont de pauvres mecs, comme si vous vous apitoyiez sur leur sort.

— Pas sur ce qu'ils sont devenus, mais je les plains d'avoir traversé des épreuves qui ont fait d'eux ce qu'ils sont aujourd'hui, d'avoir connu une enfance malheureuse, où ils étaient seuls et avaient peur de ceux pour qui ils auraient dû éprouver de l'affection. Quand je les interroge, il m'arrive de ne pas voir un monstre en face de moi, mais un enfant terrifié…

— C'est ce qui se passe avec Hellier ?

— Non, enfin, pas encore. Je ne sais toujours pas comment il fonctionne et je n'ai pas réussi à l'amener à se regarder en face. Quand j'y arriverai, je saurai alors s'il est victime de son passé, ou bien s'il s'agit d'autre chose.

— Comment ça ?

— Eh bien, s'il a un naturel méchant. C'est rare, mais ça arrive.

— Et vous imaginez que ce doit être son cas.

— Rentre chez toi, Sally, et repose-toi. Je vais appeler Dave et organiser une réunion demain matin.

***

Hellier tapa le mot de passe : *Qu'ils aillent se faire foutre !* S'afficha à l'écran l'emblème de vingt-quatre banques différentes, regroupant les principaux établissements du monde développé ainsi que quelques autres plus spécialisés, dans lesquels il avait un compte, à son nom ou bien à celui d'un individu qu'il avait fabriqué de toutes pièces. Il disposait à cet égard de faux papiers d'identité planqués un peu partout en Europe, en Amérique du nord, aux Antilles, au Moyen-Orient et en Asie du Sud-Est.

Il avait créé ce site web pour donner des conseils aux particuliers qui envisageaient d'acquérir des titres, notamment auprès de sociétés financières, mais en réalité, il lui servait d'abord et avant tout à dissimuler ses nombreux comptes en banque, ainsi que le nom et l'adresse de leur titulaire. Il avait beau avoir une mémoire d'éléphant, il n'arrivait pas à tous les mémoriser, de sorte qu'il lui suffisait d'aller sur *Les banques et le petit actionnaire* pour y avoir accès et réaliser dessus toutes les opérations qu'il voulait.

Il lui fallait vider les comptes qu'il détenait aux États-Unis et en Grande-Bretagne, la police ne pouvant pas intervenir sur ceux qu'il avait ouverts dans d'autres pays. Quand il aurait effectué les virements nécessaires, le plus gros de sa fortune reposerait dans des banques d'Asie du Sud-Est et des Antilles, ce qui lui éviterait de coucher sur la paille, si d'aventure il était obligé de s'enfuir.

***

Donnelly et Zukov planquaient dans l'immeuble de bureaux situé en face de celui dans lequel travaillait Hellier, et où ils s'étaient glissés en début d'après-midi. Donnelly somnolait dans un canapé quand son portable, accroché à sa ceinture, se mit à vibrer. Il vit sur l'écran que c'était Sean qui l'appelait.

— Salut, patron…

— Où se trouve Hellier, en ce moment ?

— Au boulot, comme nous.

— Il mijote quelque chose.

— Ça ne m'étonnerait pas.

— J'ai trouvé un autre crime dont il est peut-être le coupable.

— Pardon ?

Donnelly se redressa sur son siège.

— Oui, une adolescente en fugue, que l'on a retrouvée morte dans un terrain vague de Dagenham.

— Ah oui, je m'en souviens. On en a parlé aux infos, si je ne m'abuse.

— Exactement, mais on ne sait toujours pas qui a fait le coup, et nos collègues ne soupçonnent personne en particulier. J'ai rencontré celui qui enquête sur cette affaire. Or, depuis le début, il tourne en rond.

— Comment… comment avez-vous fait le rapprochement avec l'histoire dont on s'occupe ?

— C'est trop long à raconter, je t'expliquerai ça demain. Contacte les autres et préviens-les qu'il y a une réunion demain matin.

Sean raccrocha, sans que Donnelly ait eu le temps de lui demander autre chose.

— Et merde ! lança son adjoint.

Zukov baissa ses jumelles et le regarda :

— Il y a problème.

— Oui, mon gars, mais on va le régler.

***

Le fauteuil en cuir craquait sous son poids, tandis qu'Hellier virait sur des comptes ouverts dans d'autres pays plus de deux millions de livres déposés auprès de banques en Grande-Bretagne et aux États-Unis, ne laissant dans ces établissements que quelques milliers de livres, c'est-à-dire une somme insignifiante…

Il planqua les numéros de compte dans la page Internet invisible et inaccessible au profane, puis se déconnecta d'Internet. Il était très content de lui et ne put s'empêcher de rire. Si on l'avait vu se fendre la gueule tout seul dans le noir, on l'aurait pris pour un fou, alors que c'était tout le contraire.

Il lui fallait maintenant rentrer chez lui. Il remit un peu d'ordre, vérifia qu'il n'avait rien oublié, puis regagna son bureau où il s'en fut jeter un œil par la fenêtre, en laissant la lumière allumée.

Il avait d'ici une excellente perspective de la rue, toujours très fréquentée, à n'importe quelle heure du jour ou de la nuit. Il sentait que les flics étaient tapis dans le coin, ce qui au demeurant ne le dérangeait pas outre mesure, alors qu'il lui fallait absolument éviter les journalistes qui pouvaient le traîner dans la boue et publier une photo de lui, s'ils arrivaient à en prendre une. Or il n'était pas question qu'on le reconnaisse.

**

Sally se gara tout près de l'entrée de son immeuble qui se trouvait à Fulham, dans l'ouest de Londres. Elle pénétra à l'intérieur, traversa en vitesse les parties communes faiblement éclairées, en essayant de faire le moins de bruit possible pour ne pas réveiller ses voisins, puis elle arriva chez elle et ferma la porte à clé.

Fidèle à son habitude, elle commença par allumer la lampe d'angle au fond de la pièce, moins éblouissante que le lustre, puis elle alluma la télé, histoire de ne pas se sentir trop seule, et elle passa à la cuisine, pour voir ce qu'il y avait dans le frigo. Ne trouvant rien de satisfaisant, elle regarda dans le congélateur, où elle trouva une bouteille de vodka à la framboise glacée, mais pas gelée. Elle l'attrapa par le goulot, récupéra un verre à côté de l'évier et s'en versa une bonne rasade, avant de la remettre dans le congélateur.

Elle s'assit à la table, y déposa le verre, se balança sur sa chaise et ôta ses chaussures. Elle sortit ensuite ses clopes et en alluma une. Comme elle avait dû fumer un paquet et demi dans la journée, elle faillit l'écraser, mais elle se ravisa, car se serait du gâchis, vu le prix des cigarettes de nos jours. Une fois qu'elle avait payé les traites de son appartement, ce qui représentait une somme coquette dans ce quartier, elle n'avait plus vraiment les moyens de s'offrir des petits plaisirs.

En regardant les murs, elle se sentit soudain bien seule. Elle avait maintenant dépassé les 30 ans, et pourtant elle était restée célibataire, contrairement à ses vœux. Elle avait certes eu des amants, dont deux auraient pu devenir son mari, s'ils ne s'étaient pas dégonflés quand elle leur avait proposé le marché.

Il se trouve que la plupart du temps elle intimidait les hommes, car non seulement elle était flic, mais aussi inspectrice principale, ce qui leur flanquait une trouille bleue, à ces messieurs. Les seuls qui n'avaient pas peur d'elle étaient des policiers, mais elle n'imaginait pas un instant mélanger le boulot et la vie privée. Non, il fallait que les mecs exercent un métier complètement différent du sien, faute de quoi elle préférait encore rester seule. Sans compter que depuis deux ans, elle n'avait guère eu le temps de courir le guilledou.

Évidemment ses parents étaient déçus, et ils voyaient chaque jour s'amenuiser davantage leurs chances de faire sauter des petits-enfants sur leurs genoux. N'avaient-ils donc pas compris qu'à notre époque les femmes cherchent d'abord à réussir professionnellement, avant d'avoir des gosses ? Il n'était cependant pas indispensable d'avoir un conjoint pour être mère de famille, et elle en vint à rêver de s'adresser à un ou plusieurs donneurs de sperme, ou géniteurs.

— Eh merde, dit-elle à voix haute, je vais me trouver un chat, voilà tout !

***

Hellier aperçut devant l'immeuble un photographe et un journaliste. La victime ne présentait aucun intérêt pour la presse écrite ou télévisuelle, puisque tout le monde se fichait éperdument qu'un jeune pédé qui allait à l'asperge se soit fait zigouiller. C'était lui, James Hellier, un honorable homme d'affaires doté d'une belle fortune, que la police soupçonnait d'avoir commis ce meurtre sordide. Inutile de dire que ça donnait du grain à moudre aux médias, et que l'on n'allait pas tarder à en parler dans tout le pays. Dès que sa photo serait publiée dans la presse, sa vie deviendrait un enfer. Il fallait donc absolument éviter ça. Il avait commis une erreur de s'en prendre à Daniel Graydon, mais c'était désormais une affaire en voie de règlement, et il n'en mourrait pas.

Il y aurait certainement d'autres journalistes postés de l'autre côté de l'immeuble, en train de surveiller le parking souterrain. Il ne lui restait donc qu'une seule façon de s'esquiver discrètement.

Estimant que sa mallette serait trop encombrante, il récupéra son portefeuille et ses clés qu'il avait rangés à l'intérieur, la glissa ensuite sous son bureau et sortit. Il emprunta l'escalier de secours pour monter au dernier étage, puis regarda la trappe qui donnait sur le toit et qui était fermée par un simple boulon. Il s'était renseigné auparavant et savait qu'on n'y avait pas posé de serrure.

C'est un exercice périlleux qui l'attendait maintenant. Il lui fallait en effet grimper sur la rampe de l'escalier et tendre les bras pour atteindre le plafond, et cela sans se casser la figure. Ses pieds glissèrent un peu, mais il réussit à ne pas tomber.

Prenant appui avec sa main gauche, il donna de l'autre plusieurs coups secs sur le boulon et parvint à le virer. Il ouvrit la trappe, sauta en l'air, agrippa le rebord de la lucarne et se hissa pratiquement sans effort sur le toit. Il faut dire qu'il était en pleine forme et qu'il avait le physique d'un acrobate.

Il referma la trappe, se promit de remettre le boulon en place le lendemain matin et admira la vue que l'on avait d'ici. Il était seul, pourtant il se sentait très fort et hors de danger. Il faisait doux, ce soir-là, mais aussi lourd et humide. Conscient qu'il ne fallait pas traîner, il s'enfuit en silence sur les toits…

Chapitre 15

Cette nuit, j'ai éprouvé une envie quasi irrésistible d'être ce que je suis vraiment. De relâcher l'animal tapi en moi et de lui donner toute latitude pour s'exprimer, mais j'ai su me retenir. Je dois auparavant régler des tas de choses. Si je veux profiter des erreurs de la police, je dois me montrer patient et prendre les dispositions nécessaires. Ils en auront le vertige, les flics, ça ne va pas tarder.

Je suis de nouveau au boulot, ça me casse les pieds, mais je n'ai pas le choix. Je passe de plus en plus de temps à lire les journaux et à regarder les infos.

J'ai envisagé de choisir ma prochaine victime en dehors de Londres, même si ça ne m'enchante guère, car la capitale flatte mon imagination et m'offre un cadre superbe, de sorte que je pense y rester pour l'instant. Je serai toutefois sans doute contraint de m'en aller bientôt. Tôt ou tard, un petit futé fera le rapprochement entre deux affaires, voire davantage, ils vont alors prendre les choses au sérieux, et pour moi, ça sentira le roussi.

Chapitre 16

Mercredi matin

Il n'était que 7 h 30, et pourtant Sean avait déjà repris le travail. Il lui avait suffi de dormir quelques heures, de prendre une douche et de changer de vêtements pour être à nouveau sur le pied de guerre. Il allait bientôt donner des instructions à une partie de son équipe, les autres étant toujours en train de surveiller l'immeuble dans lequel travaillait Hellier. Apparemment celui-ci n'était pas rentré chez lui la nuit dernière, mais il avait passé la nuit au bureau, ce qui montrait bien qu'il mijotait quelque chose.

On l'appela sur son fixe. Et voilà, ça recommençait, la journée entière serait ponctuée de coups de téléphone…

— Inspecteur divisionnaire Corrigan, dit-il, en essayant de ne pas avoir la voix d'un homme exténué.

— Bonjour. Inspecteur Young, de Scotland Yard. Vous nous avez envoyé des numéros de téléphone, relevés dans le carnet d'adresses d'un dénommé James Hellier, et dont vous vouliez savoir à qui ils sont attribués.

— Effectivement.

— Eh bien, nous avons fait les recherches nécessaires, ce qui nous a permis de constater que ce ne sont pas là des numéros de téléphone.

— Vous en êtes sûr ?

— Oui, ou alors ils doivent être codés.

Sean se leva. Il s'y était attendu, ne serait-ce que parce qu'Hellier avait affirmé que le numéro de téléphone de Daniel Graydon ne figurait pas dans son carnet d'adresses. Dans le cas contraire, il aurait été obligé de livrer son code, on aurait alors pu déchiffrer les autres et identifier ses contacts, ce qui aurait été très instructif. Malheureusement, Hellier se méfiait et redoublait de précautions.

— Êtes-vous arrivé à percer le code ?

— On ne fait pas ça à Scotland Yard, répondit Young.

— Vous ne voyez pas à qui je pourrais m'adresser ?

— Non. Il va vous falloir trouver un spécialiste, que ce soit auprès des services du contre-espionnage, ou bien en allant voir s'il n'y a pas un prof de fac qui s'intéresse à la question.

— Vous voulez rire ?

— Pas du tout. Mais comme il m'arrive d'avoir des moments libres, je peux essayer de m'en charger à votre place, si vous voulez.

— C'est gentil. Prévenez-moi dès que vous avez du nouveau.

Sean n'eut pas plus tôt raccroché qu'on l'appela de nouveau et que Sally se présenta à l'entrée de son bureau. Il leva le doigt pour lui dire de ne pas bouger et attrapa l'appareil. C'était cette fois Jim O'Connor, l'inspecteur qui dirigeait la seconde équipe de surveillance.

— Je ne sais pas ce qui s'est passé ici pendant la nuit, patron, mais c'était les autres qui étaient en planque, et il y en a visiblement un dans le lot qui s'est planté.

— C'est-à-dire ?

— On m'a expliqué que la cible numéro 1 n'a pas quitté le bureau de la nuit.

Jim utilisait le langage codé qui prévaut en pareilles circonstances.

— À moi aussi, confirma Sean.

— Dans ce cas, comment se fait-il que je viens de la voir entrer dans l'immeuble ?

Sean s'assit tout doucement.

— Non, ce n'est pas possible…

— Eh bien si, car je viens d'en être témoin, et cela m'a été confirmé par les agents 1 et 3. En plus, le mec s'est changé. Il y a donc quelqu'un qui a merdé.

En clair, cela voulait dire qu'Hellier leur avait échappé, une fois de plus, et qu'il avait pu déambuler à sa guise toute la nuit durant. Quelles en seraient les conséquences ? Pourvu que quelqu'un ne l'ait pas payé de sa vie !

Sean raccrocha à l'instant même où se pointait Donnelly.

— Il y a quelque chose qui ne va pas ?

Sean laissa échapper un soupir avant de répondre.

— Celui qui surveillait Hellier hier soir l'a laissé filer.

Il se leva et se dirigea vers la salle de réunion. Donnelly et Sally lui emboîtèrent le pas.

— C'est impossible, s'insurgea Donnelly, pas pendant que c'était moi qui étais en planque, vous rigolez ! Il nous a facilité le travail en passant toute la nuit au bureau, car il avait trop peur des journalistes pour mettre le nez dehors.

— Désolé, Dave, mais on me l'a confirmé, dit Sean sans prendre la peine de le regarder. Je ne déconne pas, il l'a semé. Il faut maintenant que tu saches comment on a pu en arriver là.

— Putain, j'y crois pas.

— Ce qui est fait est fait. Pas la peine d'insister.

Sally vola au secours de Donnelly.

— On n'a déploré aucun meurtre la nuit dernière, je me suis renseignée.

— Tu veux dire qu'on n'en a découvert aucun, ce qui n'est pas la même chose, répliqua Sean. Espérons que vous n'allez pas encore vous planter aujourd'hui.

— Pas si vite, patron. Je vous ai déjà expliqué que cette équipe complètement bancale ne servait à rien du tout. Je ne disposais que de cinq mecs épuisés pour surveiller une cible, dans ces conditions, impossible de m'en sortir.

Sean se rendit compte qu'il l'avait blessé.

— D'accord, d'accord, je sais que vous avez fait du mieux, ton équipe et toi. Si ça se trouve, il existe peut-être une autre issue par laquelle il est sorti de l'immeuble.

— Tout juste. On peut s'en aller par le parking situé au sous-sol, mais il y avait quelqu'un de chez nous en planque devant.

— Il faut croire alors qu'il est passé par ailleurs.

— Ça se peut.

Ils entrèrent dans la salle des opérations, où l'on ne voyait que cinq inspecteurs, les équipes de surveillance mobilisant en effet une grande partie des effectifs.

Les conversations se turent, et tout le monde s'assit. Sean n'eut pas envie d'expliquer qu'Hellier leur avait filé sous le nez la nuit précédente, préférant laisser Donnelly s'en charger par la suite. Il savait où se trouvait Hellier, ce n'était donc pas la peine d'en rajouter. Il ne pouvait pas se permettre de semer la zizanie entre ses collaborateurs.

— On va peut-être arriver à coller un autre meurtre sur le dos de notre homme, annonça-t-il.

Cela provoqua quelques remous dans l'assistance, même si personne n'eut l'air vraiment surpris. Il en avait effet parlé la veille au soir à Donnelly, qui avait dû ensuite mettre les autres au courant.

— À quels titres ?

— Pour trois raisons : d'abord, il n'y a pas d'indices exploitables par la criminalistique, ensuite on a retrouvé une trace de pas de la même taille que celle qu'on a relevée sur la scène du crime, et enfin l'assassin s'en est pris au même genre d'individu.

— Attendez, patron, s'insurgea Donnelly, je croyais qu'à Dagenham, c'était une adolescente que l'on avait égorgée. Je ne vois pas vraiment le rapport avec Daniel Graydon.

Tout le monde guetta la réponse de Sean.

— Je suis désormais persuadé qu'il ne faut pas prendre en compte le sexe de la victime, déclara-t-il.

— D'accord, fit Donnelly, mais comment va-t-on maintenant faire avancer l'enquête ?

— En utilisant le dernier moyen auquel on n'a pas encore eu recours : on va porter cette histoire à la connaissance du grand public, ce qui nous permettra de lui donner une autre envergure et d'obtenir, qui sait, un témoignage capital : celui de la personne qui aurait aperçu Hellier chez la victime, ou tout près de son domicile, la nuit du meurtre. Si ça se trouve, notre gus est venu en taxi, et on va peut-être avoir de la chance. Tu m'organises une conférence de presse, Dave, ajouta-t-il. Mais préviens d'abord notre service de presse, je n'ai pas envie de les vexer, ces gens-là. De son côté, Sally va s'occuper de *Crimewatch*.

— Dis donc, tu vas devenir une vedette ! rigola Donnelly.

Pour sa peine, Sally lui fit un doigt d'honneur.

— Nos collègues qui enquêtent sur le meurtre de Dagenham vont eux-mêmes donner une conférence de presse, reprit Sean. On se gardera toutefois d'expliquer à cette occasion qu'il y a peut-être un lien entre les deux affaires.

— En quel honneur ? s'étonna Donnelly.

— Pour ne pas effrayer les gens. Le but n'est pas de faire la une des journaux, mais d'utiliser la presse à bon escient. Ensuite, il n'est pas question que l'assassin sache qu'on a constaté des similitudes entre deux de ses crimes. Si c'est bien Hellier le coupable, laissons-lui croire qu'on le soupçonne uniquement d'être l'auteur du meurtre de Daniel Graydon. Ce n'est pas la peine d'abattre nos cartes. La prochaine fois que je l'interrogerai, je veux disposer de preuves qui me permettent de le confondre. Bon, maintenant nous avons tous du pain sur la planche, alors, au boulot !

— Et les deux autres suspects, Steven Simpson et Jonnie James, qu'est-ce qu'on en fait ?

— Retrouve-les, ils nous réservent peut-être une surprise, même si je n'y crois guère.

La réunion s'acheva, ses collègues adressèrent en repartant un sourire à Donnelly, qui quitta la pièce juste avant Sean. Mais au lieu de regagner comme les autres la salle des opérations, il emprunta l'escalier de secours et descendit deux étages plus bas, là où se concentrait le plus gros de l'activité du commissariat, pour aller s'isoler dans un petit local abritant deux vieilles photocopieuses ainsi qu'un téléphone. Comme il était seul, il appela Raj Samra, qui lui répondit presque aussitôt.

— Qu'est-ce qui t'amène ? lui demanda son correspondant.

— La même chose que ce dont on a parlé l'autre jour, tous les trois, avec Jimmy Dawson.

— Je m'en souviens.

— Il y a du changement.

— Je t'écoute.

— Je ne m'intéresse plus seulement aux meurtres d'homosexuels, mais à tous les crimes commis avec violence.

— C'est-à-dire ?

— Aux agressions sans motif apparent commises par des inconnus. Regarde aussi du côté de celles qui sont d'ordre sexuel, mais oublie les crimes domestiques, ceux qui sont le fait de bandes organisées ou encore ceux qui sont liés à la drogue ou à l'alcool.

— Je ferai de mon mieux.

— Tu en parles autour de toi, mais en demandant aussi à tes collègues de rester discrets. Et puis, n'oublie pas, il faut que je sois le premier à être mis dans la confidence.

Sur ce, il raccrocha. Raj resta quelques instants à contempler son téléphone, puis il appela plusieurs personnes, en commençant par Jimmy Dawson. Si celui-ci était prêt à rendre service à Donnelly, il ne demandait pas mieux que de suivre son exemple.

***

Hellier se tenait à côté de la fenêtre du bureau de l'un de ses subordonnés, avec qui il buvait un café en racontant des blagues sexistes. C'était leur secrétaire modèle qui servait de prétexte à leurs fanfaronnades de machos, et mieux valait qu'elle ne soit pas là pour les entendre. Il n'attachait d'ailleurs guère d'importance à ce qu'il disait, le principal étant de dissiper les sous-entendus selon lesquels il était homosexuel, qui s'étaient multipliés après son interpellation.

Cela risquait en effet de nuire davantage à sa réputation que le fait qu'on le soupçonne d'avoir commis un meurtre.

Ce matin-là, il était d'excellente humeur, son seul regret étant de ne pas avoir vu la tête de Corrigan quand on lui avait appris qu'il avait réussi à déjouer la surveillance exercée par les flics placés sous ses ordres. Il aurait encore l'occasion de les ridiculiser avant de s'évanouir dans la nature, mais auparavant, il lui fallait régler son compte, à Corrigan. Celui-ci l'avait humilié, eh bien, il allait maintenant s'en mordre les doigts. Contrairement au dicton qui veut que la vengeance soit un plat qui se mange froid, il saisirait la première occasion pour le lui faire payer.

La secrétaire modèle frappa à la porte, restée ouverte.

— Qu'y a-t-il, Samantha ? demanda son collègue.

— C'est Monsieur Hellier que je suis venue voir.

Hellier s'éloigna de la fenêtre et sourit à la fille.

— Qu'est-ce qui vous amène, Samantha ?

— Il y a quelqu'un au téléphone qui désire vous parler, mais il n'a pas voulu me donner son nom.

À tous les coups c'était un journaliste, ou bien Corrigan.

— Dans ce cas, envoyez-le sur les roses, ce type.

Samantha hésita à lui obéir, ce qui n'était pas dans son habitude.

— Ce monsieur tient absolument à vous parler, insista-t-elle. Il a des choses très importantes à vous dire, m'a-t-il expliqué.

— Passez-moi la communication dans mon bureau.

***

Sally arriva à pied au siège de la Division pour le renseignement criminel, située à Spring Gardens, dans le quartier de Lambeth, non loin du laboratoire de la police scientifique et de l'Utopia, où Daniel Graydon avait passé sa dernière nuit. C'était un bâtiment discret qui abritait cette antenne.

Elle avait abandonné sa voiture à la merci des contractuels et des voleurs à la petite semaine. Ici, les relations sociales restaient très frustes, et la règle du jeu, c'était la sélection naturelle. Il y avait longtemps qu'on n'avait plus peur de la police, qui inspirait le mépris, et que la population locale obéissait à ses propres codes.

Comme on pouvait s'y attendre, il fallait montrer patte blanche pour entrer ici. Sally sonna à l'interphone vidéo, et un homme lui répondit d'une voix impersonnelle :

— Que désirez-vous ?

— Inspectrice principale Jones, de la P J. J'aimerais voir Graham Wright, affecté, me semble-t-il, au Service de la fausse monnaie.

Elle montra sa carte de police, on lui ouvrit, et elle se présenta à l'accueil, où l'attendait un agent de sécurité, qui lui remit un badge et lui indiqua le chemin à prendre. Elle le remercia d'un signe de tête et se dirigea vers l'ascenseur.

Elle retrouva son collègue dans son bureau. C'était un jeune quadragénaire brun à la peau mate, qu'elle trouva séduisant. Elle lui expliqua d'entrée de jeu l'objet de sa visite.

— Je voudrais retrouver des empreintes digitales qui ont disparu.

Il eut l'air perplexe.

— En 1999, vous êtes allé à Scotland Yard chercher un jeu d'empreintes digitales.

— Holà, ça commence à se faire vieux, je ne sais pas si je vais encore m'en souvenir. C'étaient les empreintes de qui ?

— De Stefan Korsakov. Ça vous dit quelque chose ?

— Oh, oui.

— Pourtant, ça ne date pas d'hier.

— Il se trouve, voyez-vous, que j'ai aidé à le faire coffrer, ce salopard. Si vous venez m'annoncer sa mort, j'en serai ravi.

— Allez savoir… On essaie justement de le localiser. En attendant, vous vous rappelez avoir emprunté ce jeu d'empreintes à Scotland Yard ?

— Oui, et aussi de les y avoir rapportées.

— Pour quelle raison en aviez-vous besoin ?

— C'était pour rendre service à quelqu'un.

— Qui ça ?

— Paul Jarratt, qui était à l'époque inspecteur principal à Richmond, alors que je n'étais qu'inspecteur. On avait travaillé tous les deux sur l'affaire Korsakov, si bien que lorsqu'il m'a demandé d'aller chercher ses empreintes, je n'ai pas hésité.

— Vous a-t-il expliqué pourquoi il les voulait ?

— Je ne sais plus. Pourquoi n'allez-vous pas le lui demander ?

— C'est exactement ce que je vais faire.

**

Quand il regagna son bureau, le téléphone sonnait. Il ferma d'abord la porte avant de répondre.

— Allô ?

— J'espère que ça ne vous dérange pas, monsieur Hellier, que je vous appelle sur votre lieu de travail. Je n'ai pas trouvé d'autre moyen de vous joindre.

C'était un homme au bout du fil, il devait avoir dans les quarante ans et s'exprimait bien. Sa voix ne lui dit rien, mais peut-être la déguisait-il.

— Vous n'êtes pas journaliste, au moins ? lui demanda-t-il. Parce que si c'est le cas, je vais me débrouiller pour vous faire virer, et fissa.

— Non, absolument pas.

— Alors qui êtes-vous ?

— Quelqu'un qui connaissait Daniel Graydon et qui aimerait désormais vous donner un coup de main.

Hellier l'écouta en silence.

— Voici mes instructions. Si vous vous voulez me rencontrer, il vous faudra les suivre, mais soyez prudent, vos ennemis ne vous lâchent pas d'une semelle.

Hellier l'écouta attentivement, en enregistrant le moindre détail.

Quand son correspondant en eut fini, il mit fin à la communication et s'assit en silence, l'appareil toujours collé à l'oreille. Ce devait être un journaliste, ce nouvel « ami », et ça ne l'étonnerait pas que Corrigan lui ait transmis ses coordonnées, à ce fumier, histoire de le faire flipper et de le pousser à la faute. Mais ça ne marcherait pas, il savait comment s'y prendre avec les flics et les médias. On frappa à la porte.

— Entrez, dit-il d'une voix rauque.

Sebastian Gibran s'installa dans une chaise, à côté du bureau, tandis qu'Hellier se renversa instinctivement dans la sienne, pour mettre le plus de distance possible entre eux.

— Je voulais voir comment ça allait, et si vous n'étiez pas dépassé par les événements.

— Ça va, merci. Je tiens le coup, répondit-il, même s'il avait plus de mal que d'ordinaire à jouer la comédie.

— Tant mieux. Je savais qu'un homme comme vous n'allait pas se laisser impressionner par les ragots colportés par des jaloux.

— Je vous demande pardon ?

— Les autres seront toujours jaloux de gens comme vous et moi. Ils veulent la même chose que nous, et pourtant même s'ils gagnent au loto et n'ont plus rien à nous envier sur le plan financier, ils ne feront jamais partie du même monde et n'auront jamais conscience d'appartenir à la race des seigneurs. Vous saisissez ?

— Bien sûr. Il ne faut pas mélanger les torchons et les serviettes.

— Exactement, sourit Gibran. C'est la raison pour laquelle je vous ai recruté, parce que je savais que vous aviez le profil et les qualités indispensables. Je l'ai compris dès notre premier entretien, alors que j'avais rencontré la même semaine toute une flopée de petits génies de la finance. Mais j'ai tout de suite senti que vous étiez différent et que votre place était ici, chez Butler and Mason. J'ai donc remué ciel et terre pour vous avoir auprès de moi.

— Je vous en suis très reconnaissant, déclara Hellier, qui découvrait avec surprise une nouvelle facette de la personnalité de

Gibran, ce chef d'entreprise visionnaire se révélant soudain être un chantre de l'élitisme le plus éhonté. Venait-il enfin de se montrer à lui sous son vrai jour, ou bien ne s'agissait-il que d'un artifice destiné à endormir sa méfiance ?

— Vous m'avez déjà donné suffisamment de preuves de votre gratitude.

— Il n'empêche que je vous remercie une fois de plus.

— Vous savez, James, nous sommes tous susceptibles de nous tromper. Dans notre profession, le risque est un paramètre incontournable. Nous acceptons donc que les gens prennent de temps à autre des décisions regrettables, quitte à ce qu'elles nous coûtent parfois très cher.

Hellier attendait le moment où Gibran allait en venir au fait.

— Il y a cependant d'autres méprises ou erreurs de jugement qu'en général on ne laisse pas passer aussi facilement, reprit celui-ci. Les propriétaires de Butler and Mason aiment que leurs employés soient des gens mariés, qui mènent une petite vie de famille tranquille, car ça correspond à l'image rassurante qu'ils veulent donner de cette boîte. Si par conséquent un membre du personnel a des comportements ou des habitudes qui ne cadrent pas avec l'éthique de l'entreprise, on escompte bien qu'il ne les étalera pas sur la place publique, faute de quoi il risque de se retrouver dans une position délicate. Bref, si par malheur quelqu'un attire indûment l'attention sur l'activité de notre société, fût-ce de façon accidentelle, et même si l'on apprend par la suite que cette personne n'avait en réalité rien à se reprocher, les responsables de l'entreprise espèrent qu'elle va régler la question le plus vite possible. Nous sommes bien d'accord, James ?

— Oui, oui.

— Alors écoutez-moi, je viens de vous exposer la politique de nos dirigeants, pensez-en ce que vous voulez, mais personnellement, je vous conseille de faire attention. Je ne peux vous protéger que dans une certaine mesure. Je vous trouve sympathique, James, vous êtes quelqu'un de bien, voilà pourquoi, à votre place, je redoublerais de précautions.

— D'accord.

— Comme Nietzsche l'a expliqué, « il ne s'agit pas de viser l'humanité, mais le Surhomme... Je désire donner le jour à des créatures supérieures à l'espèce tout entière. » C'est ce que l'on attend de nous, James. Nous ne pouvons pas nous payer le luxe d'avoir les mêmes défauts que le commun des mortels.

— « Vivre par-delà le bien et le mal », ponctua Hellier, en citant Nietzsche à son tour.

Gibran se pencha en avant :

— Je savais bien que nous nous comprenions, vous et moi. Vous voyez, James, ce qui nous distingue des autres, c'est la puissance de notre imagination. Sans cela, nous serions pareils aux imbéciles qui errent à la surface de la planète comme des âmes en peine, voués à subir la loi de ceux qui sont faits pour exercer le pouvoir. Vous pouvez me trouver méprisant, pourtant je me borne à dire les choses telles qu'elles sont.

***

Sean entra dans la salle de Scotland Yard à la suite du commissaire Featherstone, qui allait y donner une conférence de presse. Il laisserait son supérieur prendre la parole, n'étant là que pour préciser quelques points.

En plus des gens de la télé, il y avait sur place une dizaine de journalistes de la presse écrite, soit bien moins que si l'on déplorait l'assassinat d'une célébrité ou d'un enfant, mais davantage que s'il s'agissait d'un meurtre ordinaire. Ils suivaient pratiquement tous l'affaire depuis que l'on avait interpellé Hellier et que Donnelly avait laissé fuiter la nouvelle.

Featherstone fit d'abord les présentations, puis il expliqua en gros dans quelles circonstances Daniel Graydon avait trouvé la mort. Au nom de la police, il lança ensuite un appel à témoins, s'adressant à tous ceux qui auraient pu voir le jeune homme retrouver quelqu'un à l'extérieur de l'Utopia le soir du crime, qu'il s'agisse d'un chauffeur de taxi qui l'aurait ramené chez lui, ou bien d'un ami ou de quelqu'un qu'il connaissait et qui l'aurait gentiment déposé au pied de son immeuble.

— Nous aimerions également savoir, précisa-t-il, si quelqu'un aurait plus tard vu rôder un individu dans le coin où habitait la victime. Rien ne dit que celui qui a commis ce crime épouvantable n'est pas ensuite reparti en taxi…

Sean écoutait d'une oreille distraite. Si Featherstone faisait son boulot et s'en tenait à ce qui était prévu, il y avait néanmoins quelque chose dont ils n'avaient pas discuté tous les deux au préalable. Il sursauta en entendant une journaliste poser la question suivante :

— Pouvez-vous nous donner le signalement du suspect ?

— Oui, répondit-il en coupant l'herbe sous le pied à Featherstone, qui s'apprêtait à dire le contraire.

Le commissaire en resta médusé.

— Et alors ?

— Nous pensons qu'il s'agit d'un Blanc d'une quarantaine d'années, mince, blond et soigné.

Ce faisant, il décrivit Hellier…

— Qu'est-ce qui vous permet d'affirmer que c'est à cela qu'il ressemble ?

— Je ne peux pas vous donner davantage de précisions à ce stade de l'enquête.

La salle était maintenant en pleine effervescence.

— Inspecteur divisionnaire… Inspecteur, répéta la journaliste en haussant le ton, ne venez-vous pas de nous donner le signalement de James Hellier ?

— Je n'ai rien à dire.

— Monsieur Hellier n'est-il donc plus considéré comme suspect ? voulut savoir un confrère de la dame.

— La loi m'interdit de vous répondre.

— Pourquoi monsieur Hellier n'est-il pas mis en examen ? demanda un troisième larron.

— Nous sommes en train de mener une enquête, je ne peux donc pas vous donner davantage de précisions à l'heure actuelle.

— Monsieur Hellier est-il alors considéré comme témoin ?

Il était maintenant évident que les journalistes n'étaient venus que pour Hellier, comme il s'en doutait depuis le début. Il sentait pourtant que Featherstone voulait en revenir à l'objet initial de son intervention, ce qui personnellement ne le dérangeait pas, au contraire, puisqu'Hellier lirait les articles qui paraîtraient le lendemain dans la presse et saurait alors à quoi s'en tenir. Autrement dit, on allait recommencer à lui mener la vie dure, histoire de lui faire comprendre que les flics n'avaient pas apprécié qu'il s'esquive au nez et à la barbe de ceux qui planquaient devant son lieu de travail et qu'il sème la zizanie au sein de l'équipe.

— Monsieur Hellier avait-il des relations sexuelles avec la victime ? s'enquit un autre folliculaire.

— Je pense que le commissaire Featherstone est mieux placé que moi pour vous répondre, déclara Sean, qui désirait céder la vedette à son patron et rester maintenant en retrait.

— Commissaire, soupçonne-t-on James Hellier d'être l'auteur de ce crime ?

Rompu à cet exercice, Featherstone répondit sans hésitation :

— Nous avons procédé à l'interrogatoire de monsieur Hellier. Je ne peux pas vous en dire davantage pour l'instant, mais je vous garantis que j'ai l'intention de mener une enquête qui soit aussi transparente que possible et de tenir, bien entendu, les journalistes informés des nouveaux rebondissements. Je demande également aux gens qui nous écoutent de nous aider à retrouver deux autres hommes, avec qui nous avons besoin d'avoir un entretien.

Sean n'écoutait plus, et il n'entendit donc pas Featherstone donner les noms de Steven Simpson et de Jonnie James. Silencieux sur sa chaise, il imaginait Hellier en train de perforer le corps de Daniel Graydon d'une multitude de coups de pics à glace, puis de trancher la gorge d'Heather Freeman, agenouillée devant lui…

***

Hellier avait suivi à la lettre les instructions qu'on lui avait données au téléphone. Il avait quitté le bureau à 18 heures et il était ressorti par la grande porte de l'immeuble, sous les yeux des flics planqués tout autour. Il avait hélé un taxi et dit au chauffeur de le conduire à la gare de Victoria. Une fois là-bas, il avait pris le métro et s'était enfoncé dans le dédale des couloirs, était monté dans une rame, puis en était descendu subitement et avait fait demi-tour, répétant l'opération à plusieurs reprises, de manière à ce qu'il soit quasiment impossible de le suivre.

Une heure plus tard, il se trouvait à Hyde Park, en train de regarder la statue d'Achille, à une centaine de mètres du kiosque à musique. Le type lui avait donné rendez-vous ici à 19 h 30, en lui expliquant qu'il porterait une chemise jaune et aurait un petit sac Reebok de couleur bleue.

Par précaution, il s'était mis légèrement à l'écart, afin de voir arriver ce mystérieux individu. On l'appela sur son portable. C'était un numéro masqué.

— Oui ?

— Désolé, mais je vais être en retard. Je ne pourrai pas être là avant 20 heures. Attendez-moi, je vous en prie.

Il regarda sa montre et constata qu'il allait lui falloir prendre son mal en patience.

— J'espère que ça vaut le coup, ronchonna-t-il.

— Ça, je vous le garantis. Vous avez intérêt à me faire confiance, car il s'agit d'une affaire beaucoup plus grave que vous ne l'imaginez.

— D'accord, je serai là.

Il éteignit son portable, en se disant que décidément il aurait le loisir d'admirer à sa guise la statue qu'il aimait entre toutes.

***

Pour la première fois depuis longtemps, Sean rentra à la maison à une heure raisonnable, ce qui ne manqua pas d'étonner Kate, qui avait pris l'habitude de ne pas le voir de la soirée.

C'était Sally qui intervenait en direct ce soir dans *Crimewatch*, tandis que plusieurs flics assuraient la permanence téléphonique au commissariat de Peckham, afin de répondre aux téléspectateurs qui risquaient de les appeler pour leur communiquer des renseignements. Sean n'y comptait guère, il espérait seulement qu'Hellier regardait l'émission. Il avait bien expliqué à Sally qu'elle devait suivre l'exemple de Featherstone et donner comme signalement de l'assassin celui d'Hellier.

Il avait aussi l'intention de regarder la séquence consacrée au meurtre d'Heather Freeman, dans laquelle interviendrait son collègue Brown, qui se garderait bien toutefois d'indiquer que l'on avait fait le rapprochement entre les deux affaires. Quelle incidence cela aurait-il sur l'attitude d'Hellier ? Il l'imaginait déjà en train de se moquer de leur incompétence. Eh bien, qu'il s'en moque, rirait bien qui rirait le dernier.

Il reçut un appel sur son portable, grogna et répondit.

— Oui ?

— J'ai une mauvaise nouvelle à vous annoncer, patron, lui dit Jimmy O'Onnor. Notre homme a quitté le boulot vers 18 heures, et malheureusement il nous a semés dans le métro.

— Pourquoi ne pas m'avoir prévenu plus tôt ?

— On a cavalé partout pour essayer de le retrouver. J'ai envoyé deux gus chez lui, mais il y est arrivé avant eux, ou alors il n'est toujours pas rentré.

— D'accord, Jimmy, tu as fait de ton mieux. Tiens bon et va

planquer ce soir devant son domicile. Je vais voir demain si je peux récupérer une équipe de surveillance composée d'éléments plus fiables.

— Désolé, répéta Jimmy.

Sean mit fin à la communication et se demanda s'il n'allait pas s'endormir avant la fin de l'émission, tellement il était fatigué.

***

Une fois de plus, Hellier regarda l'heure. Il n'avait pas attendu plus de trois minutes avant de consulter à nouveau sa montre. Il était maintenant 20 h 10 ; le type avait promis d'être là à 20 heures pile, il avait donc du retard et il ne l'avait pas appelé. Lequel des deux se fichait de l'autre ?

Et puis d'abord, qu'est-ce qu'il voulait, ce mec ? L'aider, soi-disant. Qui donc en avait les moyens, et puis d'abord l'envie ? Essaierait-il de le faire chanter ? Voilà au moins qui serait cocasse. Il jeta un œil à son portable, non, personne n'avait cherché à le joindre.

Il n'allait pas passer la nuit à poireauter ici, il avait mieux à faire. Certes il avait semé les flics, mais il devait continuer à rester sur ses gardes, car les journalistes pouvaient être encore plus collants qu'eux. Bah, il était temps pour lui de s'offrir une petite gâterie. Il le méritait bien.

***

Kate regardait Sean essayer de ne pas s'endormir assis devant la télé, une canette de Stella Artois posée en équilibre sur la poitrine, qui se soulevait et s'abaissait doucement. S'il se mettait à roupiller, il allait la renverser, et la bière fraîche le réveillerait aussitôt. Au fond, ce serait marrant, il serait le premier à en rigoler, et ça faisait longtemps qu'elle ne l'avait pas vu rire.

N'empêche qu'il était en train de s'assoupir. Le présentateur de *Crimewatch* annonça qu'il allait être question d'un assassinat commis dans le sud de Londres. Elle secoua son mari par l'épaule :

— C'est pour toi, maintenant.

— Hein ?

— Ils vont parler de ton enquête.

Sean se redressa sur son siège, se frotta le visage et s'ébroua.

— Merci.

À l'écran, le type expliqua en gros de quoi il s'agissait. En principe, cette émission n'avait pour but que d'aider la police à arrêter un assassin, mais la terminologie employée par le présentateur suffisait à le trahir et à montrer qu'il s'efforçait avant tout d'obtenir un taux d'audience élevé. C'est ainsi qu'il évoqua un crime « macabre », en précisant que le malheureux Daniel Graydon avait recu pas moins de « soixante-dix-sept » coups de couteau ou de pic à glace, puis en qualifiant ce meurtre « d'horrible assassinat », commis par un « monstre assoiffé de sang ». Bref, on reconnaissait tout de suite le style et les ficelles de la presse à scandale, qui en remet dans le sentimentalisme et cherche à faire pleurer Margot.

On montra alors Sally, qui n'avait pas l'air très à l'aise, mais ceux qui ne la connaissaient pas aussi bien que lui ne devaient y voir que du feu. Elle obéit aux consignes et donna, comme convenu, le signalement d'Hellier. Sean imagina la tête d'Hellier, si d'aventure il regardait l'émission. Celui-ci n'en restait pas moins extrêmement dangereux, et il fallait s'en méfier plus que jamais.

Le présentateur essaya de la piéger, la petite Sally, en lui demandant par exemple si l'on avait déjà procédé à une arrestation et s'il pesait des soupçons graves sur quelqu'un. Elle devait s'y attendre et répondit que l'on avait interrogé plusieurs individus, mais que l'on cherchait toujours à retrouver Steve Simpson et Jonnie James, qui s'étaient volatilisés. Le présentateur n'insista pas et conclut la séquence en demandant comme d'habitude aux gens de tout faire pour aider la police. Il communiqua à ce titre deux numéros de téléphone, celui du studio et celui du commissariat de Peckham, qui apparurent en même temps en bas de l'écran, puis il passa à la deuxième tragédie qui défrayait la chronique ce soir-là.

Chapitre 17

Je l'ai déjà vue à deux reprises, et à chaque fois je l'ai suivie jusque chez elle. Elle habite à Shepherd's Bush, dans une vieille résidence de luxe où elle a un appartement au premier étage. L'immeuble n'a pas l'air très bien entretenu, mais enfin il ne doit pas non plus être trop déplaisant, vu qu'il se trouve dans un quartier cossu.

Elle travaille à Holborn, dans une petite agence de publicité, et je lui donne environ 30 ans. Elle n'est pas mal, sans avoir rien non plus d'extraordinaire. Elle mesure dans les un mètre cinquante et elle est de robuste constitution, même si elle ne respire pas vraiment la santé. Cela dit, elle a de très jolis cheveux bruns coupés très courts, ce qui sort de l'ordinaire.

Mais ce qui m'a séduit chez elle, ce qui fait que je l'ai remarquée, c'est sa peau, une peau ambrée et satinée…

Savait-elle que c'était justement ce qui la distinguait des autres ? Il faut croire. L'ennui, c'est qu'elle ne va pas rester dans cet état, sa jolie peau, car elle se tue au travail, la petite, elle est toujours la dernière à quitter le bureau, comme si elle essayait de faire bonne impression à son patron, ou bien de se prouver quelque chose.

J'ai lu l'autre jour dans l'*Evening Standard* un article où l'on expliquait qu'à Londres les jeunes qui bossent estiment qu'ils ont d'autant mieux réussi qu'ils ont moins de temps libre. C'est lamentable. Dans ces conditions, comment pourrait-on dire que je n'ai pas le droit de faire avec vous ce qui me plaît ? Vous ne valez plus rien, vous le savez bien, et il n'y a que moi qui puisse y remédier.

Chaque fois que je suis venu l'épier, elle n'a pas quitté le boulot avant 20 heures. Même chose ce soir.

J'ai pensé venir la voir sur son lieu de travail, afin de réserver une drôle de surprise à son patron quand il débarquera, le demain matin. Imaginez, par exemple, que je lui tranche les seins, à la cocotte, en m'inspirant de l'exemple donné par Jack l'éventreur, et que je les pose sur son bureau, à côté d'une lettre de démission que je l'aurais au préalable forcée à écrire, histoire de rigoler !

Mais non, je risquerais d'être interrompu par un agent de nettoyage ou bien un connard de vigile. Je pourrais facilement leur régler leur compte, à ces blaireaux, mais ça me gâcherait le plaisir. J'ai par conséquent décidé de la suivre jusque chez elle, une fois de plus.

C'est facile pour elle de regagner Sherpherd's Bush en métro, il lui suffit d'emprunter la Central Line et de faire dix stations. Inutile de dire que c'est un jeu d'enfant de la prendre en filature. Qu'est-ce que j'ai hâte qu'elle regagne ses pénates ! Oh, je sais très bien où elle habite, pour l'avoir déjà laissée deux fois m'y conduire à son insu, mais voilà, ça m'excite de courir après le gibier.

Mon cœur bat à tout rompre, je suis sûr que les gens l'entendent tambouriner, enfin non, ce n'est pas possible, ils n'ont pas l'ouïe assez fine. Mon sang s'insinue dans mon organisme, je sens mes muscles durcir et se contracter, j'y puise de la force, j'en deviens invincible, mes facultés visuelles, auditives et olfactives en sont démultipliées…

Voilà maintenant que ça me travaille dans les parties. Je suis obligé de calmer le jeu et d'y mettre le holà. Ce n'est pas évident, surtout que je suis assis tout près d'elle dans le même wagon. Elle s'est aperçue de ma présence, ben tiens, mais ça n'a pas l'air de l'inquiéter. Pas étonnant, je lis mon journal, le *Guardian*, il n'y a pas de quoi vous faire flipper.

On descend à la prochaine. Elle se lève avant moi, se dirige vers la porte. Je me faufile dans un coin, juste derrière elle. Du même coup, je respire son odeur, un parfum sublime et capiteux...

Le métro s'arrête, on descend tous les deux sur le quai. Ici, il y a partout des caméras de surveillance, je prends donc soin de ne pas me précipiter et je pose le pied sur un banc pour faire semblant de renouer mon lacet, de manière à donner le change si jamais les flics visionnent les enregistrements. Après quoi, je recommence à lui filer le train, mais en restant cette fois à bonne distance, ce qui est exactement ce que je voulais.

Je l'ai perdue de vue quand j'ai franchi le portique automatique et me suis retrouvé dans la rue, mais je connais le chemin qu'elle doit prendre et j'espère qu'il n'y aura pas d'imprévus. Si, par exemple, elle s'arrête dans un magasin ou bien rencontre un copain, je risque de paumer sa trace. Certes, je le retrouverai au pied de son immeuble, mais ce soir je tiens à la suivre, car c'est comme ça que j'ai imaginé que les choses allaient se passer. Pour réaliser mes désirs, il faut d'abord que j'en passe par là, et ça n'aurait aucun intérêt de continuer s'il y avait quelque chose de changé dans le scénario.

Il n'est pas loin de 21 heures, pourtant il ne fait pas encore vraiment nuit. Je file sur Bush Green, où il y a toujours beaucoup de circulation. C'est une vraie foire d'empoigne, sur cette avenue.

Je passe devant une bande de jeunes Noirs qui rôdent devant un bureau de paris. Ils matent ma belle montre de prix, mais je les regarde d'un sale œil et ils ne mouftent pas.

Au moment où je ne m'y attendais pas, elle sort de la boutique d'un marchand de journaux, et c'est tout juste si je lui rentre pas dedans. Cette fois elle m'a vu, il n'y a pas à tortiller. Résultat des courses, je me retrouve maintenant devant elle, moi qui au contraire avais envie de la suivre ! Comme il n'est pas question de rester planté sur place pour la laisser passer, j'improvise.

Faute de mieux, je gagne le premier arrêt de bus qui se trouve dans le coin et fais mine d'attendre. Elle me double, et je sens bien qu'elle me jette un coup d'œil au passage, sans avoir l'air inquiet.

J'attends quelques instants, puis je lui emboîte le pas.

Il me faut maintenant redoubler de prudence, puisqu'elle m'a repéré à deux reprises. Si jamais elle se retourne et me voit, elle risque de s'enfuir en courant, ou bien d'entrer dans le premier magasin ou bistrot venu. Ce ne serait pas une catastrophe, mais ça flanquerait en l'air tous mes plans pour ce soir.

Je reste une dizaine de mètres derrière elle, car je ne veux pas prendre le risque de m'en approcher davantage. Malgré tout, elle se doute bien que je la suis, et c'est d'ailleurs ce que je veux. Les Chinois vous expliquent que la viande de chien sera d'autant plus tendre et douce au goût que l'animal a eu la trouille avant qu'on l'égorge. Je suis bien d'accord.

J'essaie de deviner quand elle sera sur le point de se retourner et de quel côté elle regardera, afin de ne pas me faire repérer. Mais elle poursuit son chemin, comme si de rien n'était. Il faut dire qu'il y a du monde sur Bush Green, ce qui doit la rassurer.

Elle tourne dans Rockley Road, une petite rue bordée de maisons attenantes de style victorien ou bien géorgien. En raison du manque de logements et d'hôtels bon marché, tout le coin regorge d'appartements crasseux et de pensions minables. Elle s'engage sur la gauche dans Minford Gardens, la ruelle où elle habite, et de part et d'autre de laquelle s'alignent des pavillons délabrés et divisés en appartements, devant lesquels il y a des arbres. C'est nettement plus calme, par ici.

Je presse l'allure. Complètement surexcité, j'ai envie de me défouler sur elle, de la tailler en pièces, de la déchirer avec les ongles et les dents, mais je n'en ferai rien et lui montrerai au contraire que je ne suis pas comme les autres et que je sais garder mon sang-froid.

Je me rapproche d'elle, en marchant de plus en plus vite, sans faire de bruit toutefois. Le soleil a disparu derrière les maisons. Me voilà à quelques mètres d'elle, les lampadaires s'allument…

Je pourrais maintenant la toucher, tellement je suis près. Elle a la chair de poule, ça se sent. Elle pivote sur ses talons et me regarde. Bientôt, elle me verra sous mon vrai visage, la biquette.

***

Linda Kotler avait 32 ans, et elle était célibataire. Elle avait eu un copain pendant huit ans, mais quand elle avait voulu qu'il lui passe la bague au doigt, il s'était dégonflé, le zèbre, et il avait pris la poudre d'escampette. Cela faisait six ans et demi qu'ils vivaient ensemble, mais il avait suffi qu'elle parle de mariage pour que tout d'un coup il se sente « coincé », le lascar. En réalité, il n'attendait peut-être que ça pour se tirer.

Elle était donc en train d'apprendre ce qu'était la vie de célibataire, alors que tout le monde autour d'elle était en couple. C'est long, de passer huit ans avec quelqu'un, ils en étaient arrivés à avoir tous les deux les mêmes amis et à être indissociables aux yeux des autres. Quand son petit chéri l'avait quittée, les gens qu'elle connaissait s'étaient montrés au départ super-gentils, au point d'en devenir parfois crispants. Mais maintenant ses copines mariées n'avaient plus pitié d'elle, non, au contraire, elles la regardaient de haut. Tu parles, redevenue célibataire, elle représentait une menace pour leur vie de couple. Bon, d'accord, elle avait bien un peu flirté avec les maris ou les copains de ses amies, mais elle avait plus que jamais envie de se sentir désirée. C'est dur, d'être mise sur la touche.

Elle avait encore quitté le bureau très tard. Serait-ce parce qu'elle espérait inconsciemment que quelqu'un allait l'inviter à prendre un verre ? Ça n'aurait pas été de refus, au contraire, seulement ça n'était pas arrivé, et il lui fallait dorénavant regagner sa prison adorée.

Elle se regarda dans le miroir de son poudrier. Ses cheveux courts étaient très bien comme ça, et elle avait toujours une belle peau, même après toutes ces années passées avec lui. Il n'empêche qu'elle se passa de la crème hydratante sur le visage et se mit un peu de rouge à lèvres. On ne sait jamais qui on peut croiser dans le métro.

Il n'y avait pas beaucoup de monde dans la station de d'Holborn, car ce n'était plus l'heure de pointe. Ça lui flanquait toujours la trouille de voir les gens s'entasser sur les quais en attendant le métro, elle qui avait grandi dans une petite ville du Devon. Pourquoi les gens étaient-ils tous aussi pressés de rentrer chez eux ? Il faut croire qu'ils avaient de bonnes raisons…

Elle le repéra dès l'instant où elle posa par terre son attaché-case, qui pesait une tonne. Il se trouvait à deux ou trois mètres d'elle, sur la gauche, un peu en retrait. Elle le remarqua parce qu'elle l'avait déjà vu une semaine avant, ou peut-être moins. Ce genre de coïncidence arrive plus souvent qu'on ne le croit ; dès lors qu'on prend la même ligne tous les jours, on finit par croiser ceux qui l'empruntent également.

Elle l'avait déjà trouvé séduisant, un peu plus âgé certes que ce qu'elle recherchait d'ordinaire, il devait sans doute avoir plus de 45 ans, mais c'était quelqu'un de très soigné et de bien habillé. Elle essaya de renifler son eau de toilette, mais ne sentit rien du tout, il ne devait donc pas en mettre.

Elle ne le regarda pas, mais sentit bien qu'il l'avait remarquée. De son siège, elle ne voyait pas bien, pourtant elle était presque sûre qu'il ne portait pas d'alliance, rien qu'une belle montre, une Omega probablement, ce qui voulait dire qu'en plus il avait du fric. Eh, ça peut toujours servir…

Le métro arriva, ils montèrent dans le même wagon. Elle jeta un œil aux pubs et le regarda à la dérobée, en ayant la nette impression qu'il faisait de même de son côté. À part ça, il lisait le *Guardian*, il était donc de gauche, comme elle.

Elle se demanda où il allait descendre. Elle pensa tout d'abord que ce serait à Notting Hill ou bien à Holland Park, mais non.

On n'allait pas tarder à arriver à Shepherd's Bush. Elle se leva et s'approcha de la porte. Il descendit derrière elle, mais pas pour la suivre, apparemment. Sans doute avait-il emprunté un autre couloir pour rejoindre une autre sortie.

Elle décida de se la jouer fine et de ne pas lui montrer qu'elle cherchait à savoir où il était passé, si d'aventure il se trouvait toujours dans son dos, mais réussit quand même à regarder discrètement derrière elle dans l'escalier mécanique. Il n'était plus là. Au lieu de continuer à avoir le trac, elle se sentit déçue. Bigre…

Quand elle se retrouva dans la rue, elle ne pensait plus à lui. Elle marcha d'un bon pas sur Bush Greeen, malgré sa mallette bourrée de documents, et se promit de ne plus rentrer chez elle chargée comme un baudet. Voyant des jeunes Noirs attroupés devant un bureau de paris, elle serra contre elle son attaché-case, agrippa son sac à main et passa en vitesse devant eux sans les regarder. Elle s'en voulut aussitôt, réalisant qu'elle venait d'avoir une réaction raciste.

Elle entra dans le magasin d'un vendeur de journaux, où comme souvent à Londres flottait une odeur de cuisine asiatique, douceâtre et épicée, et mit moins d'une minute à acheter un paquet de Silk Cut Mild. Elle avait bien essayé de fumer des Marlboro Light ou des Camel Light, comme tout le monde à Londres, mais elle n'en avait pas aimé le goût ni l'odeur. Ça n'avait rien de commun avec les cigarettes qu'affectionnaient les adultes du Devon, quand elle était plus jeune.

Elle sortit en coup de vent de la boutique et faillit le bousculer, le type du métro. Elle pila net, et il s'écarta pour la laisser passer. S'il avait eu envie d'engager la conversation, c'était là une occasion en or, mais non, il n'en avait pas profité. Elle s'était peut-être fait un cinéma, tout à l'heure, en s'imaginant qu'il l'observait. La solitude à Londres devait commencer à lui peser pour qu'elle ait envie à ce point qu'on la remarque.

Il était maintenant devant, et elle le vit se diriger vers un arrêt de bus et se demanda où il voulait aller, à Putney, peut-être, ou plus vraisemblablement à Barnes.

Elle passa devant l'arrêt de bus, continua un moment dans la même direction, puis tourna à gauche dans Rockley Road. Le vacarme de l'avenue s'estompa aussitôt, elle se détendit et continua son chemin, mais plus lentement, comme si elle effectuait sa petite promenade du soir. Mais la bandoulière de son attaché-case qui lui cisaillait l'épaule lui en apportait un cruel démenti. Elle songea à s'arrêter pour allumer une cigarette, mais décida finalement d'attendre d'être rentrée. Tant qu'à faire, elle en profiterait aussi pour boire un verre de vin, il y avait une bouteille neuve à la cuisine.

La rue était déserte. On apercevait les gens chez eux et on surprenait des bribes de conversation, mais à part ça, c'était le calme plat, il n'y avait personne dehors, ce qui permettait de sentir tout de suite s'il y avait quelque chose de louche. Or elle avait la certitude d'être suivie. Serait-ce par l'un des jeunes Noirs attroupés devant le bureau de paris ? Si jamais il la braquait, elle n'hésiterait pas à lui laisser son sac à main et son attaché-case, du moment qu'il ne la frappait pas.

Elle pressa le pas, tendit l'oreille, sans rien détecter de suspect. Les réverbères s'allumèrent, projetant des ombres indistinctes sur le trottoir. Le bruissement des feuilles devint soudain assourdissant.

Il y avait quelqu'un qui se rapprochait, c'était sûr. Normalement elle aurait dû s'arrêter pour voir qui c'était, mais elle n'en trouva pas le courage.

Elle entendit des pas, il devait être juste derrière elle. Elle finit par se retourner, prête à hurler, mais au lieu de ça, elle resta muette de stupeur car c'était lui, le type du métro ! Il sursauta, lui aussi, et fit un bon en arrière.

— Excusez-moi, dit-il, je ne voulais pas vous effrayer.

Il avait une belle voix.

— Oh là là, fit-elle en portant une main à sa poitrine, vous m'avez fait une de ces peurs !

Ils s'esclaffèrent. Elle s'écarta légèrement.

— Est-ce que vous me suivez ? lui demanda-t-elle en retrouvant son sérieux.

Il sortit de son portefeuille un insigne de police. Elle poussa un ouf de soulagement.

— Il ne m'a pas échappé, tout à l'heure, que deux ou trois lascars ont reluqué votre attaché-case, expliqua-t-il.

— Ceux qui étaient devant le bureau de paris ?

— Oui. Sans vouloir tomber dans les clichés, j'ai jugé préférable de les tenir à l'œil.

— C'est pour cela que vous avez attendu un moment à l'arrêt de bus ?

— Ah, vous avez remarqué… Bon, c'est vrai, je n'ai jamais été très doué pour les missions de surveillance.

Une fois de plus, ils se mirent à rire.

— Il y en avait deux, dans le groupe, qui donnaient l'impression de vouloir vous suivre. J'ai alors décidé de faire pareil, pour parer à toute éventualité, mais ils ont tourné à un carrefour. À ce propos, vous allez loin ?

— Non, j'habite tout près.

— Tant mieux. Désormais, vous ne risquez plus rien. Aujourd'hui, vous vous en êtes tirée à bon compte.

Il lui fit un clin d'œil, signe qu'il allait repartir. Elle forma le vœu qu'il reste encore un peu.

— Quand même, déclara-t-elle, vous n'avez pas l'air d'un flic.

— Ah bon ? Vous savez, on ne ressemble pas toujours à ceux qu'on voit à la télé. Eh oui, plaisanta-t-il, il y en a même chez nous qui savent lire et écrire !

Elle le trouva sympa.

— Bon, dit-il, il faut que j'y aille. Le devoir m'appelle.

— Tant pis. Au fait, vous vous appelez comment ?

— Sean, répondit-il, Sean Corrigan.

Il avait déjà fait mine de s'en aller.

« Sil se retourne, c'est que je ne l'ai pas laissé indifférent », se dit Linda.

Il se retourna, lui adressa un signe de la main et un petit sourire.

Linda était aux anges.

***

Après avoir effectué un détour par son bistrot préféré, Donnelly rentra chez lui à l'heure pour regarder *Crimewatch*. Il plaignait la pauvre Sally de s'être encore fait manipuler par Sean, mais au moins ce n'était pas à lui de se charger de cette corvée, même s'il y avait toujours le moyen de se défiler quand on avait un peu d'imagination et beaucoup d'expérience. Il remonta à pied l'allée de sa maison jumelée de Swanley, dans le Kent. Avec ses cinq enfants qu'il voyait grandir à toute allure, il était obligé de vivre ici, vu le prix des logements à Londres. Malgré tout, le trajet en train n'était pas trop pénible, sans compter qu'il ne risquait pas de se faire arrêter sur la route à moitié bourré. Il donna au passage une petite tape à la vieille Land Rover rouillée, la seule voiture de la famille qui ne tombait presque jamais en panne.

Karen, sa femme, l'apostropha dès qu'il ouvrit la porte :

— Tu rentres en retard, une fois de plus, déplora-t-elle, avec son accent de l'East End.

Cela faisait plus de vingt ans qu'ils étaient mariés.

— J'ai fait des heures supplémentaires, ma chérie. Dois-je te rappeler qu'on a besoin de tout l'argent que je ramène ?

Elle leva les yeux au ciel.

— À propos de responsabilités financières, où sont passés les enfants ?

Karen mit ses mains sur ses hanches.

— Jenny est sortie avec son copain, Adrian est chez sa copine, Nikki et Raymond s'amusent en haut avec la Playstation, et Josh est au lit.

— Elle habite toujours ici, Jenny ? demanda-t-il sur le ton de plaisanterie.

— Bah, elle n'a que 17 ans, et elle prépare son bac.

— Pour faire quoi ensuite, des études ? Tu parles, on sera tous sur la paille avant qu'ils trouvent chacun un boulot et aillent vivre ailleurs. Moi, à 17 ans, je travaillais aux chantiers navals de Dumbarton, oui, je gagnais correctement ma vie et j'apprenais un métier.

— Jusqu'à ce que tu estimes que c'était trop dur et que tu entres dans la police.

— Il n'empêche que je ne devais rien à personne.

— Ah non, tu ne vas pas recommencer !

— Fais-moi la bise, et je vais y réfléchir.

— Alors là, tu peux toujours attendre, mon vieux. Ma mère avait raison en parlant de toi : quand on embrasse un garçon, on tombe enceinte. Vu comment on s'est débrouillés pour en avoir quatre de trop, adresse-toi à quelqu'un d'autre. En plus, je n'aime pas quand tu as la moustache parfumée à la bière.

— Je n'ai rien bu du tout.

— Ben voyons.

— Très bien, je passe au salon. N'importe comment, il faut que je regarde *Crimewatch*.

— Tu n'en as pas marre, à la fin, du boulot ?

— Il est question, ce soir, de l'affaire sur laquelle on enquête. Ça ne serait pas sympa de ma part de rater ça. Tu parles, j'entends déjà les autres au réfectoire…

— Et moi qui voulais suivre l'émission sur la princesse Diana !

— Tu n'auras qu'à regarder la rediffusion.

La télé était déjà allumée dans le séjour. On y passait un film à petit budget avec un décor lamentable et des acteurs complètement nuls. Il attrapa la télécommande et fit défiler les chaînes jusqu'à ce qu'il tombe sur ce qui l'intéressait.

— Quand est-ce qu'il est question de ton meurtre ?

— Je n'en sais rien. Il va falloir que je regarde cette émission en entier. Quelle connerie, *Crimewatch* ! C'est du pipeau, si tu veux que je te dise.

Il se laissa choir dans le vieux fauteuil qui lui était réservé.

— Quelle foutaise, de lancer des appels à témoins ! Comme si les gens allaient élucider les meurtres à notre place... C'est pas ainsi qu'on procédait, nous autres.

— On sait très bien comment vous procédiez...

— Il y a intérêt. On faisait ce qu'il fallait pour mettre les voyous à l'ombre, n'importe comment, c'était des truands. Notre boulot, c'est de les envoyer en taule. Peu importe comment on s'y prenait, c'était le résultat qui comptait. Les malfrats eux-mêmes ne se plaignaient jamais. Ils savaient à quoi s'en tenir. Pour eux, c'était un risque du métier. Les gens s'en fichent des méthodes auxquelles on a recours, je ne cesse de te le répéter. Évidemment, il y a les humanistes qui vont te rappeler à cor et à cri que les assassins et les violeurs ont des droits, mais à part ça, tout le monde s'en fout. Moi, j'ai pour mission d'empêcher les ordures de continuer à sévir. Quant aux moyens que j'utilise, ça me regarde. Les autres n'ont qu'à rester dans leur petit monde douillet, ils ne sont pas obligés, eux, de mettre les mains dans le cambouis.

— N'oublie pas, quand même, que le monde a changé et qu'il te faut faire gaffe.

— Oui. Ne t'inquiète pas pour moi, ma chérie, je suis capable de me débrouiller.

— Je n'en doute pas, mais qui va s'occuper de moi et des enfants si tu te fais virer parce que tu as fabriqué des fausses preuves pour accuser un type ?

— Ce n'est pas pareil, en cas de meurtre. On ne cherche jamais à en coller un comme ça sur le dos d'un mec. Au pire, on donne un petit coup de pouce à l'enquête, si l'on est sûr d'avoir affaire à l'assassin, mais on ne magouille pas pour le faire plonger.

— Ton supérieur, Sean Corrigan, ne me donne pas l'impression d'être du genre à employer des moyens pareils.

— Il ne faut pas le sous-estimer, Corrigan, il n'est pas tombé de la dernière pluie. Il n'a pas brûlé les étapes, il n'a pas bénéficié de l'échelon d'entrée réservé aux diplômés, il n'a pas fait de la lèche. Non, au contraire, il en a bavé pour arriver à ce poste.

— Tu en es sûr ?

— Absolument.

***

Linda Kotler suivit *Crimewatch* d'un œil distrait, elle écouta ce que l'on dit sur le meurtre de Daniel Graydon, puis sur l'assassinat d'un postier de Humberside, un homme de 60 ans que l'on avait tué pour cent vingt livres. Ça ne l'égaya pas vraiment. Elle changea de chaîne et regarda une autre rediffusion. De fil en aiguille, elle repensa au policier de tout à l'heure, Sean Corrigan.

Le téléphone la tira de sa rêverie. Elle avait beau être seule, elle eut envie de savoir qui l'appelait avant de répondre, et elle laissa donc cette personne laisser un message sur le répondeur. Reconnaissant la voix de sa sœur, elle décrocha, car elle avait un secret à lui confier.

— C'est moi, c'est moi, lui dit-elle. Eh merde, il y a cette saloperie de répondeur qui va enregistrer notre conversation !

— Tu continues à filtrer les appels que tu reçois. Ah là là, vous avez tous cette sale habitude, à Londres !

— On y est bien obligés, sinon on serait sans arrêt dérangés par ceux qui font de la télévente et par des gens de la famille à qui on n'a rien à dire.

— C'est quoi, la télévente ? demanda sa sœur, qui n'avait toujours pas quitté sa province natale.

— Peu importe. Comment vas-tu ?

— Tout le monde est en pleine forme, merci.

Sa sœur cadette avait épousé un camarade de classe, avec qui elle avait trois enfants. Jadis, elle était un peu jalouse de son aînée, mais maintenant, c'était le contraire.

— Et toi ? As-tu déjà rencontré un bel homme sympa, et riche de préférence ?

Cela faisait des mois qu'elle lui posait la même question, depuis qu'elle était venue tenter sa chance à Londres.

— Non, enfin, pas exactement.

— Comment ça, pas exactement ?

— Eh bien, j'ai fait aujourd'hui la connaissance d'un mec en rentrant chez moi, et on a discuté un peu, tous les deux. Il a l'air très gentil, et en plus il n'est pas mal du tout, mais on n'est pas allés jusqu'à échanger nos numéros de téléphone. Remarque, s'il le voulait, il pourrait très bien retrouver le mien.

— Qu'est-ce qui te fait dire ça ?

— Il est de la police, inspecteur, je crois.

— Waouh ! Et il s'appelle comment ?

— Sean, Sean Corrigan.

***

Maintenant que je me suis présenté à elle, je la laisse repartir, du moins pour un certain temps. C'est ainsi que j'ai imaginé que les choses se passeraient. Il faut que je disparaisse un moment, en attendant que tombe la nuit, ma vieille amie. J'ai préparé le terrain et je sais que se tient actuellement le Salon de la plaisance, au palais des expositions d'Earl's Court. Ça ne m'intéresse absolument pas, mais c'est dans le coin et ça reste ouvert jusqu'à 23 heures. C'est l'endroit idéal où me planquer, dans la cohue, au milieu du troupeau…

Je me mêle à tous ces gens. Ce serait trop facile de m'en prendre à eux, d'en attirer un ou une dans les chiottes et de lui faire sa fête, mais c'est justement quand ils perdent leur sang-froid que les artistes comme moi se font choper. Il ne faut jamais se laisser aller, mais toujours rester maître de soi.

J'éprouve une immense admiration pour le confrère qui, en Allemagne, en descend un de temps à autre. Tous les deux ou trois mois, il y a un minable à qui il fait sauter le caisson, puis notre homme s'évanouit dans la nature. Il sort vraiment de l'ordinaire, ce gus. En général, les tireurs isolés s'installent dans un endroit stratégique, puis ils flinguent tous ceux qui passent dans le coin, jusqu'à ce qu'on les abatte à leur tour.

Pourquoi cela se termine-t-il ainsi ? Parce qu'ils ne savent pas se contrôler, tiens. Une fois qu'ils ont goûté au plaisir de tuer, ils ne peuvent plus s'arrêter. C'est trop leur demander de ranger leur fusil et de rentrer chez eux, après avoir buté quelqu'un. Ça ne leur suffit pas, non, ils se défoncent à calibrer comme des malades, et d'un seul coup, ils sont cernés par les tireurs d'élite de la police. La plupart du temps, ils choisissent de mourir les armes à la main, mais pas ce mec, en Allemagne. Lui, il est admirable, et je pense qu'il ne se fera jamais gauler.

Moi, je préfère le couteau, ou bien y aller à mains nues. Un fusil, c'est trop impersonnel. J'aime bien, voyez-vous, sentir leur dernier souffle me caresser le visage…

Je quitte l'expo sur le coup de 23 heures, puis je regagne Shepherd's Bush à pied. Ça fait une trotte, mais j'ai besoin d'un peu d'exercice. C'est un bon échauffement, et ça me permet de passer inaperçu, dans la mesure où les piétons ne se regardent pratiquement jamais les uns les autres, à Londres. Je porte en bandoulière un petit sac, dans lequel il y a tout ce qu'il me faut.

Il n'est pas loin de minuit quand je reviens à Minford Gardens, suffisamment tard pour que la plupart des gens soient couchés et encore assez tôt pour que les bruits donnent l'alarme.

J'ai déjà examiné un soir la petite fenêtre à guillotine sur le côté de la maison. Elle est fermée par une serrure tout à fait ordinaire, qu'on peut ouvrir avec n'importe quelle tige en métal. Linda aurait dû y poser en plus des verrous sur le côté. Il se peut d'ailleurs qu'elle l'ait fait, mais ça m'étonnerait. Elle a dû partager un moment l'appart avec un mec, ce qui lui permettait de dormir sur ses deux oreilles. Maintenant elle est toute seule, seulement elle n'a pas eu le temps de s'occuper de cette fenêtre. Il fait chaud en ce moment la nuit, pourtant elle ferme les fenêtres, ce qui veut dire qu'elle sait qu'il faut se méfier, à Londres.

Il est pratiquement impossible d'avoir accès aux fenêtres situées en hauteur, à part celle de la salle de bains, car juste à côté il y a un tuyau de descente fixé au mur par des équerres en acier. Il supportera mon poids, j'ai déjà tenté l'expérience.

Je m'efforce de repérer cette petite ouverture. Je sais très bien où elle se trouve, mais dans l'obscurité, je n'arrive pas à la voir. Quand enfin je la localise, je m'aperçois qu'elle est fermée, il fallait s'y attendre.

Je me déshabille. J'enlève d'abord ma chemise et ma cravate, puis mon pantalon, mes chaussures, mes chaussettes et mon slip, je plie soigneusement le tout et je le dépose à côté de la canalisation. Il n'y a personne, en ce moment, dans cette ruelle obscure qui borde la maison, et il n'y a aucune raison pour que quelqu'un vienne faire un tour par ici, à une heure pareille. En plus, je suis invisible, dans ce recoin.

Vous n'imaginez pas ce que je peux ressentir d'être ainsi tout nu dehors, par une nuit chaude ! J'en ai le cœur qui bat la chamade, je me sens revivre… Je demeure sur place plus longtemps que prévu, mais ce n'est pas le moment d'être bousculé. Si seulement il y avait une grande glace dans laquelle je puisse m'admirer, et s'il se mettait à pleuvoir ! Oui, quel dommage qu'il n'y ait pas de grosses gouttes de pluie qui viennent s'écraser sur mon torse et ruisseler sur mes muscles bandés à l'extrême, et qui fassent luire ma peau, comme si elle était baignée de métal liquide, de mercure. Enfin…

Je sors du sac le bas d'un survêtement, acheté le mois dernier aux JD Sports d'Oxford Street, et je l'enfile. Je répète ensuite l'opération avec le haut, qui vient lui aussi du même magasin. Ils sont du même bleu, l'un et l'autre. Je m'empare ensuite d'un rouleau de ruban adhésif en toile, qui me sert à attacher le bas du pantalon sur mes chevilles, puis je mets des gants en cuir tout neufs que j'ai trouvés à Selfridges ; des gants en caoutchouc se seraient déchirés sur le tuyau. Là encore, je m'entoure les poignets de ruban adhésif, de manière à ce qu'aucune partie de mon corps ne soit exposée à l'air libre, puis je m'enfonce un bas sur la tête, afin de ne pas semer des cheveux sur mon passage, en gardant toutefois le visage à découvert, à quoi bon le cacher ?

Il ne me reste plus qu'à mettre des chaussures plates à semelles de caoutchouc, achetées à Tesco il y a huit jours. C'est la première fois que je les porte, et je les planquais jusque-là dans une bouche d'aération du parking de l'immeuble dans lequel je travaille.

Comme elles n'accrochent pas bien, je me hisse à la force des bras le long du tuyau, en laissant mes jambes ballotter dans le vide. Si je prenais appui avec les pieds, je risquerais de griffer le mur, et je préfère que les flics ne comprennent pas comment j'ai fait pour grimper là-haut, même si en fin de compte j'ai besoin qu'ils trouvent l'explication.

Une fois que j'ai la certitude que le sac ne glissera pas de mon épaule, j'entreprends mon ascension. Je croise les jambes pour être sûr de ne pas m'en servir, j'escalade sans difficulté la paroi et j'arrive devant la fenêtre.

Le rebord est étroit et pourri, mais j'arrive à poser dessus un genou, tout en me raccrochant au tuyau de la main droite. De l'autre, je sors de mon sac une petite règle en métal, du même type que celle qu'utilisent les architectes et les géomètres. Je la glisse dans l'interstice du châssis et je m'attaque au loqueteau.

Je n'en ai pas pour longtemps à le faire manœuvrer, tout en douceur, ce qui met à rude épreuve mon bras droit et mon genou, qui supportent le poids de mon corps. À tous les coups je vais attraper des bleus, la barbe.

J'agrippe le châssis et appuie dessus. Au début, il ne se passe rien, la fenêtre est visiblement grippée. J'insiste, et elle se relève un peu trop en grinçant. Merde. Je m'aplatis contre le mur, accroché au tuyau comme un lézard. Je tends l'oreille et j'attends une minute, ce qui me paraît interminable. Heureusement que je me suis entraîné !

Je glisse ma main gauche en dessous de la fenêtre, du coup je suis en mesure de la relever davantage. J'ai désormais accompli le plus dur, néanmoins je prends mon temps.

Une fois qu'elle est ouverte, je balance la jambe puis le bras gauche à l'intérieur, et je suis obligé de me contorsionner pour y passer la tête et ensuite le corps entier.

Dès que je suis dans l'appartement, je sens son odeur. Les pièces en seront toutes imprégnées, c'est sûr, mais c'est dans sa chambre que ça me prendra à la gorge.

Il n'y a pas de lumière, ce qui n'est pas grave car mes yeux se sont déjà habitués à l'obscurité. Les robinets chromés sont sur la droite, ils brillent vaguement dans le noir. Je constate que la porte est fermée, ce ne sera sans doute pas discret quand je l'ouvrirai, mais il n'est que minuit et elle ne dort peut-être pas encore. Décidément le bruit est en ce moment une vraie plaie, alors que dans certains cas, c'est une aubaine.

Je me déplace furtivement dans la minuscule salle de bains, en faisant des mouvements exagérés, tel un danseur de ballet, et je regrette de ne pas être nu, ce qui me permettrait de la sentir contre ma peau, mais ce serait trop dangereux. Je vais donc rester emmailloté dans ce cocon, qui m'empêche de laisser des traces de mon passage. Je tourne la clenche et j'entrouvre la porte, sans me presser, en restant très calme. Je suis aussitôt assailli par son odeur, que je respire à pleins poumons. Ça me donne le vertige, et le sang me palpite dans les tempes. Une goutte de sueur me glisse sur la lèvre supérieure, je l'essuie aussitôt par précaution.

Je me mets à bander, mais il n'y a pas le feu, j'ai encore des préparatifs à faire. Je longe le couloir, en m'éloignant de la chambre. L'appartement est plongé dans l'obscurité, et l'on n'entend pas un bruit. Elle dort, ou bien elle essaie de trouver le sommeil.

J'entre dans le séjour. Dans le noir, je ne distingue pas grand-chose, mais j'ai l'impression que c'est un peu le foutoir là-dedans, il y a trop de meubles, trop de gravures accrochées aux murs, trop de bibelots. Je reste au milieu de la pièce, loin des fenêtres, et j'en jouis. Désormais, tout ce qui était à elle m'appartient. Oui, ce sera le bouquet, car je suis fin prêt ! Du coup, je vais prendre mon temps, et quand j'en aurai fini, son être même sera le mien...

Au bout d'une demi-heure, je vais fouiller en silence dans les placards et les tiroirs de la cuisine, jusqu'à ce que je trouve ce que je cherche, un couteau. Oh, il n'est pas vraiment neuf ni aiguisé, mais enfin il a de quoi intimider, avec sa lame légèrement recourbée et son manche en métal. Ça fera l'affaire.

Je retourne dans le couloir et me dirige cette fois vers la chambre. Il fait beaucoup plus sombre dans le couloir que dans le séjour, car là on n'a pas droit à l'éclairage public. Je suis attiré comme un papillon de nuit par la lumière de la chambre. J'avance tout doucement. Tout se passe à merveille, exactement comme je l'avais imaginé. Chaque pas procède d'une véritable chorégraphie. Quel dommage que je ne sois pas à poil ! Mon phallus est tellement dur que j'ai peur d'éjaculer avant de pénétrer dans la chambre. Il faut que je calme le jeu.

J'atteins la porte, restée entrouverte. Je la pousse lentement du bras gauche, elle tourne un peu. Et là, je la vois, couchée dans son lit, une veste de pyjama jetée sur les épaules. En raison de la chaleur, elle s'est contentée de se recouvrir le bas du corps avec un drap. À mon avis, elle doit avoir gardé sa culotte, afin de ne pas se sentir trop vulnérable. Il y en a quand même, je vous dis pas...

Je traverse la pièce. Elle n'a pas bien tiré les stores, si bien que lorsque je m'approche d'elle, les lampadaires projettent par terre une ombre, la mienne.

Je m'arrête au pied du lit. Elle n'a toujours pas détecté ma présence. Je la regarde respirer. Dans le noir, on dirait qu'elle a une peau métallique, de la même couleur qu'une arme à feu. Sa poitrine se soulève et s'affaisse régulièrement, mais il est évident qu'elle ne dort pas d'un sommeil profond, et je m'étonne qu'elle ne se soit pas réveillée. Je reste campé sur place et j'attends.

Elle remue un peu, s'arrête, ouvre les paupières, me regarde et cligne des yeux. On dirait qu'elle me reconnaît, elle en reste bouche bée, mais ne dit rien, ne crie pas.

Elle est vite complètement réveillée, et je la vois qui s'affole. Je lui balance un coup-de-poing, elle tourne un peu la tête et se le mange sur la joue. Tout se passe comme si je sentais l'os se briser. Elle fait un drôle de petit bruit.

Sans lui laisser le temps de reprendre ses esprits, je l'attrape à la gorge de la main gauche, la soulève et lui cogne la tête contre le mur. Assommée, elle retombe sur le lit. Je reste quelques secondes à la regarder. Elle est toujours vivante. Tant mieux.

Je vais voir ce qu'il y a dans la commode située à l'autre bout de la pièce, je trouve ce que je cherche et je regagne le lit avec des bas. Il lui coule sur la nuque un filet de sang.

Je sors de mon sac le ruban adhésif en toile et j'en découpe un morceau de quinze centimètres, que je lui colle sur la bouche. Je la mets ensuite sur le ventre, en lui tournant la tête sur le côté, de manière à ce qu'elle puisse respirer.

Je lui enserre la tête avec des bas, que j'attache à ceux qui lui retiennent les jambes, au même titre que ses poignets, que je ligote à leur tour.

Je découpe enfin sa veste de pyjama à l'aide du couteau, puis je la vire du décor. Comme je m'y attendais, elle porte une culotte, dont je tranche les deux côtés. Je prends ensuite du recul, pour contempler mon œuvre. La voilà donc nue et troussée comme une volaille.

J'attends patiemment. Elle gémit, reprend conscience. Ce coup-ci, elle ne papillote pas des cils, mais ouvre soudain les yeux tout grands, comme elle si venait de faire un mauvais rêve, alors qu'en réalité elle se réveille en plein cauchemar…

***

Elle ne sait pas combien de temps elle a dormi quand elle se rend compte qu'il y a quelqu'un d'autre dans la chambre. Elle commence par se dire qu'elle n'est pas bien réveillée et garde les yeux clos, en attendant que son rêve se dissipe et qu'elle cesse de voir un homme la regarder, couchée dans son lit.

Elle ne peut plus continuer à se mentir, roule sur le dos, n'a toujours pas le courage d'ouvrir les yeux. Elle s'y force, bat des paupières, essaie de s'habituer à l'obscurité. Ce n'est peut-être qu'une ombre, car enfin, il ne peut pas y avoir quelqu'un ici, c'est impossible ! Non, il ne peut pas lui arriver ça, pas à elle.

Elle s'assied, paniquée, mais stupéfaite avant tout. Son corps pèse une tonne, l'angoisse l'étreint, elle arrive à peine à respirer.

Il faut qu'elle essaie de dire quelque chose. Devrait-elle se mettre à hurler ? Non. Ce doit être un cauchemar, rien d'autre. Elle s'apprête à ouvrir la bouche, même si elle ne sait pas quoi raconter au juste, mais voilà que l'ombre fait un geste rapide. Elle a dû sentir venir le coup, car elle tourne la tête au moment où on lui décoche un crochet à la joue. On dirait bien qu'un os se brise, aussitôt sa vue se brouille, côté gauche.

Elle voit toujours trente-six chandelles quand une force invisible l'attrape à la gorge et manque de lui broyer la trachée-artère, tellement elle serre fort. Au lieu de ça, on la soulève de son lit, on la pousse en arrière et elle heurte quelque chose de dur. Viendrait-on de la jeter contre le mur ? Va savoir. Elle a perdu connaissance avant de retomber sur le lit.

Elle ne sait pas combien de temps elle est restée évanouie. Elle reprend conscience avant que son corps ne se ressaisisse, mais à ce moment-là, elle ouvre les yeux.

Elle tente en vain de gonfler ses poumons, car elle a un truc sur la bouche. Elle ne parvient pas non plus à bouger les mâchoires. Elle ne comprend pas ce qui se passe, en tout cas elle souffre. Les larmes et la morve lui ont pratiquement bouché le nez, si bien qu'elle a du mal à respirer de ce côté-là. Si elle s'affole, elle va mourir asphyxiée.

Est-ce qu'il l'a violée ? Et pourquoi l'a-t-il frappée ? Sa joue l'élance, elle n'arrive déjà plus à ouvrir l'œil gauche, tellement il est gonflé.

Quand elle veut se lever, quelque chose lui serre la gorge et les chevilles, ainsi que les poignets d'ailleurs lorsqu'elle veut bouger les mains. Elle tâtonne avec les doigts, s'aperçoit qu'elle se touche les pieds et qu'on l'a donc ficelée comme un animal à l'abattoir. Elle se rend compte aussi qu'elle est à poil et n'ose imaginer ce qui a pu lui arriver pendant qu'elle était dans les pommes.

Elle entend quelqu'un appuyer sur un interrupteur, une lumière rouge et tamisée envahit la pièce. Elle ne comprend pas, elle n'a pas de lampe ou d'ampoule de cette couleur. On lui glisse une main gantée sous le menton pour lui tourner la tête. Elle garde obstinément les yeux clos, car elle ne supporterait pas de le regarder. Non, elle ne veut pas le voir.

Il ne dit rien, il se contente de la tenir et d'attendre. Elle halète comme si elle avait de l'asthme. Petit à petit, elle ouvre les yeux.

Elle le dévisage, ne le reconnaît pas tout de suite. Il n'a pas la même allure, et puis il y a un truc qui lui recouvre les cheveux. C'est lui, le policier, Sean. Ahurie, elle essaie de comprendre ce qui se passe, et c'est tout juste si elle n'est pas soulagée de constater que c'est le type avec qui elle échangé tout à l'heure quelques propos dans la rue.

La lumière rouge se reflète sur la lame du couteau qu'il lui braque sur son œil amoché, alors qu'elle est toujours couchée sur le ventre. Elle essaie de ne pas pleurer, mais c'est plus fort qu'elle, et les larmes lui coulent sur les joues.

Il se rapproche.

— Si tu fais ce que je veux, tu auras la vie sauve. Sinon, tu vas y passer, lui glisse-t-il à l'oreille.

***

Après l'avoir attachée, je l'ai torturée un petit moment, la petite chérie, puis j'ai mis deux capotes super-résistantes, je l'ai violée et sodomisée. Je m'étais déjà rasé le pubis, afin de ne pas semer des poils. J'ai expliqué à ma femme que j'avais peur d'avoir une hernie et que le médecin m'avait demandé de me raser le bas-ventre avant d'aller le voir. Elle est tellement conne qu'elle me croit sur parole.

Je n'ai jamais rien connu d'aussi délicieux de toute ma vie, et pourtant j'en ai passé, des bons moments, mais là, c'était grandiose. Imaginez, rester aussi longtemps avec elle, avant que la malheureuse ne rende son dernier soupir ! Oui, la regarder se tortiller à poil devant moi, se débattre avec ses liens… Au début, elle n'arrête pas de pleurnicher. Je l'entends bien me supplier derrière son bâillon, mais je ne saisis pas vraiment ce qu'elle raconte. Dommage, ça m'aurait plu de savoir ce qu'elle me dit.

Elle a l'air scandalisée que je la pénètre, comme si elle ne croyait pas que je puisse lui faire un coup pareil. Tu parles, si elle m'avait connu un peu mieux, ça ne la surprendrait pas.

Plus elle se débat, plus je tire sur le bas qu'elle a dans le dos, ce qui a pour effet de lui remonter encore davantage les jambes repliées en arrière et de lui serrer la gorge. À force de couiner, elle a plein de morve dans les fosses nasales, et à chaque fois qu'elle essaie de respirer par le nez, elle fait des bruits dégueulasses. Ça me déconcentre et me gâche le plaisir. Je ne m'étais pas imaginé qu'elle puisse se comporter de façon aussi répugnante. Je lui dis d'arrêter de renifler, sinon je lui coupe le sifflet. Une fois qu'elle a cessé ses bêtises, je me remets au boulot.

La prochaine fois, je commencerai par voir s'il n'y a pas de lubrifiant dans l'appart, car c'est plus dur que prévu de l'enfiler, et surtout de l'enculer. Ça aurait pu faire péter les capotes un truc pareil, je vous dis pas la cata, mais je n'ai jamais éprouvé un tel sentiment de puissance. Juste avant de gicler, je tire de toutes mes forces sur ses liens, puis je ferme les yeux, en pleine extase. Quand je les rouvre, elle est morte. En plus elle s'est pissée sur les jambes, eh oui, même après avoir calanché, il faut qu'elle continue à m'emmerder, la salope !

J'attends de débander avant de me retirer, en pinçant les deux préservatifs entre le pouce et l'index. Mademoiselle s'effondre par terre, sur le flanc. J'enlève alors les capotes, ma bite ramollie me retombe dans la main, toute chaude et enduite de spermicide, en plus du sperme, ce qui recommence à m'exciter, mais ce n'est plus le moment de rigoler. Je glisse les capotes dans un sac congélation à fermeture automatique, que je range à son tour dans mon sac à dos. Je lui enlève le ruban adhésif qu'elle a sur la bouche, à la cocotte, il atterrit dans un autre sac à fermeture automatique. J'aurais adoré être à poil, moi aussi, mais c'était trop dangereux. Il va falloir que je trouve le moyen d'être tout nu la prochaine fois, sans semer pour autant des indices partout.

Je remonte mon pantalon de survêtement et j'attrape mon sac à dos. Je regarde autour de moi, constate que la robe de chambre est toujours posée sur la lampe. C'est grâce à elle que l'on a eu droit à cette lumière géniale, qui teintait en rouge vif sa peau diaphane. Inutile de l'enlever. Le tiroir dans lequel j'ai trouvé les bas est lui aussi ouvert. Pas besoin de le refermer. Derrière le lit, il y a une petite tache de sang sur le mur. À quoi bon la faire disparaître ?

Je traverse en silence l'appartement et regagne la salle de bains, pour ensuite ressortir par la fenêtre, tout comme c'est par là que je suis entré tout à l'heure. J'ai envie que la police la retrouve ouverte et pense à une mise en scène. Je suis un peu fatigué, mais j'ai encore la force de me retenir au tuyau, tout en refermant le loqueteau. Je veille à laisser dessus suffisamment d'éraflures pour que même les flics s'en aperçoivent.

Je descends le long de la canalisation sans faire plus de bruit qu'une araignée sur sa toile, j'enlève la tenue que je portais dans l'appart et je la fourre dans un grand sac-poubelle, avant de mettre celui-ci dans le sac à dos. Mes vêtements de ville m'attendent sagement, je prends tout mon temps pour me rhabiller, je n'ai aucune raison de me presser. J'en profite pour apprécier le calme et la sérénité qui m'habitent. Le sac jeté sur l'épaule, je repars en direction de Shepherd's Bush.

Je vais revenir faire un tour ici, promis, et cette fois, ce sera le pompon.

Chapitre 18

Jeudi matin

De retour au commissariat, Sean, Sally et Donnelly dressaient le bilan de l'intervention de Sally dans *Crimewatch* et de la conférence de presse de Sean. Ça se résumait à peu de chose : deux ou trois appels fantaisistes de la part d'adolescents et quelques vagues descriptions de types aperçus dans le quartier de Daniel Graydon. Bref, ça s'avérait pour le moins décevant.

Sean n'était pas surpris, sachant qu'Hellier était bien trop méfiant pour prendre le risque de s'exposer aux regards le soir du meurtre. Seule consolation, il avait récupéré son équipe de surveillance, de sorte que l'animal aurait plus de mal, dorénavant, à leur filer sous le nez.

Le téléphone sonna. Donnelly s'en fut répondre à l'autre bout de la pièce, sans même remercier le jeune inspecteur qui lui tendit l'écouteur :

— Allô ?

— David Donnelly ?

Cette voix ne lui dit rien.

— Je suis un pote de Raj Samra, poursuivit son correspondant. Il m'a demandé de vous prévenir s'il arrivait quelque chose qui sortait de l'ordinaire, en précisant que vous vouliez en être informé avant les autres.

— C'est exact.

Donnelly resta sur ses gardes, car il ne connaissait pas ce type et il avait peur de tomber dans un piège.

— Excusez-moi, mais qui êtes-vous ?

— John Simpson, inspecteur principal, en poste dans l'ouest de Londres.

— Est-ce que je peux vous rappeler dans une minute ?

— Bien sûr. Je vous donne mon numéro de portable.

Donnelly le griffonna sur un bloc, puis il se dépêcha de joindre Raj Samra, qui lui confirma que John Simpson était effectivement un collègue et s'en porta garant. Rassuré, Donnelly le recontacta aussitôt.

— Excusez-moi, mais j'étais en plein boulot, lui dit-il en guise d'explication. Alors, qu'est-ce que vous avez d'intéressant à m'apprendre ?

— On a retrouvé un cadavre, mais je pense que le mieux serait que vous veniez le voir.

— D'accord. Mais que cela reste entre nous, pour l'instant.

— Entendu.

— Où êtes-vous exactement ?

— À Shepherd's Bush. Dans un appartement de Minford Gardens.

***

Ils se garèrent aussi près que possible de l'immeuble, la rue étant barrée par un cordon jaune, et constatèrent que leurs collègues de la police scientifique étaient déjà sur place et avaient hâte de se mettre au travail, tout comme l'équipe chargée de photographier et de filmer la scène de crime. Simpson avait jusqu'alors réussi à les faire patienter.

— Attends-moi ici, dit Donnelly à Zukov.

Il s'extirpa de la Mondeo banalisée et s'en fut retrouver Simpson, tapotant nerveusement l'étui à cigarettes dans lequel il avait glissé deux cheveux d'Hellier prélevés sur l'intéressé quelques jours plus tôt par Zukov, au commissariat de Belgravia. Tant qu'il n'aurait pas la certitude qu'Hellier était le coupable, il n'était pas question de bidonner l'enquête pour le faire inculper, car la fabrication de fausses preuves est un délit grave puni par la loi.

***

Sean et Sally traversèrent en voiture le sud-est de Londres pour faire le point de la situation avec Featherstone. Sean était obligé maintenant de jouer franc-jeu, car s'il voulait avoir les moyens nécessaires pour enquêter simultanément sur ces divers crimes, dont il pensait qu'ils étaient l'œuvre du même individu, il avait besoin que Featherstone lui donne le feu vert. Le commissaire s'adressa à eux sans même lever les yeux de ses dossiers :

— J'ai comme l'impression que vous avez récupéré votre équipe de surveillance, dit-il.

— Il faut sans doute que je vous en remercie, répondit Sean.

— Il n'y a pas de quoi, le commissaire de l'antigang est un copain. À ce propos, qu'est-il ressorti de la conférence de presse et de l'intervention de Sally dans *Crimewatch* ? Avez-vous de nouvelles pistes ?

— Hellier est trop malin pour nous laisser des preuves irréfutables. Or, cela n'a de sens de lancer un appel à témoins que si l'assassin a laissé derrière lui des indices flagrants. On n'est passé à la télé que pour essayer de le déstabiliser, expliqua Sean, qui lui avouait enfin pour quelle raison il avait tenu à mettre les journalistes dans le coup, une manière comme une autre de lui dire aussi qu'il l'avait manipulé…

— Je vois.

— Je suis pratiquement sûr qu'il a aussi commis d'autres meurtres. Celui d'une ado en fugue, qu'on a enlevée à King's Cross avant de l'assassiner à l'autre bout de la ville, dans un terrain vague.

— Vous êtes certain que les deux affaires sont liées ?

— Oui.

— Pourtant il s'agit là d'une adolescente, et non d'un homosexuel.

— Peu importe le sexe des victimes, ce qui compte pour lui, c'est de les tuer. Il est malin, il s'attaque à un autre type d'individu et change de mode opératoire, afin de brouiller les pistes et de nous empêcher de faire le rapprochement. Ça montre bien qu'il n'a pas envie qu'on lui tombe dessus, et aussi qu'il n'a pas l'intention d'en rester là, mais de continuer jusqu'à ce qu'on y mette le holà.

— C'est justement ce qu'il faut faire, et cela dans les plus brefs délais. Vous avez intérêt à l'arrêter en vitesse, Sean, sinon ça va chauffer pour notre matricule, conclut Featherstone.

***

Zukov vit Donnelly ressortir sur le trottoir et revenir dans sa direction d'un pas leste, pour un costaud comme lui. Il écrasa sa cigarette et trouva que Donnelly était livide.

— Tu peux m'en filer une ? lui demanda celui-ci.

— Bien sûr.

Zukov sortit de la poche de son pantalon un paquet de Marlboro Light tout écrabouillé.

— Alors, ça y est ?

Donnelly tira encore une bouffée sur sa clope.

— Non.

Zukov se tut et le regarda de pied en cap. Ce grand gaillard de flic se serait-il, par hasard, dégonflé ?

— Pourquoi ne pas l'avoir fait ?

— Parce qu'il subsiste un doute dans mon esprit.

— Tu n'es pas certain que les trois affaires soient liées ?

— Oh si, je n'ai aucun doute à ce sujet.

— Mais alors, où est le problème ? s'étonna Zukov, qui mourait d'envie de faire partie de l'équipe qui avait mis hors d'état de nuire un assassin et n'avait pas envie d'attendre davantage.

— Il se trouve que je ne suis pas sûr que ce soit Hellier, le coupable.

Il lança le paquet de cigarettes à son adjoint.

— Tu vis seul ? lui demanda-t-il.

— Comment ça ?

— Réponds-moi.

— Oui, je vis seul.

— Parfait. Comme ça, il n'y a pas de risque que quelqu'un tombe là-dessus par hasard.

Il sortit de l'étui à cigarettes un petit sac à mise sous scellés, dans lequel se trouvaient les cheveux d'Hellier.

— J'en ai marre de me balader avec ce machin-là, dit-il. Je te le confie, rapporte-le chez toi et n'oublie pas de le mettre au frigo. Je te ferai signe quand j'en aurai besoin.

Zukov prit le sac sans discuter.

— Maintenant, reprit-il, va vite nous chercher des clopes. Pendant ce temps-là, je vais appeler quelqu'un.

***

— Ça s'est mieux passé que je ne l'espérais, observa Sally dans la voiture, alors qu'ils étaient en train de traverser le Tower Bridge pour remonter vers le nord.

— C'est un mec valable, Featherstone, déclara Sean, et puis comme il est de la vieille école, il vaut mieux l'avoir de dans son camp.

On l'appela sur son portable. Il laissa s'écouler quelques secondes avant de répondre. C'était Donnelly, il l'écouta en silence, mit fin à la communication, puis s'adressa à Sally.

— On va à Shepherd's Bush, lui dit-il, le visage décomposé. Il y a eu un autre meurtre.

***

Sean sortit du coffre de sa voiture une combinaison protectrice comme en portent sur une scène de crime les médecins légistes et les membres de la police scientifique, l'enfila non sans mal, puis se dirigea vers le ruban jaune qui isolait les lieux. Il montra sa carte de flic à une femme agent qui n'avait pas l'air commode, en se contentant de lui dire qu'il était de la PJ. Il sentait bien que ses collègues du quartier et ceux de la criminalistique l'observaient et n'appréciaient guère d'avoir été obligés d'attendre son arrivée pour se mettre au travail.

Il longea l'allée jusqu'à l'entrée de l'immeuble sans quitter des yeux la porte entrouverte, donna son nom et son grade au robuste agent en faction devant la porte, qui ne lui demanda pas, comme il l'aurait dû, ce qu'il venait faire ici. Il monta alors au premier, en éprouvant déjà une sourde angoisse…

L'amour, la haine et la terreur ne sont pas seulement des émotions, mais également des réalités tangibles. L'horreur de la nuit précédente avait déteint sur les lieux et imprégnait aussi bien le papier mural que la moquette usée, tout comme elle s'insinuait dans ses cheveux et ses vêtements. Plus longtemps il resterait ici, plus elle le contaminerait, au point qu'elle finirait par lui couler dans les veines.

Il monta en silence, entendit des bruits de voix étouffés qui provenaient de l'appartement, signe que les flics qui se trouvaient là se montraient respectueux envers la victime, ce qui n'était pas toujours le cas. Il respira à fond, frappa sur le chambranle. Les deux hommes présents dans l'entrée se retournèrent. Il fut soulagé de constater qu'ils avaient, eux aussi, revêtu une combinaison spéciale.

— Bonjour, messieurs.

Il avait beau être au-dessus d'eux dans la hiérarchie, il était affecté à un autre district et débarquait ici comme un cheveu sur la soupe. Dans ces conditions, mieux valait ne pas brusquer ses collègues et rester poli avec eux.

— Inspecteur divisionnaire Sean Corrigan, de la PJ secteur sud. Il paraît que vous êtes confrontés à un meurtre qui pourrait nous intéresser.

Simpson et son adjoint, un certain Zak Watson qui avait le physique d'un boxeur et devait avoir disputé plus d'un combat à en juger par les cicatrices qui lui barraient les sourcils, lui serrèrent la main.

— J'ai lu votre note de service, lui dit Simpson, dans laquelle vous demandez à être prévenu si l'on déplore un meurtre sortant de l'ordinaire. Eh bien, vous allez être servi, car si j'ai enquêté sur des dizaines d'assassinats, je n'avais encore jamais rien vu de tel…

Sean constata que tout avait l'air normal dans l'entrée, qu'on n'y relevait aucun signe de lutte, pas de meubles ou de bibelots renversés, pas de taches de sang sur les murs.

— C'est pareil dans tout l'appartement, lui expliqua Simpson. On n'a touché à rien, tout est bien à sa place. Sauf dans la chambre, car on dirait que tout s'est passé uniquement là-bas.

On reconnaissait l'odeur métallique du sang, ce qui signifiait que l'on avait poignardé ou bien égorgé la fille, et ça sentait aussi un peu l'urine. Se serait-elle souillée avant ou après de mourir ?

Sean ne voulait pas assaillir ses deux collègues de questions, même s'il avait hâte de savoir de quelle façon on l'avait tuée. Il lui fallait en effet aborder les choses dans l'ordre chronologique, s'il voulait pouvoir se faire une idée de la tragédie qui s'était déroulée ici.

— Comment est-il entré ? demanda-t-il, en parlant de l'assassin.

— On ne le sait pas encore, répondit Simpson. Il va falloir qu'on examine l'appart de près. En attendant, on en a condamné l'accès, de sorte que nos amis de la criminalistique n'ont pas été en mesure de nous aider.

— Il n'y a rien qui saute aux yeux ?

— Comme des traces d'entrée avec effraction ? Apparemment pas. La porte était fermée à clé et il n'y avait pas de fenêtre ouverte.

— Pourtant il faisait chaud, la nuit dernière.

— On n'est qu'au premier étage, dit Simpson en haussant les épaules. Si j'habitais là, je ferais sans doute pareil, par mesure de précaution.

— Qui a donné l'alarme ?

— Ses collègues. Tout indique qu'elle avait l'habitude de se lever tôt et qu'elle se donnait à fond à son boulot. Ses collègues s'attendaient donc à la voir arriver vers 8 heures du matin, au plus tard. Comme elle n'était toujours pas là à 9 h 30, ils l'ont appelée sur son fixe et sur son portable, sans parvenir à la joindre. Or on ne signalait pas de perturbations dans le métro, elle n'avait pas non plus indiqué qu'elle serait en retard ou qu'elle prenait sa journée, du coup les gens de l'agence se sont inquiétés. On l'aime bien, à son travail, à ce qu'il paraît. En tout cas, sa patronne a envoyé un certain Darryl Wilson voir ce qu'elle devenait, en se disant qu'elle devait avoir la grippe, car il y a un virus qui traîne en ce moment.

— On peut lui faire confiance, à ce type ?

— Oui, il est correct. N'importe comment, il a débarqué ici en milieu de matinée. Il a eu beau sonner, elle n'est pas venue lui ouvrir. Il est alors allé regarder sur le côté de la maison, où il a constaté que les stores n'étaient pas complètement baissés et qu'il y avait un peu de lumière à l'intérieur. Intrigué, il a emprunté une échelle à des voisins pour aller jeter un œil à la fenêtre de sa chambre. C'est là qu'il a découvert le spectacle ; il a failli en avoir une attaque, le mec, mais enfin il nous a appelés aussitôt.

— Il est entré dans l'appart ?

— Que non ! Après ce qu'il venait de découvrir, il n'en a pas eu le courage.

— Les voisins l'ont-ils vue rentrer avec quelqu'un ou bien entendu quelqu'un l'appeler ?

— Je ne suis pas encore en mesure de vous répondre.

— Qui est votre adjoint ?

Sean regrettait de ne pas le lui avoir demandé au départ.

— Mon adjointe, vous voulez dire : eh bien, c'est Vicky Townsend.

Sean eut l'air soulagé.

— Vous la connaissez ? s'enquit Simpson.

— Oui, on a travaillé ensemble à une époque.

— Elle est sérieuse, dit Simpson, ce qui dans sa bouche était un compliment. Elle ne va pas tarder. Bon, on y va ? fit-il en désignant le séjour, dont la porte était grande ouverte.

Sean passa devant. Il n'empêche que ça le dérangeait que Simpson et Watson le suivent, car il avait besoin d'être seul.

— Écoutez, dit-il, vous êtes déjà allés sur la scène du crime, tous les deux, et nos collègues de la police scientifique n'apprécieront pas si vous y retournez uniquement à cause de moi. Je n'ai pas envie de vous embêter davantage, vous n'avez qu'à m'attendre ici ou bien dehors, si vous voulez prendre l'air. Je trouverai bien mon chemin.

— Je vous envoie Townsend dès qu'elle arrive, déclara Simpson.

— Merci.

Sean était déjà dans le séjour, loin du monde extérieur, et sur le point de pénétrer dans l'univers de l'assassin…

***

Lorsqu'Hellier revint chez lui vers 3 heures du matin, il constata que sa femme guettait son retour et s'apprêtait à lui demander des explications. Il s'excusa de ne pas l'avoir appelée pour la prévenir qu'il rentrerait plus tard que prévu et multiplia les protestations d'amour et d'affection. Elle pleura de joie, tout en ayant le cœur serré, car au fond elle n'était pas très rassurée.

Il y en avait aussi d'autres qui l'attendaient, à savoir les flics, comme il le subodorait. Ils avaient dû faire le guet toute la nuit devant chez lui, en se demandant ce qu'il avait bien pu fabriquer pendant tout ce temps. Corrigan avait-il seulement fermé l'œil ? En tout cas, il lui réservait d'autres surprises désagréables, à cet inspecteur divisionnaire…

Il était maintenant presque midi, et il n'était toujours pas allé travailler. Il avait toutefois prévenu la boîte qu'il y ferait un saut dans l'après-midi. Pour l'instant, il était en train d'admirer le Parlement, depuis le pont de Westminster. Il ne s'était pas encore payé le luxe de zigouiller un homme politique ; un membre d'un cabinet ministériel, par exemple, ce serait super. Bah, il n'y avait pas de quoi se mettre martel en tête, il en aurait peut-être l'occasion un jour.

Le soleil miroitait sur la Tamise, où se réverbérait le Parlement. Le fleuve était bordé d'immeubles superbes, notamment sur la rive nord, même si l'on avait construit en face quelques horreurs. On l'appela sur son portable, glissé dans sa poche de poitrine. Il eut d'abord envie de jeter l'appareil à la baille, histoire de rompre symboliquement avec cette ville, mais il se ravisa et répondit.

— Monsieur Hellier ? Monsieur James Hellier ?

C'était la même voix que la veille.

— Je n'apprécie pas qu'on me fasse perdre mon temps, gronda-t-il.

— On me suivait, expliqua son correspondant, et je ne voulais pas risquer de vous compromettre.

— Qui est-ce qui vous filait, les flics ou bien les journalistes ?

— Je n'en sais rien, mais il faut que je vous voie. Je vous recontacte bientôt.

— Pas si vite. Pour quelle raison avez-vous envie de me rencontrer ? demanda Hellier.

Peine perdue, l'autre avait mis fin à la communication. Hellier s'interrogea sur l'identité de cet individu et se perdit en conjectures. Ce mystérieux personnage se disait son ami, or il n'avait pas d'amis ! Si c'était un journaliste, que voulait-il au juste ? À moins que ce type, contrairement à ce qu'il prétendait, ne soit pas animé de bonnes intentions à son égard…

***

Sean n'aimait pas beaucoup se retrouver seul ici, mais au moins il profitait du silence qui lui permettait d'entendre ce que lui disait la scène du crime. Il commença par faire le tour du séjour, en restant sur le côté, pour éviter de marcher sur un indice microscopique, et en veillant aussi à toucher le moins de choses possible.

C'était une pièce confortable, presque douillette, même s'il y avait là trop de meubles et une débauche de couleurs, tous les achats compulsifs réalisés par la locataire et les cadeaux qu'on lui avait offerts offrant une image parcellaire et déstructurée de la vie qu'elle menait. Kate aurait détesté, c'est sûr, mais lui, en fin de compte, il trouvait que ce n'était pas si mal.

L'assassin était-il venu ici ? Et dans ce cas, pour quelle raison ? Pour avoir le temps de regarder les photos de la victime accrochées un peu partout, pardi ! On pouvait alors imaginer qu'il avait allumé la lumière pour mieux y voir, mais Sean n'y croyait guère. À moins que ce type n'ait été équipé d'une lampe torche ? À supposer que ce soit bien lui qui ait zigouillé les trois autres, ça aurait alors la première fois qu'il en aurait emporté une avec lui. Là encore, Sean restait dubitatif.

Il n'empêche qu'il était entré dans la pièce, Sean n'avait pas le moindre doute à ce sujet. Sans doute était-ce pour se préparer psychologiquement, pour en quelque sorte tisser des liens avec celle qu'il allait tuer, en se retrouvant au milieu de ses objets personnels, puisque selon toute vraisemblance, il s'était changé et avait mis des gants dehors, avant de s'introduire dans l'appartement.

Hellier avait vaguement fréquenté Daniel Graydon, sa seconde victime, et cela encore pendant peu de temps. Avait-il également établi le contact avec Heather Freeman, la première de la série ? Y aurait-il donc quelque chose qui aurait échappé à la sagacité de ses collègues de l'est de la ville ? Il se promit de retourner voir ce qu'il en était, toute la question étant maintenant de savoir s'il existait une quelconque familiarité entre sa dernière victime, Linda Kotler, et lui.

Il était bien trop malin pour avoir touché à quoi que ce soit, l'animal, et il avait dû se contenter de regarder, comme lui-même le faisait actuellement.

Sean ressortit dans le couloir et ouvrit une porte sur la gauche. Il découvrit une petite chambre qui faisait office de débarras, à en juger par les sacs poubelle dans lesquels on avait rangé tout un tas de trucs. Il devait s'agir des affaires de quelqu'un qui les avait laissées là provisoirement. Il aperçut une batte de cricket qui dépassait d'un sac, preuve qu'un homme devait habiter là il y a encore peu de temps. Était-ce le copain de Linda ? Probablement, tout comme on pouvait imaginer qu'elle l'avait plaqué. Du même coup, on était obligé de le considérer comme un éventuel suspect, ce type.

Poursuivant son exploration, Sean pénétra cette fois dans la salle de bains parfumée, où régnait un joyeux désordre, le sol et les étagères étant encombrées d'une profusion de crèmes, de produits de maquillage, de cotons, de lotions et de potions diverses. Par comparaison, dans la salle de bains d'un homme célibataire, on ne verrait guère qu'un peigne, un rasoir, de la crème à raser, du shampoing, du gel douche et peut-être de l'après-rasage…

L'assassin était certainement venu ici, mais y était-il resté ? Qu'est-ce qui avait pu le faire kiffer ? Qu'est-ce qu'il y avait de si intimement lié à Linda Kotler qu'il risquait d'avoir touché, senti, voire léché ? En tout cas, s'il avait agi ainsi, il avait laissé son ADN sur les lieux.

En y regardant bien, il ne voyait rien ici qui ait pu l'exciter à ce point et le pousser à la faute ; à la rigueur, une brosse dans laquelle il y avait encore des cheveux. Il ne se faisait guère d'illusions, mais il faudrait attendre le résultat des analyses pratiquées au labo pour en avoir le cœur net.

Un rayon de soleil caressa le loqueteau de la fenêtre à guillotine, qui se trouvait juste au-dessus de la baignoire. Il n'était pas question pour Sean de grimper dedans, au risque de marcher sur une trace de pas invisible à l'œil nu. Il constata que la fenêtre n'était fermée que par un loquet et que c'était, par conséquent, un jeu d'enfant de l'ouvrir. Il aurait suffi d'y poser un verrou à trois sous pour empêcher Hellier de s'introduire dans l'appartement et d'assassiner sa locataire. Rien qu'à y penser, ça le rendit malade.

Il imagina ce type entrer et sortir par cette petite fenêtre et se dit qu'il avait sans doute évité tout contact avec ce qui se trouvait en dessous. Il s'accroupit, tendit le bras gauche et posa sa main gantée sur le mur, puis se pencha en avant, de manière à n'être qu'à quelques centimètres du loqueteau. Et là, il constata que celui-ci était éraflé, et cela certainement depuis peu, car on ne décelait aucune trace de rouille. Comme c'était la salle de bains, il y aurait sans nul doute un tuyau de descente dehors, sur le mur. Il vérifierait tout à l'heure, mais ça paraissait évident.

L'assassin avait donc une fois de plus changé de mode opératoire. Comment voulez-vous, dans ces conditions, prouver que ces trois meurtres sont liés ? Un avocat de la défense n'aurait aucun mal à réduire à néant les accusations portées contre son client. Il en sua à grosses gouttes et s'épongea le front.

Il était plus que jamais persuadé qu'il lui fallait disposer de preuves indiscutables pour faire tomber Hellier. S'il arrivait à démontrer qu'il avait commis l'un de ces crimes, peut-être parviendrait-il à lui arracher des aveux concernant les autres, et cela en tablant sur son orgueil puisque, s'il ne reconnaissait pas en être l'auteur, personne ne saurait qu'il s'était montré malin comme un singe et avait ridiculisé la police. Soudain le doute l'assaillit et il se demanda s'il n'était pas en train de s'embarquer sur une fausse piste, tout simplement parce qu'il détestait Hellier. Et si celui-ci était innocent ? Il exclut immédiatement cette éventualité, ne serait-ce que parce qu'à chaque fois qu'il s'était trouvé en sa présence il avait senti en lui le prédateur, en même temps que l'individu qui ne se laisse jamais abattre et arrive toujours à tirer son épingle du jeu. Et puis, il suffisait de se rappeler tous les mensonges qu'il lui avait débités et les alibis auxquels il avait eu recours, sans parler du mal qu'il s'était donné pour semer les flics qui le surveillaient. D'autant qu'il connaissait au moins l'une des victimes, en l'occurrence Daniel Graydon.

Il ressortit de la cuisine en déployant un grand luxe de précautions, mais ne se rendit pas tout de suite dans la chambre, car auparavant il lui restait encore une pièce à voir. Il traversa le couloir, ouvrit une porte.

La cuisine était petite et ne payait de mine, avec ses éléments qui dataient du début des années 1980 et qui auraient eu bien besoin qu'on y passe une couche de peinture. Le four non encastré en métal blanc n'était pas non plus de la première jeunesse. L'assassin n'avait certainement pas aimé cet endroit, même s'il y était venu pour prendre un couteau, par exemple, afin de menacer Linda Kotler, ou bien de carrément la tuer. Quoi qu'il en soit, il allait falloir envoyer au labo tous les couteaux, pour qu'on les examine de près.

Il ressortit vite dans le couloir, comme avait dû le faire l'assassin, constata qu'il n'y avait pas un bruit et que la porte de la chambre était entrouverte. Il posa la paume de sa main entre deux panneaux oblongs que l'assassin n'avait pas dû toucher, et poussa doucement.

***

Donnelly et Sally fumaient une clope à côté de leur voiture. Sally était allée chercher du café dans un établissement du coin où il était bon, à la différence de la pisse de chat qu'on vous servait dans les bistrots autour du commissariat de Peckham. On appela Sally sur son portable. Elle vira d'abord sa cigarette d'une chiquenaude.

— Inspectrice principale Jones ?

— Oui. À qui ai-je l'honneur ?

— Sebastian Gibran, vous ne vous souvenez sans doute pas de moi. Nous nous sommes vus au bureau, quand vous êtes venue vous entretenir avec l'un de mes employés, James Hellier.

Elle comprit tout de suite qu'il s'agissait du patron de Butler and Mason.

— Détrompez-vous, je me souviens de vous. En revanche, je ne me rappelle pas vous avoir donné mon numéro de portable.

— Excusez-moi, je vous ai d'abord appelée sur votre lieu de

travail, mais vous vous étiez absentée, et l'un de vos collègues a eu la gentillesse de me communiquer ce numéro.

— Que puis-je faire pour vous, monsieur Gibran ?

— Je n'ai pas envie d'en parler au téléphone. Il serait préférable de se retrouver pour ça dans un endroit discret.

— Vous n'avez qu'à venir au commissariat.

— J'aime autant éviter d'être vu là-bas, si ça ne vous dérange pas.

— Bon, alors, où ?

— Vous serait-il possible de déjeuner demain avec moi ? Je connais un restau où je peux réserver deux couverts au dernier moment. On pourra y discuter tranquillement.

Il ne manquait pas d'air, le sieur Gibran, songea Sally. Mais enfin, elle n'avait rien à perdre.

— D'accord. Dites-moi où je dois vous retrouver et à quelle heure exactement ?

— Au Che, à 13 heures. Ça se trouve tout près de Piccadilly.

— J'y serai.

— Entendu.

Il raccrocha. Sally demeura pensive.

— Il y a quelque chose qui ne va pas ? lui demanda Donnelly.

— Non. Enfin, je ne crois pas. C'était Sebastian Gibran, le patron d'Hellier. Il veut qu'on se retrouve pour discuter.

— On dirait que les amis d'Hellier sont sur le point de l'abandonner à son sort.

— Ils reprennent leurs billes, c'est le coup classique. Sans oublier que je vais manger à l'œil au restau.

— Veux-tu qu'on t'accompagne ?

— Non, je pense qu'il vaut mieux que je le voie en tête à tête.

— Très bien, mais pense à prévenir le patron.

— Évidemment. Écoute, il faut que j'aille faire un tour à Surbiton. Corrigan peut se passer de moi un moment. Je te recontacte plus tard.

— Comme tu veux. Je vais expliquer au patron que tu as réquisitionné sa bagnole.

— Il va être ravi, j'en suis sûre. Presque autant que lorsqu'il apprendra que je n'ai toujours pas éliminé Korsakov de la liste des suspects.

— Mais ça va venir.

— Je n'en jurerais pas.

— Comment ça ?

— Plus je m'intéresse à lui, plus je trouve louche toute cette histoire. Il y a anguille sous roche, même si je ne sais pas encore de quoi il s'agit au juste.

— Bon sang, tu deviens aussi pénible que Corrigan.

— Sans déconner, on dirait que tout ce qui le concerne a disparu, comme si on avait voulu se débarrasser de lui une fois pour toutes.

— En quel honneur ?

— Il se peut qu'on le cache, afin de lui permettre de commettre de nouveaux forfaits sans risquer d'être identifié, ou alors…

— Je t'écoute.

— Ou alors on lui a réglé son compte.

— Qui ça, par exemple ?

— Quelqu'un qui voulait se venger, l'une de ses victimes, ou bien une personne qui lui était liée.

— Œil pour œil, dent pour dent…

— On peut aussi imaginer qu'un gus l'a liquidé afin de pouvoir commettre des crimes qui lui seraient attribués, parce qu'il a eu recours au même mode opératoire, et de nous envoyer ainsi sur une fausse piste.

— On croirait vraiment entendre Corrigan ! À ce propos, tu en as parlé avec lui ?

— Plus ou moins, mais il fait une fixation sur Hellier, et je ne crois pas qu'il m'ait écoutée attentivement.

— Je comprends, mais ne le laisse pas te détourner de ta tâche. Il nous appartient, entre autres, de l'empêcher de se fourvoyer.

— Je te recontacte plus tard, lui dit-elle, avant de se diriger vers la voiture.

***

La porte s'ouvrit en grand, laissant voir en face le double lit sur lequel Linda Kotler était couchée, dans le silence d'une chambre éclairée par une lumière tamisée tirant sur le rouge, tout ça parce qu'on avait jeté une robe en soie vermillon sur un abat-jour. Était-ce Linda Kotler qui en avait pris l'initiative, parce qu'au départ il y avait de la lumière rouge dans sa chambre quand elle était bébé et que ça l'aidait maintenant à passer une bonne nuit ?

Non, c'était l'œuvre de l'assassin. Toute la question étant de savoir s'il avait balancé le vêtement sur la lampe avant de la tuer, ou après. À quoi pouvait-elle bien ressembler, la malheureuse Linda Kotler en train d'agoniser, rouge comme une tomate ? Le rouge, justement, n'était-il pas tout simplement un substitut au sang ? Dans ce cas, pourquoi ne l'avait-il pas égorgée comme la petite Heather Freeman ? Tout simplement parce qu'il ne voulait pas signer son forfait en recourant deux fois de suite au même mode opératoire.

L'assassin avait encore fait montre d'intelligence, de sang-froid et d'imagination, à la différence de ses semblables, qui procédaient toujours de la même façon. Certes, il y en avait bien qui essayaient de maquiller leur crime en brûlant le cadavre, en le déposant à l'intérieur d'une voiture qu'ils faisaient ensuite tomber d'une falaise, ou bien qu'ils précipitaient au fond d'un lac ; en revanche, il était très rare de les voir prendre à cet égard leurs dispositions avant de passer à l'acte, ce qui n'en rendait que plus dangereux celui qui avait déjà fait le coup à plusieurs reprises.

Serait-il capable de s'arrêter ? Ce serait la meilleure façon de prouver qu'il se contrôlait et restait en définitive maître de lui-même, se contentant désormais de vivre dans ses souvenirs. Il songea à Hellier qui, en public, ne se départissait jamais de son calme, malin et calculateur comme il était. Derrière cette façade se cachait un monstre, il avait pu s'en apercevoir en deux ou trois occasions. Maintenant que cet horrible personnage s'était pris au jeu, on pouvait craindre qu'il ne s'en tienne pas là et qu'il poursuive sa carrière de criminel.

Sean s'avança dans la chambre en rasant les murs, passa devant une solide commode, qui visiblement devait valoir un certain prix et dont un tiroir était ouvert. C'était là qu'elle rangeait ses bas et ses collants, et c'était là aussi où l'assassin était venu s'approvisionner, car il aurait paru louche qu'il aille en acheter avant de débarquer ici ; en apprenant dans la presse ce qui s'était passé, la vendeuse aurait pu faire le rapprochement et alerter la police.

Il continua à explorer la pièce et s'arrêta à un mètre du corps de Linda Kotler, couchée sur le côté, nue et livide. Elle n'avait pourtant pas l'air paisible, avec un œil à moitié ouvert et l'autre tuméfié. Il essaya d'imaginer comment elle devait être auparavant. Sans doute s'agissait-il d'une jolie fille, mais enfin c'était difficile à dire.

Elle avait les jambes repliées en arrière et ligotées aux chevilles par des bas reliés l'un à l'autre et qui lui remontaient le long du dos, et qui ensuite étaient attachés à ceux qui lui serraient la gorge. Quant à ses mains, elles étaient entravées séparément, ce qui était curieux. Bref, elle était troussée comme une volaille…

Pourquoi l'avoir ficelée de façon aussi savante et compliquée ? Hellier était-il un adepte du bondage ?

Quoi qu'il en soit, elle avait dû beaucoup souffrir. Il se pencha pour regarder sa bouche, vit qu'elle était un peu rouge et irritée, comme si on l'avait bâillonnée. On pouvait imaginer que l'assassin lui avait collé du ruban adhésif sur les lèvres, de la même façon qu'il avait procédé avec Heather Freeman, et qu'il l'avait ensuite enlevé avant de s'enfuir. Seule l'autopsie permettrait de le déterminer.

À noter aussi qu'elle avait tout le côté gauche du visage enflé et meurtri. Il l'avait manifestement frappée dès le départ, pour l'assommer.

Enfin, la petite tache de sang que l'on voyait sur le mur indiquait qu'il avait dû lui y cogner la tête, pour l'empêcher de reprendre conscience. Reste qu'en la ligotant ainsi, il avait voulu la torturer et la tuer à petit feu. Il faudrait attendre le rapport du médecin légiste pour savoir s'il l'avait violée.

Il sursauta en entendant frapper et posa instinctivement la main sur la matraque télescopique attachée à sa ceinture. Ce n'était que sa collègue Vicky Townsend.

— On m'avait prévenue que ce n'était pas joli, et je m'aperçois qu'on n'avait pas exagéré, dit-elle.

— Une véritable horreur.

Elle voulut entrer, mais Sean leva la main pour l'en dissuader.

— Non, pas habillée comme ça.

Elle se regarda, fit mine d'être vexée.

— C'est mon plus beau tailleur, protesta-t-elle.

— Tu n'as quand même pas envie que je te l'enlève pour le mettre dans un sac en papier, car il risquerait d'avoir récolté des indices précieux pour l'enquête ?

— Tu serais capable de le faire, hein ?

— Mais ça ne te plairait pas.

— Non, je ne crois pas.

***

Vicky Townsend attendait dans la rue qu'il sorte de l'appartement. Elle s'amusa de le voir ôter sa combinaison protectrice, puis de la ranger dans des sacs à scellés, au même titre que les « chaussons » enfilés par-dessus ses mocassins.

Décidément, il agissait toujours en pro et restait le collègue le plus méticuleux avec qui elle avait travaillé.

— Comment ça va ? lui demanda-t-il, une fois revenu en tenue de ville.

— Bien, Sean. Les enfants me font tourner en bourrique, mais enfin…

— J'en ai maintenant deux, moi aussi. Des filles.

— Tu es toujours avec Kate ?

Vicky ne l'avait rencontrée qu'à deux ou trois occasions. Dans la police, on n'aime pas mélanger le travail et la vie privée.

— Oui. Elle est sympa, tu sais, et elle s'occupe bien des gosses.

— Tant mieux.

— Qu'est-ce que tu viens faire ici ? Pourquoi un collègue affecté à l'autre bout de Londres débarque-t-il avant moi sur une scène de crime qui se trouve dans mon secteur ?

Sean la regarda, tout penaud. Elle n'avait pas beaucoup changé, avec ses cheveux auburn toujours coupés courts, moins pour des raisons professionnelles que pour être en mesure de répondre à ses obligations de mère de famille. Son visage plutôt quelconque était sillonné de rides d'expression, ce qui lui donnait du chien.

— À mon avis, il y a un rapport entre ce meurtre et plusieurs autres.

— Ah bon ? Des bandes rivales se disputent le marché de la drogue, ou bien on assiste à des règlements de compte au sein du milieu ?

— Si seulement c'était ça ! Mais non. Rien ne dit qu'on n'a pas affaire à un récidiviste.

Sean employa ce terme à dessein, car il n'aimait parler de « tueur en série », ce qui avait tendance à conférer un certain prestige à l'assassin.

— Comme dans l'affaire de l'éventreur du Yorkshire ?

— J'imagine.

— Et on t'a donné le feu vert pour enquêter là-dessus avec ton équipe ?

— Mon commissaire ne demande pas mieux que de me confier toutes les autres affaires qui pourraient avoir un lien avec celle qui nous intéresse au premier chef. Il va arranger ça avec toi, le moment voulu. En attendant, j'aurais bien besoin qu'on me donne un coup de main.

— De quelle façon ?

— Il y a plusieurs points sur lesquels je voudrais être fixé le plus vite possible.

— Je t'écoute.

— D'abord, savoir si on ne relève pas sur la bouche de Linda Kotler des traces de ruban adhésif. À mon avis, c'est avec ça qu'il l'a bâillonnée. Ensuite, examiner de près le tuyau de descente sur le côté de la maison, ainsi que la fenêtre de la cuisine. C'est par là qu'il est entré et reparti. J'aimerais également avoir recours à mon légiste, c'est le meilleur de Londres, et il s'est déjà penché sur le cas de l'une de nos victimes. Je peux l'appeler pour lui demander de venir jeter un œil au cadavre, pendant qu'il est encore dans l'appart. Ensuite, il voudra sans doute le faire transférer à l'hôpital Guy, pour l'autopsier.

— Normalement, on doit les envoyer à celui de Charing Cross, où l'on pratique alors l'autopsie. Ce sont les règlements qui veulent ça.

— Je comprends, mais le coupable court toujours, et il s'en fiche, des règlements. Ça n'a pour lui aucune importance d'assassiner quelqu'un dans le sud, l'est ou l'ouest de Londres. Il tue et se débrouille pour ne pas se faire piquer. On aurait peut-être alors intérêt à cesser de lui faciliter la tâche et à prendre à notre tour quelques libertés avec le règlement, tu ne crois pas ? Parce que si on continue comme ça, je ne vais pas tarder à me retrouver devant un autre appartement à avoir ce genre de discussion avec un collègue… Il ne faut pas que ça recommence, Vicky.

— D'accord, dit-elle. Je m'entends bien avec notre légiste, je vais lui expliquer qu'on se trouve dans une situation exceptionnelle.

— Merci. Maintenant, il n'y a pas de temps à perdre. Ça devient urgent.

— C'est toujours le cas…

***

Sally attendit qu'on lui ouvre. La stupeur se lut sur le visage de Paul Jarratt.

— Sally Jones !

— Excusez-moi de vous déranger une fois de plus, mais je viens soudain de me rendre compte que j'ai oublié de vérifier quelque chose avec vous.

— C'est-à-dire ?

Il l'invita à entrer. Elle le suivit au salon.

— J'ai parlé à l'un de vos anciens collègues, Graham Wright, qui est maintenant passé inspecteur principal.

— Graham ?

— Je m'intéressais à l'affaire Korsakov et j'espérais pouvoir comparer ses empreintes, relevées quand il a été condamné, avec celles que nous avons retrouvées sur notre scène de crime.

— Et alors ?

— Eh bien, figurez-vous qu'elles ont disparu.

— Je n'aurais jamais cru qu'une chose pareille puisse arriver.

— Moi non plus. Wright m'a expliqué que c'est à votre demande qu'il est allé les chercher à Scotland Yard. Vous rappelez-vous d'avoir eu besoin de les consulter ?

— Il me semble que la prison où Korsakov était détenu voulait les examiner, mais je ne sais plus pour quelle raison exactement. En revanche, je me rappelle les avoir rendues à Wright, pour qu'il les restitue à Scotland Yard.

— Ce qu'il a fait, si l'on en croit les archives de l'identité judiciaire.

— Dans ce cas, je ne vois pas comment je peux vous aider à mettre la main dessus.

— L'ennui, c'est qu'on était en 1999 quand vous avez souhaité les consulter, et que Korsakov a été remis en liberté quelques mois plus tard. Ça semble bizarre, vous ne trouvez pas ?

Jarratt laissa échapper un petit rire.

— Tout ce qui concernait cet individu avait de quoi surprendre. Mais voilà que ça me revient : la prison avait besoin d'archiver ses empreintes.

— Pourquoi attendre quelques mois avant sa libération pour en arriver là ?

— Alors ça, je n'en sais rien. Adressez-vous à l'administration de ce centre pénitentiaire.

— Oh, je crois que ce n'est pas la peine. Il doit s'agir tout bêtement d'une erreur commise par un employé de l'identité judiciaire. Bon, je vous ai déjà fait perdre assez de temps comme ça…

— De rien, je vous en prie.

Ils se dirent au revoir et Sally regagna sa voiture. Au bout de quelques minutes, elle s'arrêta pour sortir de son sac le dossier de Korsakov. Elle le feuilleta, trouva le numéro de téléphone qu'elle cherchait, hésita à prévenir Sean, qui ne se doutait pas qu'elle menait sa petite enquête personnelle, puis jugea préférable de le laisser tranquille, car il devait déjà être assez occupé comme ça. Elle appela donc la prison de son portable et attendit un bon moment avant qu'un homme lui réponde, d'une voix raide :

— Prison de Wandsworth. Vous désirez ?

***

Devant l'immeuble où Linda Kotler avait trouvé la mort, Sean et Vicky avaient donné des instructions à leurs collègues de la criminalistique et contacté le coroner. Ils avaient ensuite décidé de retrouver Sally au commissariat de Barnes, pour lui expliquer ce qui s'était passé, et ils étaient maintenant en train de se garer devant cet immeuble de quatre étages en briques rouge vif, percé d'à peine quelques fenêtres, qui d'ailleurs étaient condamnées.

Rentrée de Surbiton, Sally les attendait devant le bureau de l'inspecteur divisionnaire Townsend, bien plus vaste que celui de Sean et aussi mieux rangé et organisé. Sean fit les présentations, Sally et Vicky se dévisagèrent avec méfiance.

Vicky remit à Sean un petit mot qu'on avait déposé sur son bureau.

— C'est pour vous. Le docteur Canning, votre médecin légiste, est arrivé sur la scène du crime.

— Parfait.

— Et puis on a retrouvé sa sœur, grâce au carnet d'adresses découvert par Simpson et Watson, qui furent les premiers à débarquer sur les lieux. Elle a quitté le Devon et elle est déjà dans le train. On va envoyer une voiture la chercher à la gare et la ramener ici.

— Et les parents ?

Vicky regarda le bout de papier.

— Ils habitent en Espagne, où ils ont pris leur retraite. Ils vont prendre l'avion dès qu'ils trouveront deux places, ce qui n'est pas évident à cette époque de l'année. Vous voulez voir la sœur ?

Sean regarda Sally.

— Oui, pourquoi pas ?

— Je vais arranger ça. En attendant, parle-moi donc de ton suspect. Quels éléments as-tu pour l'instant retenus contre lui ?

— Ah oui, James Hellier. Un homme raffiné et plein de fric, qui travaille dans une société financière de Knightsbridge et qui, de son propre aveu, est un adepte du sadomasochisme. Il a semé hier soir à 18 heures les types qui le suivaient, pour ne réapparaître qu'à 3 heures du matin.

Vicky haussa les sourcils.

— Il sait qu'on le surveille, mais ça ne l'empêche pas d'aller tuer quelqu'un à Shepherd's Bush ?

— Il ne peut pas s'arrêter, et ça doit sans doute l'exciter de savoir qu'on le tient à l'œil.

— Si tu es sûr que c'est lui le coupable, tu n'as qu'à l'arrêter, le foutre à poil et le livrer à nos collègues de la police scientifique pour qu'ils effectuent sur lui des prélèvements.

— On a essayé, après le premier meurtre. On a bien relevé sur la scène du crime des traces de fluides organiques qui le désignent, mais il prétend avoir eu depuis longtemps des rapports sexuels avec la victime. Le tableau était différent pour le deuxième assassinat, celui d'Heather Freeman, une adolescente en fugue qu'il a enlevée, puis égorgée sur un terrain vague de Dagenham. Eh bien, on n'a retrouvé là-bas qu'une trace de pas qu'il est impossible d'attribuer à quelqu'un en particulier, et qui est donc inexploitable. De sorte qu'on prend notre mal en patience. Si on relève sur la scène de crime des fluides organiques autres que ceux de la victime, on l'embarque, mais d'ici là, on ne bouge pas.

Voyant Vicky gigoter sur sa chaise, il devina à quoi elle pensait.

— Je sais, dit-il en levant la main, mais crois-moi, Hellier n'aura rien sur lui qui provienne de l'appartement de Linda Kotler, et il aura détruit tous les vêtements qu'il avait mis pour l'occasion.

— Tu en es sûr ?

— Non, mais c'est tout comme. Il me faut des preuves irréfutables, car je n'ai pas envie de le voir se payer ma tête lors d'un autre interrogatoire.

— C'est à toi de voir, Sean, mais n'oublie pas l'affaire Stephen Lawrence. Les flics qui ont mené l'enquête se sont fait sacquer car ils n'ont pas procédé tout de suite à des interpellations et envoyé les vêtements au labo pour analyse. Si tu es viré, je le serai, moi aussi.

— Mais non. Il te suffira de t'adresser officiellement à ta hiérarchie pour exposer tes objections. Je ferai d'ailleurs de même, de sorte que ta responsabilité ne sera pas engagée.

— Pas si vite, ce n'est pas ce que je voulais dire.

— Je le sais, mais suis mon conseil.

Vicky n'insista pas.

— J'aimerais que l'*Evening Standard* lance aujourd'hui un appel à témoins, mais sans parler de moi, dit Sean pour changer de sujet.

— Je vais arranger ça avec le responsable de la chronique des faits divers, déclara Vicky. Je lui ai déjà rendu service, et il doit me renvoyer l'ascenseur.

— À la bonne heure.

On frappa. Un flic que Sean ne connaissait pas annonça que la sœur de Linda Kotler venait d'arriver.

***

Sean eut un moment d'hésitation avant d'entrer dans la pièce où attendait la sœur de Linda Kotler. Sally l'accompagnait, mais cette fois-ci, il décida de s'entretenir directement avec cette femme.

Il n'est jamais facile d'annoncer à quelqu'un la mort d'un être cher, mais c'est encore bien pire d'expliquer que cette personne a été victime d'un assassinat. Quand on apprend une chose pareille, on en ressort brisé et on ne cessera ensuite d'imaginer les derniers instants de celle ou celui à qui on a ôté la vie. Le plus éprouvant est sans nul doute de s'adresser aux parents d'un enfant dont on vient de retrouver le corps massacré, en général leur couple n'y survit pas…

Sean ouvrit doucement la porte, et Debbie Stryer leva les yeux. Il la trouva plus jeune que prévu, et avec sa peau hâlée elle respirait la santé, à la différence des Londoniens qui sont blancs comme des cachets d'aspirine. Pourtant elle avait les yeux rouges, à force de pleurer, même si, pour l'heure, elle avait séché ses larmes.

Elle se leva, regarda alternativement Sean et Sally, partagée entre la peur, la stupéfaction et le désir de savoir tout de suite ce qui s'était passé exactement.

— Debbie Stryer, dit-elle. Je suis la sœur de Linda, et Stryer est mon nom de mariage.

Sean hocha la tête, et Sally lui tendit la main, qu'elle serra dans les siennes.

— Inspectrice principale Sally Jones. Je participe à l'enquête et je vous présente mes condoléances. Tout le monde m'explique que Linda était quelqu'un de formidable.

Elle guetta la réaction de son interlocutrice, qui fondit en larmes.

— Je tiens à vous assurer que l'on arrêtera celui qui a fait ça, ajouta Sally.

Sean ne put s'empêcher de l'admirer et résolut de la laisser conduire cet entretien, contrairement à ce qu'il avait décidé au départ, de peur de se montrer maladroit. Il se contenterait d'expliquer à Debbie, si elle le désirait, comment allait se dérouler l'enquête.

Debbie remercia Sally et se tourna vers lui, qui se présenta :

— Inspecteur divisionnaire Sean Corrigan. C'est moi qui vais diriger les investigations.

Debbie cessa aussitôt de pleurer et lui jeta un drôle de regard.

— Elle m'a parlé de vous, mais sans me dire que vous étiez marié, dit-elle en contemplant son alliance. Ça, c'était Linda tout craché.

Sean et Sally en restèrent abasourdis.

***

Sean raconta à Townsend son entretien avec Debbie Stryer, qui avait écouté en silence les explications de Sally, se contentant juste de dire qu'il devait y avoir une erreur. Mais Sean n'était pas dupe, et il savait maintenant qu'Hellier s'était payé sa tête.

Ce faisant, il avait pris des risques inutiles, or en général, on ne crâne pas impunément. Debbie Stryer avait effet expliqué qu'un type avait abordé sa sœur non loin de chez elle, entre 20 heures et 21 heures, et qu'ils avaient échangé quelques propos, tous les deux. Bref, Hellier se sentait invulnérable, son arrogance de sociopathe n'ayant d'égal que son sadisme et sa barbarie.

Sean et Sally enfilèrent une tenue protectrice avant d'entrer dans l'appartement de Linda Kotler. Il n'avait plus du tout la même allure que lorsque Sean l'avait découvert, en raison de la présence des experts de la police scientifique qui s'activaient dans chaque pièce. Ils se rendirent tout de suite dans la salle de séjour, pour examiner le téléphone fixe.

— L'avez-vous saupoudré de céruse, afin de relever les empreintes digitales ? demanda Sean à une dame difforme, sous sa combinaison en papier.

— Oui, je viens de le faire.

— Et les messages, les avez-vous écoutés ?

— Non, on attend d'être rentrés au labo.

Sean n'avait pas l'intention d'attendre le lendemain. Il appuya donc sur le bouton et brancha le haut-parleur.

— À mon avis, vous ne devriez pas faire ça, déclara la bonne femme.

— C'est moi qui dirige l'enquête, je suis l'inspecteur divisionnaire Corrigan.

Le répondeur émit d'abord un long « bip » strident, puis l'on entendit une sonnerie, et enfin la voix de Linda Kotler. Tout le monde écouta la femme qui gisait, morte, à quelques mètres de là. Puis entra en scène sa sœur, et avant qu'elle n'ait le temps de dire grand-chose, Linda décrocha, en lui demandant de ne pas tenir compte du fait que leur conversation était enregistrée.

Elles parlèrent de la vie à Londres, qui avait déteint sur Linda, de la manie qu'ont les habitants de cette ville de filtrer leurs communications, et enfin des gens qui font de la télévente. Elles évoquèrent ensuite leurs enfants. Sean sentait son pouls s'affoler. Il savait qu'on allait y venir, et pourtant il n'avait pas envie de l'entendre.

— Et il s'appelle comment ? demanda Debbie. Il nota que Sally l'observait du coin de l'œil.

— Sean, répondit Linda, Sean Corrigan.

Sa collègue de la police scientifique le dévisagea, ahurie.

— Vous n'avez pas autre chose à faire ? lui lança-t-il.

Il entendit Donnelly apporter, dans la chambre, son concours aux experts de la criminalistique, il l'y retrouva, accompagné de Sally, et eut le plaisir de constater que son adjoint portait une combinaison protectrice en papier. Il reconnut aussi Canning, dont la frêle silhouette était agenouillée au-dessus du cadavre de Linda Kotler. Juste à côté, à portée de la main, on voyait par terre des flacons échantillons et des sacs à scellés. Zukov faisait de son mieux pour l'aider.

— Vous avez déjà trouvé quelque chose d'intéressant ? lui demanda Sean.

Le médecin légiste demeura impassible.

— Inspecteur Corrigan... J'imagine que c'est à cause de vous que j'ai été obligé de traverser la moitié de Londres, dit-il.

— Désolé, mais c'était indispensable.

— Parce que vous êtes confronté à deux meurtres qui sont liés, à ce qu'il paraît. Donnelly m'a expliqué tout ça en détail.

— Trois meurtres, et non deux.

Canning eut l'air perplexe.

— Eh oui, on en déplore encore un autre. Le premier de la série, qui a eu lieu il y a un mois. On a déjà pratiqué l'autopsie, mais j'aimerais quand même que vous alliez y jeter un œil.

— Très bien.

Canning se remit au travail, tout en faisant part de ses observations aux flics qui se trouvaient là.

— Je n'ai encore jamais vu quelqu'un de ligoté de façon aussi compliquée.

— Dans quel but a-t-il fait ça ? demanda Sean.

Canning montra le bas tendu dans le dos de la malheureuse.

— Regardez, là, c'est un nœud coulant. À mon avis, il a fabriqué une espèce de harnais. Il l'a couchée sur le ventre, après quoi il lui a suffi de tirer sur le nœud coulant pour lui serrer en même temps la gorge et les jambes. Nous sommes là en présence d'un véritable instrument de torture.

— Et à part ça ?

— Il va falloir attendre le rapport d'autopsie pour en avoir la confirmation, mais je suis sûr qu'elle est morte étranglée. Tenez, dit-il en désignant son cou, ses liens lui sont rentrés dans la chair, il n'y avait d'ailleurs pas besoin de les serrer aussi fort pour la tuer. Je m'étonne que la peau ne se soit pas déchirée. La malheureuse présente aussi des contusions, dues sans doute à ce avec quoi on l'a attachée.

Canning respira à fond.

— L'assassin est un homme qui a de la force, conclut-il.

— Et les autres bleus qu'elle a sur le cou ?

— Le type a dû tirer à plusieurs reprises sur ses liens, puis les relâcher avant qu'elle ne décède.

— Et avant qu'elle ne perde connaissance, ajouta Sean.

— Ça, je n'en sais rien.

— Croyez-moi, il ne l'aurait pas laissée s'évanouir, pas même une seconde, il voulait au contraire qu'elle reste consciente du début jusqu'à la fin.

— On dirait que l'assassin pratique l'étranglement autoérotique, comme c'est courant dans les milieux sadomasochistes.

Sean pensa aussitôt à Hellier.

— Elle a aussi été violée des deux côtés, d'après ce que je vois, reprit Canning. Mais on ne relève pas de trace de sperme ou de lubrifiant, ce qui laisse penser qu'il a mis un préservatif.

— Ça ne fait aucun doute, renchérit Sean.

Canning demanda à Zukov de lui passer la lampe à halogène, dont on se servait pour faire apparaître des choses qui normalement échappaient à l'œil nu, comme des empreintes digitales, des traces de pas, des poils, des cheveux et des petits bouts de métal.

Canning promena le pinceau sur le corps de Linda Kotler, en commençant par le bas, en l'occurrence les genoux, puisqu'elle avait toujours les jambes repliées dans le dos et qui lui touchaient presque les fesses.

— Ça y est ! annonça-t-il.

Sean s'approcha.

— Faites attention, lui dit le médecin légiste, on n'a pas encore examiné tout ce qui est autour du corps.

Sean s'accroupit et tendit le cou, pour mieux voir le dos de la victime.

— Qu'est-ce que c'est ?

— Une trace de pas, si je ne m'abuse, répondit Canning.

Il orienta la lampe différemment.

— Oui, c'est bien ça. Je vais demander qu'on en fasse une photo à la morgue. Ça devrait ressortir sur le cliché.

— Pourquoi a-t-il agi ainsi ? demanda Zukov, l'air écœuré.

Sean connaissait la réponse, mais il préféra laisser Canning la lui donner :

— Tout simplement parce qu'il lui a posé un pied sur le dos pendant qu'il tirait sur ses liens, pour les resserrer.

— Le saligaud ! conclut Zukov, en exprimant l'opinion générale.

**

Sally éprouva le besoin de sortir fumer une cigarette et de se changer les idées. Selon toute vraisemblance, ses collègues hommes ne ressentaient pas la même chose qu'elle en présence du corps de Linda Kotler, car ils n'imaginaient pas qu'une femme puisse soudain avoir peur d'un type, que ce soit dans un bar ou à un arrêt d'autobus.

Comment la malheureuse avait-elle vécu ses derniers instants ? Pourvu que le supplice n'ait pas duré trop longtemps ! Quelle allait être la réaction des Londoniennes quand la presse donnerait des détails sur cette dernière tragédie ?

Elles seraient nombreuses à ne plus oser sortir le soir tant que l'on n'aurait pas arrêté l'assassin, d'autres s'équiperaient de sifflets anti-agression ou carrément d'une arme à feu, elles s'assureraient toutes qu'elles avaient fermé la porte à clé et poussé le verrou sur les fenêtres, et elles demanderaient à leur mari ou copain de rentrer avant la nuit.

Elle-même, Sally, ne ferait pas exception. Quand elle pensait à Linda Kolter, elle ne pouvait pas s'empêcher de se mettre à sa place.

Si seulement elle avait un copain, quelqu'un avec qui partager les bons et les mauvais moments, les réussites et les échecs, les espoirs et les craintes…

Elle se rappela alors que Sebastian Gibran lui avait jeté un regard concupiscent lors de leur première rencontre. Aurait-il par hasard des vues sur elle ? Elle était quasiment sûre qu'il était marié, mais si ça se trouvait, ça ne le dérangeait pas, le cavaleur. Qu'en serait-il, pour elle, si elle devenait la maîtresse d'un homme riche ? Serait-ce donc pour la séduire qu'il l'avait invitée à déjeuner ? Bah, elle ne tarderait pas à être fixée.

La cigarette faillit lui brûler les doigts, elle la jeta et regagna l'immeuble.

***

Canning dirigea la lampe halogène vers la tête de Linda Kotler, pour bien y voir pendant qu'il lui passait un peigne fin dans les cheveux. Il était en effet préférable de procéder ainsi avant d'évacuer le corps, puisqu'on risquait alors de laisser filer un élément de preuve d'une importance capitale.

Parmi les cheveux de la jeune femme qui tombèrent sur le drap, il en aperçut un d'une couleur différente. Il retint son souffle et l'attrapa avec une pince à épiler.

— Ce ne peut pas être l'un des siens, expliqua-t-il, car il est blond et beaucoup trop long. En plus, il a conservé sa racine, de sorte qu'on ne devrait pas avoir de mal, au labo, à déterminer l'ADN de l'individu qui l'a perdu.

Sean comprit tout de suite qu'il tenait peut-être là l'occasion rêvée de confondre Hellier.

— Se pourrait-il que ce soit un cheveu de l'assassin ? demanda-t-il.

— Si Linda Kotler n'a pas reçu d'autre visite hier soir, à tous les coups c'en est un, dans la mesure où il était juste posé sur sa chevelure, et non mêlé aux autres cheveux.

— Comment expliquez-vous qu'on le retrouve comme ça, par hasard ?

— Il faut croire que l'assassin a ôté un couvre-chef quelconque et que, du même coup, il a paumé un cheveu.

— Pour quelle raison aurait-il fait ça ? demanda Sean, en réfléchissant à voix haute.

— Alors ça, je l'ignore, répondit Canning, sans se rendre compte que Sean s'était posé la question à lui-même. En tout cas, s'il s'est découvert la tête, il y a des chances qu'on trouve d'autres cheveux sur le corps de Linda, ce qui limite le risque qu'elle ne les ait recueillis dans d'autres circonstances.

Le médecin légiste donna à Zukov le sac à scellés dans lequel se trouvait le précieux indice, puis examina cette fois le lit avec sa lampe. Il récupéra un nouveau cheveu à l'aide de la pince à épiler.

— On dirait qu'on a de la chance, inspecteur.

— Il vient du même individu ?

— Oui, je le pense. Et lui aussi a gardé sa racine. Si l'ADN de votre assassin figure dans la banque de données de l'identité judiciaire, l'affaire est bouclée.

— Malheureusement, on n'a pas de trace de lui à l'identité judiciaire. Mais ce n'est pas grave, car je sais où le trouver, son ADN.

— Où ça ?

— Dans son sang.

***

Cela faisait plus de quarante-huit heures qu'Hellier n'avait pas été chargé de rencontrer des clients, et il s'en fichait éperdument. Quelques semaines plus tôt, il aurait pris ses dispositions pour ne pas se faire virer, désormais ça n'avait plus d'importance. La boîte avait rempli son rôle, il n'avait plus besoin d'elle.

Il était presque 18 heures, et au bureau il ne restait plus que Sebastian Gibran, la secrétaire modèle et lui. Quel dommage qu'il ne puisse pas la voir en privé, la petite dame en tailleur, car il lui offrirait alors un cadeau d'adieu qu'elle ne serait pas prête d'oublier ! Enfin, rien ne dit qu'un jour, leurs chemins ne se croiseraient pas…

Il reçut un appel sur son portable, le premier de la journée. C'était un numéro masqué, il n'aimait pas ça, mais il se sentit obligé de répondre.

— Oui ?

— Monsieur Hellier. Vous courez un grand danger.

C'était encore l'autre gus.

— On devait se voir hier soir. J'ai horreur qu'on se foute de ma gueule.

— Je ne cherche qu'à vous aider, croyez-moi.

— Et en quel honneur, je vous le demande un peu ? On ne se connaît même pas !

— Vous en êtes sûr ?

Hellier ne dit rien, mais réfléchit.

— Corrigan. Je peux vous apprendre sur lui des choses qui vont permettront de vous en débarrasser une fois pour toutes, de lui et de ses semblables.

— Je n'ai pas de souci à avoir de ce côté-là.

— Oh, que si. Figurez-vous qu'il n'a pas l'intention de vous déférer devant le juge et qu'il va se débrouiller autrement.

— Mais de quoi parlez-vous, à la fin ?

— Si vous ne voulez pas avoir d'ennuis, je vous donne rendez-vous demain soir.

— Où ça ?

— Dans le centre de Londres. Je vous rappelle demain pour vous dire où on se retrouve. Et puis, venez sans les flics, puisqu'ils continuent à vous suivre.

— Attendez une minute !

Mais l'autre avait déjà mis fin à la communication.

***

Gyrophares allumés et toutes sirènes hurlantes, les trois voitures banalisées fonçaient sur Bayswater Road, au milieu de la chaussée.

Sean s'en allait interpeller Hellier à Knightsbridge, puisqu'il disposait enfin de la pièce à conviction qui lui était nécessaire. L'assassin avait commis une grossière erreur, même s'il était trop tôt pour affirmer qu'il s'agissait bien d'un cheveu d'Hellier, car pour l'instant, on s'était borné à constater qu'il était de la même couleur que les siens, sans l'avoir envoyé au labo pour déterminer l'ADN de son propriétaire. C'est ce que proposa Sally, qui était au volant :

— On devrait peut-être commencer par le faire analyser, ce cheveu, histoire de voir si l'ADN de celui qui l'a laissé figure dans la banque de données de l'identité judiciaire.

— Hellier n'y figure pas, répondit Sean, puisqu'il n'a jamais été condamné.

— Si ça se trouve, ce sont les cheveux de quelqu'un d'autre.

— Fais-moi confiance, Sally, ce sont les siens.

— Dans ce cas, pourquoi ne pas les comparer à ceux de lui qu'on a déjà ?

Elle faisait allusion à ceux qu'on avait prélevés sur lui au commissariat de Belgravia, au tout début de l'enquête sur le meurtre de Daniel Graydon.

— Avant même de l'arrêter, on saurait déjà que c'est lui qui a assassiné Linda Kotler, poursuivit-elle.

— Tu sais très bien qu'on ne peut pas y avoir recours, répliqua-t-il en poussant sa voix, pour couvrir le bruit du moteur.

Lorsqu'on effectuait des prélèvements sur un témoin ou un suspect dans le cadre d'une enquête bien précise, il était en effet interdit par la loi de s'en servir pour essayer de l'incriminer dans une autre affaire.

— On pourrait peut-être le faire en catimini, sans rien dire à personne ? suggéra Sally.

— Non, c'est trop risqué, répondit Sean. On va procéder dans les règles.

Sally se cramponna au volant et ne dit plus rien. Sean appela l'inspecteur principal qui dirigeait l'équipe de surveillance, pour lui demander où se trouvait Hellier.

— Il vient de quitter son bureau, lui répondit Don Handy.

— Pour rentrer chez lui ?

— Il se dirige vers le métro.

— On arrive, et on va le serrer.

— Attendez, il arrête un taxi… Vous voulez qu'on l'interpelle ?

— Non, mais pouvez-vous suivre le taxi ?

— Ça ne devrait pas être trop compliqué.

— Alors allez-y, mais tenez-moi au courant. Je serai derrière vous.

— D'accord.

— J'espère que vous savez ce que vous faites, lui dit Sally.

— C'est peut-être notre dernière chance de le voir nous mettre sur une piste.

— Qu'est-ce qu'il vous faut encore ? On a des cheveux à lui et l'on sera en mesure d'établir que c'est son ADN que l'on a relevé sur la scène du crime.

— En effet, mais rien ne prouve que ce sont bien ses cheveux que l'on a récupérés. Je trouve quand même ça louche que, d'un seul coup, on en récupère deux avec leur racine. Il n'est pas con, Hellier, et parfaitement capable de semer sur une scène de crime des tifs qui ne sont pas les siens. Imaginez ce que serait la réaction de son avocat, si on l'interpellait pour cette raison ; on se ferait ridiculiser.

— Ça ne veut pas dire qu'on a tort.

Sean gardant le silence, elle enfonça le clou :

— En vertu de la loi, on est tenus d'arrêter quelqu'un si l'on dispose de preuves suffisantes.

— S'il ne nous met pas sur une autre piste, on va l'interpeller avant qu'il ne rentre chez lui, déclara Sean pour apaiser ses craintes.

***

— Je vais à Bruyanston Street, à côté de Marble Arch, dit Hellier au chauffeur de taxi, qui hocha la tête et démarra sans dire un mot.

Hellier essaya de se détendre, mais il se savait suivi, et cette fois par toute une ribambelle de flics ; il en avait déjà dénombré une quinzaine… Il aurait certes pu essayer de les semer une fois de plus dans le métro, mais rien ne dit que, pour le coup, il y serait arrivé.

Le taxi arriva à destination.

— Déposez-moi ici, dit-il au type.

Il lui glissa un billet de dix livres par le guichet situé en dessous de la vitre blindée destinée à tenir à respect les dingues et les poivrots, descendit de véhicule sans attendre sa monnaie et gagna l'agence de location Avis, tout en se sachant surveillé par les flics.

***

Sean sursauta quand on l'appela sur son portable.

— Oui ?

— C'est Don Handy, patron. On dirait bien que notre client va se louer une bagnole.

— Ça vous pose un problème ?

— Non. Personnellement, je préfère le suivre en voiture qu'à pied.

— Pour l'instant, ne le lâchez pas.

Sean mit fin à la communication. Sally resta muette.

***

Hellier loua la plus voiture la plus grosse et la plus rapide qui était disponible, présenta son permis de conduire et paya avec une carte American Express, tous les deux établis à son nom. Il en garderait la nostalgie, de ce James Hellier…

La Vauxhall noire s'engagea dans Bryanston Street, son moteur V6 vrombissant de façon rassurante. Au bout de la rue, Hellier bifurqua dans Gloucester Place et remonta vers le nord. Il roulait à la même allure que les autres véhicules, s'arrêtait aux feux rouges et n'avait pas l'air pressé d'échapper à la cohue. Il n'avait pas besoin de regarder dans les rétroviseurs pour se savoir suivi par les flics, qui empruntaient les voies adjacentes, s'empressaient de le rejoindre au prochain carrefour et se relayaient derrière lui aussi souvent que possible.

Il tourna dans Marylebone Road et mit le cap à l'ouest, regrettant qu'il y ait maintenant moins de circulation que prévu. Il conduisait prudemment, comme un homme tranquille.

Il obliqua à gauche, s'engagea sur un pont routier et rejoignit la Westway, la petite autoroute surélevée construite dans l'ouest de Londres, pour éviter qu'il n'y ait trop d'embouteillages en direction de la banlieue.

Cette fois-ci, les flics ne pouvaient plus le suivre en roulant sur une route parallèle, ils étaient obligés d'emprunter le même itinéraire que lui. Par la même occasion, toutes les voitures, devant ou derrière lui, devenaient suspectes. Au bout d'un quart d'heure, il se déporta sur la voie de gauche, pour sortir à Shepherd's Bush-Hammersmith. Plusieurs véhicules firent de même et allumèrent leurs clignotants. Désormais, les flics qui se trouvaient devant lui ne pouvaient plus quitter l'autoroute avant la prochaine sortie, celle d'Acton, située à six kilomètres. Il arriva bientôt à un grand rond-point d'où, après quelques instants d'hésitation, il décida de se diriger vers Hammersmith.

***

Les flics partis à trois voitures arrêter Hellier attendaient à Hyde Park qu'on les mette au courant des derniers développements. Sean et Sally, qui étaient toujours dans celle du milieu, écoutaient les membres de l'équipe de surveillance discuter en code à la radio, sans y comprendre d'ailleurs grand-chose. On appela Sean sur son portable. C'était Don Handy.

— Il est malin, l'énergumène, il est passé exactement par où il ne fallait pas, la Westway, et il est sorti à Shepherd's. Les deux voitures à nous qui le précédaient sont en train de revenir d'Acton.

— Mais vous autres, il ne vous a pas semés, au moins ?

— Non, on a mis le paquet.

— Il est où, en ce moment ?

— Il va bientôt arriver à Hammersmith.

— On vous rejoint. Ne le lâchez surtout pas, les gars !

***

Pour rejoindre Hammersmith, Hellier se dirigea vers la route à sens unique constamment embouteillée et qui s'apparentait, peu ou prou, à un immense rond-point à quatre voies ceinturant un centre commercial.

Le feu était vert, pourtant il s'arrêta pour regarder dans les rétroviseurs. La camionnette qui se trouvait derrière lui donna d'abord deux petits coups de klaxon, suivis d'un troisième plus long et rageur, devant son absence de réaction.

Le conducteur l'abreuva d'insultes, puis klaxonna à nouveau et finit par descendre de véhicule pour venir s'expliquer avec lui. Il n'en eut pas le temps, car dès que le feu passa au rouge, Hellier démarra sur les chapeaux de roues.

***

— Avance, avance ! lança Handy à son collègue qui était au volant. Ne le lâche pas ! Putain, ne le lâche pas ! Eh merde !

Hellier était en train de leur échapper.

— Il va nous semer, ce con !

— Qu'est-ce que ça peut foutre ? De toute façon, on est grillés. Si on le suit en roulant à toute blinde, ça va pas être superdiscret !

— Tant pis ! Nique-le, le bâtard !

Hellier avait déjà tourné à droite dans Hammersmith Road et il fonçait maintenant en direction de Kensington au volant de la Vauxhall, laissant sur place les flics censés le suivre et qui se retrouvaient bloqués par la circulation.

***

Hellier se gara et vérifia qu'il n'y avait personne dans les parages, puis il gagna la station de métro de High Street Kensington. Là, il prit la ligne District et descendit à Kensington, soit deux arrêts plus loin. Une fois dehors, il longea en vitesse Exhibition Road, en regardant s'il n'était pas suivi. Il n'y avait pas un flic en vue. Il tourna alors à droite dans Thurloe Place et passa devant toute une série de petits commerces, en sachant parfaitement où il allait.

Il regarda la vitrine de Throe Arts avant d'entrer dans la boutique, et examina d'un œil averti les tableaux accrochés aux murs. Cet endroit ressemblait davantage à une mini-galerie de peintures qu'à un magasin, même s'il trouva que, dans l'ensemble, on n'y exposait que des croûtes.

Une vieille sonnette salua son entrée. Le commerçant revint vite du fond de la boutique et lui coula un sourire engageant.

— Monsieur Lehman… Quelle bonne surprise ! Comment allez-vous ?

— Très bien. Et vous-même ?

— Ça peut aller, même si les affaires ne marchent pas toujours comme on le voudrait, mais ça pourrait être pire.

— J'espère que notre petit accord vous a dépanné, financièrement parlant ?

— Bien sûr. Dois-je en conclure que c'est l'objet de votre visite ?

— En effet.

— Si vous voulez bien m'attendre quelques instants.

Le commerçant disparut au fond du magasin et réapparut peu après, en laissant ouverte la porte de l'arrière-boutique.

— Par ici, s'il vous plaît.

Hellier longea le comptoir et découvrit une petite pièce aveugle et aux murs jaunes, éclairée en tout et pour tout par une ampoule électrique. Sur une table était posée une grosse boîte en métal, fermée par un verrou à combinaison qui pendait sur le côté. Hellier pénétra dans le local et constata qu'il n'avait pas changé depuis la dernière fois, trois ans plus tôt. Le commerçant s'esquiva.

Hellier s'assit pour examiner cette espèce de coffre, constata qu'on n'y avait apparemment pas touché et qu'il ne présentait pas d'éraflures, comme si on l'avait ouvert, ou du moins essayé de le forcer. Il sortit de sa poche des gants en cuirs très fins et les enfila.

Il tourna ensuite les anneaux de réglage et tira sur le verrou, qui s'ouvrit aussitôt. Il l'ôta et le posa soigneusement sur la table, puis il souleva le couvercle, en prenant autant de précautions que si c'était celui d'un coffret à bijoux. Il en sortit un paquet enveloppé dans un tissu blanc, qui atterrit à côté du verrou. Il s'en occuperait plus tard, auparavant il voulait voir autre chose.

Il récupéra cette fois quelque chose de lourd, qui était emballé dans trois chiffons jaunes. Il les enleva l'un après l'autre, comme on aurait pu le faire avec les pétales d'une fleur tropicale. Bien huilé, le métal grisâtre luisait. Il vérifia que les chargeurs de treize du 9 Browning étaient bien approvisionnés. Eh oui, si les militaires ne demandaient pas mieux que de vous refiler, contre espèces sonnantes et trébuchantes, un flingue piqué dans une armurerie, ils n'étaient en revanche pas très chaud pour vous vendre des munitions, allez savoir pourquoi…

Il fit reculer la glissière, arma le pistolet et pressa la détente. Clic ! Le chien se rabattit sur le percuteur. Satisfait, il inséra un chargeur dans la crosse et glissa l'autre dans la poche intérieure de sa veste. Il se coinça ensuite le flingue au creux des reins, retenu par sa ceinture.

Ça le fit rire d'ouvrir le deuxième paquet, qui renfermait une perruque brun foncé, des sourcils de la même couleur, une moustache et des lunettes. Il les chaussa, elles ne lui allaient pas, mais il arrivait quand même à y voir un peu avec. Il lui resta plus qu'à vérifier que la colle qui figurait dans le lot n'était pas desséchée. Rassuré une fois de plus, il remballa le tout et le fourra dans sa poche. Il referma ensuite la boîte, remit le verrou et régla la combinaison, puis regagna la boutique où le type l'attendait.

— Tout se passe comme vous le désirez ? lui demanda celui-ci.

— Oui. Dites-moi, y a-t-il un magasin d'articles de sport dans le coin ?

***

Sally et les autres avaient décidé d'aller boire un coup dans le seul pub se trouvant à proximité du commissariat de Peckham. Le patron de l'établissement était ravi d'avoir surtout des flics comme clients, car ça lui évitait d'avoir des ennuis, sauf quand éclatait une engueulade entre des membres des forces de l'ordre qui avaient forcé sur la bière ou le whisky. On appela Sally sur son portable. C'était un dénommé English, qui travaillait à la prison de Wandsworth.

— Vous avez du nouveau pour moi ? lui demanda-t-elle.

— Oui, à propos d'un ancien détenu, Stefan Korsakov, qui a été remis en liberté en 1999. Vous vouliez savoir pour quelle raison nous avions demandé à Scotland Yard de nous communiquer ses empreintes digitales.

— En effet.

— Eh bien, nous n'avons jamais adressé une pareille requête.

— Vous en êtes sûr ?

— Absolument. Nos archives sont formelles, il n'y a pas d'erreur possible.

— Bien, je vous remercie.

Survint Donnelly, qui la vit perplexe.

— Il y a un problème ?

— J'ai l'impression que quelqu'un me raconte des histoires, répondit-elle.

— À quel sujet ?

— Ce n'est pas important. On en parlera demain. Pour l'instant, je vais reprendre un verre.

***

Hellier n'eut pas de mal à trouver le magasin d'articles de sport. Il y acheta un survêtement Nike de couleur bleue, un tee-shirt blanc, des baskets Puma et des chaussettes blanches, puis demanda à ce que l'on glisse chacun de ces articles dans un sac en plastique différent. Comme il avait payé en liquide, le vendeur fut ravi de lui faire ce plaisir.

Il prit ensuite le métro pour se rendre à Farringdon, où il dégota rapidement un bistrot fréquenté aussi bien par des gens en tailleur et costume cravate qu'en tenue de ville, voire en survêtement…

Il s'installa au bar et commanda un gin tonic bien frappé, mais sans citron. L'alcool lui donna un coup de fouet, mais sans altérer sa lucidité ni lui faire perdre son sang-froid. Une fois familiarisé avec la disposition des lieux, il s'en fut aux toilettes. Après avoir poussé le verrou, il regarda la fenêtre qui se trouvait en hauteur et par laquelle il ne pourrait sans doute pas s'enfuir sans attirer l'attention. En outre, elle était probablement bloquée, et il n'arriverait pas à l'ouvrir. En revanche, le réservoir de la chasse d'eau se trouvait beaucoup plus bas, fixé au mur. Il en souleva le couvercle, enveloppa dans le survêtement tout ce qui provenait du magasin d'articles de sport, en y ajoutant le pistolet et le chargeur supplémentaire, glissa le paquet dans un sac en plastique auquel il fit un nœud et le fourra à son tour dans un deuxième sac en plastique qu'il ferma hermétiquement, lui aussi.

Il se souvint que celui qui se disait son « ami » l'appellerait ce soir, à 19 heures, sur son portable. Il sortit l'appareil de sa poche et le contempla, pensif. Si les flics guettaient son retour, ils saisiraient ce téléphone, comme ils le font toujours. D'un autre côté, c'était le seul moyen qu'avait ce mystérieux individu de le contacter.

Réflexion faite, il estima que l'enjeu n'en valait pas la chandelle, il ôta la batterie de l'appareil et les déposa tous les deux dans les sacs en plastique, qu'il fut obligé de rouvrir exprès.

Il eut un moment d'hésitation avant de planquer le tout dans le réservoir de la chasse d'eau, car un flingue, ça ne se trouve pas sous le pied d'un cheval, et puis il aurait peut-être intérêt à savoir ce que voulait lui dire ce mystérieux inconnu. Il songea à prendre une chambre d'hôtel et à attendre que ce type l'appelle, mais préféra tout compte fait s'en tenir à son plan initial et laisser provisoirement le paquet ici. Nul doute que les flics l'attendaient, même s'il y avait tout lieu de penser qu'ils n'allaient pas l'interpeller. Et quand bien même le placeraient-ils à nouveau en garde à vue, ils n'avaient aucune preuve contre lui. Il se contenta de tirer la chasse d'eau, pour vérifier que le colis n'en entravait pas le fonctionnement. Rassuré, il quitta les toilettes avec le carton à chaussures vide, qu'il alla balancer dans une poubelle en se dirigeant vers le métro.

***

Il n'était pas loin de 22 heures, ce jeudi, et Sean se retrouvait seul au bureau, le reste de l'équipe étant parti boire un coup dans un pub du coin et dresser le bilan de la journée. Ses collaborateurs estimeraient sans doute qu'il ne valait pas le coup de suivre Hellier d'un bout à l'autre de Londres, dans l'espoir qu'il leur fournisse involontairement une preuve de sa culpabilité.

Il sortit une bouteille de rhum du tiroir de son bureau, s'en versa un verre et en avala une gorgée. Il s'apprêtait ensuite à appeler Kate depuis son téléphone professionnel quand son portable sonna. C'était Jean Coville, l'inspectrice principale qui dirigeait l'équipe de surveillance, qui voulait lui signaler qu'Hellier était rentré normalement chez lui.

— Comment est-il habillé ? lui demanda-t-il.

— En costard.

— Il a l'air normal ?

— Oui, rien de spécial.

— Continuez à monter la garde cette nuit. Je viendrai l'interpeller demain matin, à condition évidemment qu'il ne soit pas reparti en vadrouille.

— S'il ressort, je vous préviens tout de suite.

— Merci.

Il venait à peine de mettre fin à la communication avec Jean qu'il contacta Sally, qui se trouvait toujours au bistrot.

— Explique à Donnelly et aux autres qu'on va arrêter Hellier à 6 heures du matin, avant qu'il ne parte au travail.

Sally eut l'air surprise :

— Vous voulez dire qu'il est rentré chez lui ?

— Ne me demande pas d'explications. Je ne sais pas ce qu'il mijote, mais il faut boucler cette histoire demain matin.

***

La lumière allumée dans l'entrée ne présageait rien de bon. Il était plus de 23 heures, et il s'attendait à ce que tout soit éteint et qu'il n'y ait pas un bruit. Il ouvrit la porte le plus doucement possible et entendit alors la télévision au salon. Kate était installée sur le canapé, avec une petite fille qui dormait, blottie contre elle.

— Pourquoi n'est-elle pas au lit, à une heure pareille ?

Sa femme lui fit signe de parler moins fort.

— Elle a de la fièvre, répondit-elle. Il y a un virus qui traîne à la maternelle.

— Ce n'est pas trop grave ?

— Non, elle va vite se remettre. J'espère seulement qu'elle ne va pas passer ça à Mandy, car je n'ai pas besoin d'avoir deux enfants malades à la maison.

La petite Louise, âgée d'un an, remua dans son sommeil.

— Dans ce cas, je prendrai quelques jours de congé pour pouvoir te donner un coup de main.

— Tu crois pouvoir y arriver ?

— On est sur le point de régler cette histoire. Avec un peu de chance, on devait pouvoir arrêter le suspect et le déférer devant le juge dans les jours qui viennent.

— On va alors te refiler une autre enquête, et ce sera reparti pour un tour.

— Il est tard, et il faut que je me lève de bonne heure demain matin. Ce n'est pas le moment de discuter de ça, d'autant que tu es fatiguée, toi aussi.

— Oui, tu as raison. Je suis fatiguée et sur les nerfs, et tu le serais, toi aussi, si tu devais t'occuper de deux gosses, dont l'un est malade.

— Qu'est-ce que tu veux que j'y fasse ? Je rentre à la maison dès que possible, mais ça m'est difficile de quitter le boulot à 17 heures.

— Tout ça parce que tu travailles à la PJ. Je ne sais jamais quand je vais te voir enfin, et je ne peux rien prévoir, comme le font les autres gens. À quand remontent les dernières vacances que nous avons prises ensemble ? Tu sais, Sean, moi aussi je travaille, mais j'apprécierais que tu m'aides un peu à m'en sortir avec les enfants.

— J'aimerais bien, seulement je ne vois pas comment je pourrais. Je ne vends pas des chaussures, Kate, mais j'enquête sur des meurtres. Je ne peux pas faire ce métier si je ne suis pas libre de mes mouvements.

Kate laissa s'écouler quelques secondes avant de répondre :

— Tu veux dire qu'on te dérange dans ton travail, c'est ça ?

— Non, tu ne m'as pas compris. Il se trouve que j'ai besoin d'avoir l'esprit tranquille si je veux être en mesure d'arrêter les malfrats et les truands. Je ne peux pas me concentrer sur une enquête si je suis obligé de rentrer à la maison pour faire prendre le bain aux gamines.

— Il n'empêche que tu n'as pas le temps de t'occuper d'elles et de les voir grandir.

— Tu veux que je quitte la police, c'est ça ?

— Non, absolument pas. Mais tu pourrais demander une autre affectation, essayer de décrocher un poste où tu aurais plus de temps libre.

— Ma spécialité, c'est de courir après les assassins. C'est là-dedans que je suis le meilleur.

— Tu as assez donné comme ça dans ce domaine. Personne ne te fera de reproches si tu veux changer un peu d'activité.

Sean regarda sa montre et bailla.

— D'accord, je vais voir si je peux trouver autre chose. Mais ne sois pas trop pressée, on ne me laissera pas partir tant qu'on ne m'aura pas trouvé de remplaçant.

— Je le sais. Je te demande simplement d'y réfléchir, c'est tout.

Chapitre 19

Tout ça n'a plus d'importance, la police, ma femme, mes enfants, le fait de vivre ici, à Londres. Je me doutais bien qu'il me faudrait tôt ou tard aller voir ailleurs, mais c'est encore trop tôt, car il me reste encore une partie à jouer.

J'ai choisi les objets de mon désir. Désormais, il n'y a plus rien qui peut les sauver. Ça va se passer exactement comme je l'ai imaginé, sauf que je ne m'apitoie pas sur leur sort, au contraire, devraient s'attrister ceux je n'ai pas choisis. Une fois que je les toucherai, ils seront davantage englués dans la mort que je ne serai jamais plongé dans la vie.

La prochaine fois sera la plus dure, et par conséquent la meilleure. Ça méritera bien d'avoir pris autant de risques. En outre, je me suis montré compréhensif. Les flics s'abreuvent de mirages, eh bien, qu'ils en bouffent, du sable !

Si seulement je pouvais vous montrer qui je suis et vous faire part de mes secrets ! Hélas, il ne faut pas y compter, et pour l'instant, je ne peux vous offrir que ce que je suis.

J'aimerais tellement signer mes œuvres ! Il n'y aurait cependant pas grand monde, parmi vous, qui seraient capables de comprendre. Au lieu de célébrer le génie que je suis, vous risqueriez de m'enfermer. Ah là là, qu'est-ce qu'ils se régaleraient, tous vos psys ! Ça leur donnerait l'occasion de se pencher sur mon cas, en pure perte au demeurant. Vous croyez qu'ils déchireraient leurs manuels quand je leur expliquerais que j'ai connu une enfance heureuse, que je n'ai jamais mordu mes petits camarades ni torturé les animaux ? Que je n'ai pas zigouillé le chat qu'on avait à la maison, pour aller ensuite l'enterrer dans les bois ?

Je n'entends pas des voix. Je ne prétends pas que c'est le Bon Dieu qui m'a demandé de tuer, tout comme je ne suis pas un suppôt de Satan. Je n'y crois pas, à ces deux-là. Je ne vous déteste pas non plus. Simplement, vous n'existez pas à mes yeux.

J'ai eu de bonnes notes aux exams, j'ai participé aux matchs, joué au hockey et au cricket. J'ai eu des tas de potes, j'ai été un frère adoré par mes sœurs et le fils préféré de papa et maman. J'ai fait mes études dans une grande université, où j'ai obtenu un diplôme d'expert-comptable. Mes camarades m'admiraient, et je jouissais de l'estime de mes profs. J'ai eu plusieurs copines, dans certains cas c'était sérieux, dans d'autres non. Je picolais le vendredi soir, et le lendemain j'avais la gueule de bois. Tous les quinze jours, je ramenais à ma mère mon linge à laver. On m'aimait bien.

Tout ça n'avait aucun sens.

Je ne sais pas exactement à quel âge je me suis aperçu que j'étais très différent, à 5 ans peut-être, voire avant. Je n'arrêtais pas de me regarder dans la glace en me demandant comment je pouvais ressembler aux autres, alors que je n'avais rien à voir avec eux. Je trouvais ça flippant et grisant à la fois. Être si jeune, et totalement seul. Si jeune, quand même, pour être libéré de la médiocrité et de l'absurdité de la vie normale.

Malgré mon âge, je me gardais bien d'y faire allusion et d'en parler autour de moi. Il me fallait attendre le moment propice, et d'ici là, m'intégrer, me couler dans le moule. Si j'étais un bon élève, je veillais à ne pas être brillant et à ne pas me détacher du groupe, bref, je voulais n'être qu'un modèle, sans plus, une chrysalide qui protégeait l'embryon…

Les années se sont écoulées tranquillement. Je n'ai toutefois pas cherché à prendre la mesure de la force qui montait en moi. J'attendais que ce soit l'heure, et si je ne savais pas quand ça arriverait, j'étais sûr que ça finirait par advenir.

Une fois adulte, j'ai collectionné les gadgets qui meublent une petite vie pépère, tout en prenant mon mal en patience : un travail, une femme, une maison, des enfants… Bref, je jouais un double jeu, et j'étais le loup dans la bergerie.

Or je me suis réveillé, voici quelques mois. Je me suis alors regardé dans la glace et j'ai compris que le moment était venu. Si personne ne me trouvait changé, moi, je savais bien qu'il y avait du nouveau. J'étais enfin devenu une nouvelle création qui se contemplait.

J'ai d'abord eu envie de massacrer ma femme et mes enfants, mais je me suis rendu compte que je n'en avais pas encore la force. Je venais en effet de venir au monde, je baignais toujours dans le placenta, mais depuis lors, chaque fois que je vais voir quelqu'un, j'acquiers de la force, je me parachève et réalise mon destin, qui ne consiste pas à être un homme, mais une entité supérieure. Une espèce de dieu, si vous préférez.

Chapitre 20

Sean s'en tint à l'essentiel pendant la réunion d'information, qui ne dura d'ailleurs pas longtemps : il irait arrêter Hellier chez lui, à Islington, et Sally ferait perquisitionner une seconde fois son domicile. Il savait que ses collaborateurs, exténués, ne seraient pas en mesure d'assimiler grand-chose à 6 heures du matin, et ils donnaient d'ailleurs l'impression d'avoir préféré s'en jeter un dernier que prendre un peu de sommeil…

Donnelly cogna à la porte de la maison géorgienne attenante à ses voisines, faisant trembler à chaque fois la peinture noire dont on l'avait tartinée. Sean et Sally se tenaient juste derrière lui, et les autres un peu plus loin. On ne s'attendait pas à ce qu'Hellier se rebelle ou oppose une quelconque résistance.

C'est l'intéressé en personne qui leur ouvrit. Il avait pratiquement fini de s'habiller et s'apprêtait à partir au bureau. Il avait belle allure, cet homme athlétique et tiré à quatre épingles, qui était pour l'heure en train de mettre un bouton de manchette.

Sean s'avança et sentit tout de suite son eau de toilette. Hellier mit, semble-t-il, une seconde ou deux à le reconnaître, mais alors il sourit.

Sean lui sortit sa carte de police. Ça n'eut pas l'air de l'impressionner.

— James Hellier, je suis l'inspecteur divisionnaire Sean Corrigan, et voici mes collaborateurs.

— Je vous en prie, inspecteur, épargnez-nous les présentations. Je crois que nous nous sommes tous déjà vus.

Sean eut envie de le frapper, et il se dit que c'était sans doute ce qui allait arriver s'il continuait à le narguer. Au lieu de ça, il le poussa dans l'entrée et le colla face au mur.

— Qu'est-ce qui se passe, James ? demanda la femme d'Hellier, qui descendait l'escalier.

— Ne t'inquiète pas, ma chérie. En revanche, n'oublie pas d'appeler Jonathan Templeman pour le prévenir qu'on m'a de nouveau interpellé.

Il se retourna vers Sean :

— Car vous êtes venu m'arrêter, si je ne m'abuse ?

Sean lui passa les menottes dans le dos.

— Ce coup-ci, vous ne m'échapperez plus, lui glissa-t-il à l'oreille.

Il prit un peu de recul, de manière à ce que cette fois tout le monde l'entende, notamment l'épouse d'Hellier :

— James Hellier, je vous arrête pour le meurtre de Linda Kotler.

— Quoi ? se récria Hellier. Mais enfin, c'est lamentable, je n'ai jamais entendu parler de cette femme.

— Vous avez le droit de garder le silence si vous le désirez, sachant que si devant le tribunal vous faites mention de quelque chose dont vous n'avez pas parlé lors de votre interrogatoire, cela peut se retourner contre vous.

— Dites-moi, inspecteur, allez-vous m'interpeller chaque fois que vous êtes incapable d'élucider une affaire de meurtre ?

— Tout ce que vous direz pourra être retenu contre vous, poursuivit Sean.

Hellier tendit le cou, de manière à le voir derrière lui.

— Espèce d'imbécile, vous n'avez aucune preuve contre moi.

C'était plus que Sean pouvait en supporter. Son sourire et son haleine parfumée lui donnèrent la nausée.

— Qui êtes-vous ? Mais enfin qui êtes-vous ? lui lança-t-il.

— Allez vous faire foutre.

***

Sean regarda dans l'œilleton de la cellule, où Hellier était assis sur son lit. On aurait dit qu'il était en transe. À quoi pensait-il ? Sean aurait donné n'importe quoi pour le savoir. Il regagna son bureau, attendant l'arrivée de son avocat pour procéder à l'interrogatoire du prévenu.

Il entra d'un pas nonchalant dans la salle de travail. Il avait maintenant pris l'avantage, et sa bonne humeur était communicative.

— As-tu des nouvelles du labo, Jimmy? demanda-t-il à Donnelly.

— Il faut trois jours pour comparer l'ADN d'un suspect à celui de quelqu'un d'autre, quarante-huit heures si on a de la chance. Il va falloir que les types du labo effectuent à midi des prélèvements sur Hellier si on veut aller vite, mais ce ne sera jamais qu'un résultat provisoire, dont la marge d'erreur est d'un sur quarante mille. Si l'on pousse plus loin les analyses, on obtient alors une marge d'erreur d'un sur quarante millions, mais ça va prendre au moins une semaine.

— Ça ne suffit pas. Contacte les mecs du labo, pour leur dire que je veux qu'on me communique demain le résultat le plus fiable possible.

Sean regagnait son bureau au moment où il reçut un appel téléphonique. Il décrocha.

— Oui ?

— Inspecteur Young, du service de renseignements de la police. Vous m'avez communiqué il y a quelque temps des numéros de téléphone codés.

— Je vous écoute.

— Eh bien, je l'ai déchiffré, ce code. Il n'était pas trop compliqué, mais tout de même efficace.

— Avez-vous vérifié à qui ces numéros correspondent ?

— Oui. Certains sont attribués à l'étranger, mais on n'a pas encore le nom des abonnés. Je vous les enverrai par e-mail dès qu'on me les aura communiqués. Je ne vous cache pas qu'il y en a pas mal sur lesquels on ne sait toujours rien.

— Merci. Vous avez fait du bon travail. J'attends de vos nouvelles.

— Pas de problème.

— Et encore merci.

Sally vint lui annoncer que l'avocat d'Hellier était arrivé et s'entretenait actuellement avec son client.

— Quand ils auront fini de discuter, tu m'aideras à interroger Hellier, lui dit-il.

Elle consulta ostensiblement sa montre.

— Tu vas quelque part ? lui demanda-t-il.

— Je dois déjeuner avec quelqu'un. J'espérais que Dave serait en mesure de vous assister pendant l'interrogatoire.

— Un déjeuner en ville ?

— Non, ce n'est pas un rendez-vous galant, je dois tout simplement retrouver Sebastian Gibran, le patron de Butler and Mason, qui a souhaité me rencontrer pour me parler d'Hellier.

Sean observa un moment de silence.

— Je ne sais pas quoi te dire. Ces gens se serrent les coudes, ça m'étonnerait qu'il cherche à nous aider. Sauf s'il a envie de te voir pour d'autres raisons, évidemment.

— Lesquelles ?

— À ton avis ?

— Eh, sait-on jamais…

Sean réfléchit un instant, sans la quitter des yeux.

— Bon, d'accord, va le retrouver. Histoire de savoir ce qu'il veut te dire.

— Ce n'est pas tout. Vous vous souvenez du type qui nous a été signalé par le casier judiciaire ?

— Oui, répondit Sean, qui croyait cette affaire réglée.

— J'ai essayé de voir ce qu'il en était au juste, mais ça n'a pas été facile.

— Comment ça ?

— Ses empreintes digitales, relevées au moment où il a été

reconnu coupable, devraient être archivées à Scotland Yard. Or elles n'y sont pas.

— On les a empruntées ?

— Celui qui a réalisé l'enquête m'a expliqué que la prison où Korsakov était détenu avait demandé à ce qu'on les lui communique pour un bref laps de temps. Le hic, c'est que lorsque j'ai vérifié auprès de la direction du centre pénitentiaire, ils m'ont assuré ne jamais avoir adressé une telle requête.

— Donc ce flic t'a menti. Pour quelle raison, d'après toi ?

— Je l'ignore.

— Veux-tu qu'on prévienne l'IGS ?

— On devrait peut-être considérer Korsakov comme un éventuel suspect, jusqu'à ce que l'on arrive le disculper, vous ne croyez pas ?

— D'accord, mais si jamais tu en viens à le croire coupable, préviens-moi tout de suite.

— Entendu.

Sally tourna les talons.

— Au fait, bon appétit ! lui lança Sean.

***

Hellier et Templeman étaient assis côte à côte dans la salle destinée aux interrogatoires, où on les avait laissés avoir un entretien privé.

— Il faut que je sorte de ce cachot à 18 heures, dernier carat, gronda Hellier.

— Je ne peux pas vous le promettre, répondit Templeman, visiblement mal à l'aise. Les flics ne donnent guère d'informations. Tant que je ne saurai pas ce qu'ils vous reprochent, je ne serai pas en mesure de vous dire où on en est au juste.

— Où on en est au juste ? s'insurgea Hellier, qui posa la main sur la cuisse de son avocat et la serra très fort, lui arrachant une grimace. Quoi qu'il arrive, vous allez ressortir d'ici, mais moi, ils veulent m'envoyer en taule, ne l'oubliez pas !

Hellier le lâcha et le prit par l'épaule. Templeman avait peur de lui, c'était évident.

— Je sais que vous ferez de votre mieux, dit-il à mi-voix.

C'était là une menace à peine voilée.

Templeman ravala sa peur.

— Avant de songer à une remise en liberté provisoire sous caution, il faut qu'on se prépare à l'interrogatoire. Si les flics vous ont à nouveau placé en garde à vue, c'est qu'ils doivent avoir des preuves contre vous, sinon ils n'auraient pas eu le droit de vous embarquer. Si vous avez la moindre idée de ce dont il s'agit, il faut me le dire tout de suite. Il faut m'aider, car vous n'avez pas envie de vous faire piéger.

— Me faire piéger… Vous les croyez assez malins pour ça ! Ils n'ont aucune preuve, et Corrigan le sait. Il essaie de me flanquer la trouille, vous ne voyez pas ? Ne dites rien, c'est moi qui vais prendre la parole. Bon, vous pouvez aller leur expliquer qu'on est prêts.

***

Sean présenta Hellier, avant de lui demander s'il connaissait ses droits, puis de lui expliquer qu'on l'avait interpellé car on le soupçonnait d'avoir assassiné Linda Kotler. À chaque fois, Hellier répondit par un hochement de tête, tout en restant impassible. Templeman passa sans plus attendre à l'offensive, pour tâcher de retrouver un peu de crédit aux yeux de son client.

— J'aimerais qu'il soit noté dans le procès-verbal de l'interrogatoire qu'il m'est impossible de conseiller James Hellier, dans la mesure où les enquêteurs ne m'ont pas précisé quelles charges pèsent sur lui, ni les preuves qui le mettent en cause dans cette affaire.

Sean s'attendait à sa réaction.

— On le soupçonne d'avoir commis un meurtre et un viol il y a moins de trente-six heures, répondit-il. Je suis persuadé qu'il sera capable de répondre à mes questions sans que je me montre plus explicite au départ.

Hellier et lui se dévisagèrent.

— Je ne vais pas y aller par quatre chemins, reprit Sean. Connaissiez-vous Linda Kotler ?

— Non.

— Vous ne voulez pas répondre, ou bien c'est un non catégorique ?

— C'est un non catégorique. Je ne connais personne de ce nom.

— Êtes-vous allé dans Minford Gardens, une rue de Shepherd's Bush ?

— Je n'en sais rien. C'est possible.

— Possible ?

— Je suis allé à Shepherd's Bush, par conséquent il se peut que je sois passé par cette rue.

— Par Minford Gardens ?

— Par où vous voulez.

— Vous êtes-vous rendu au 73, Minford Gardens ?

— Non.

— Vous en êtes sûr ?

— Certain.

— Vous le confirmez ? Je présume que c'est le cas.

Sean devait se montrer précis, car la défense exploiterait ensuite la moindre ambiguïté de sa part.

— Mais vous mentez, reprit-il. Vous y êtes allé et vous y avez vu Linda Kotler, le soir même où vous l'avez assassinée.

— Franchement, inspecteur, intervint Templeman, si vous avez la preuve de la culpabilité de mon client, nous aimerions la connaître. Faute de quoi, cet interrogatoire n'a pas lieu d'être.

Sean fit la sourde oreille et ne quitta pas Hellier des yeux.

— Où vous trouviez-vous, avant-hier soir ? lui demanda-t-il.

— Vous voulez dire que vous ne le savez pas. Il y a toute une escouade de flics qui me talonnent, et vous ignorez où j'étais. Ça doit quand même être vexant pour vous.

— Je ne plaisante pas, répliqua Sean, où vous trouviez-vous ?

— C'est mon affaire, répliqua Hellier.

Sean le sentit perdre son calme.

— Et maintenant, c'est aussi la mienne. Où vous trouviez-vous ?

— Je ne répondrai pas.

Les questions et les réponses fusèrent, Sean et Hellier se renvoyant la balle.

— Si vous avez un alibi, je vous conseille d'en faire état.

— Je n'ai absolument rien à prouver.

— Vous n'étiez pas chez vous.

— Où voulez-vous en venir ?

— Vous n'étiez pas non plus au bureau.

— Et alors ?

— J'aimerais savoir où vous vous trouviez entre 19 heures et 3 heures du matin, puisque c'est dans cet intervalle que l'on a assassiné Linda Kotler, dit Sean en haussant le ton.

— Et vous, inspecteur, où étiez-vous ? répliqua Hellier. C'est ce qu'on aimerait savoir. Où étiez-vous, quand elle a été massacrée ?

Hellier venait de marquer un point. Sean accusa le coup.

— Comment pouvez-vous laisser filer le seul suspect que vous aviez ? Comment vos hommes ont-ils réussi à se faire semer ? Serait-elle vivante, si vous aviez fait votre boulot correctement ? Vous êtes aux abois, ça saute aux yeux. La peur vous a aveuglé. Vous ne pouvez que vous appuyer sur des hypothèses. Ainsi, vous ne savez pas où je ne me trouvais quand cette femme a été assassinée, eh bien, inspecteur, ça ne prouve rien.

Hellier se renversa sur son siège, tout content.

— Pendant combien de temps l'avez-vous épiée ? lui demanda Sean à brûle-pourpoint. Pendant une semaine, comme Daniel Graydon, ou bien davantage ? Avez-vous passé des jours entiers à fantasmer sur elle, jusqu'à ce que vous ne puissiez plus vous retenir ? Si je comprends bien, James, vous l'avez suivie chez elle, vous avez attendu qu'elle éteigne la lumière et s'endorme. Moyennant quoi, vous avez escaladé le tuyau, vous vous êtes glissé par la fenêtre de la salle de bains, puis vous l'avez assommée et ligotée, en la mettant dans une position que vous affectionnez tout particulièrement, vous, l'adepte du bondage, et pour finir, vous l'avez violée et sodomisée. Ensuite, vous l'avez étranglée, pas vrai ?

Hellier voulut répondre, mais Sean leva la main.

— Non, attendez, je me trompe, vous ne l'avez pas étranglée avant de l'avoir violée, mais vous l'avez tuée pendant que vous étiez en train de la violer. Vous avez éjaculé en même temps qu'elle expirait, c'était ce que vous vouliez, hein ?

Hellier le fusilla du regard.

— Vous avez beaucoup d'imagination, inspecteur, mais tout ça ne prouve rien.

— C'est vrai, mais voilà ce qui va me permettre de vous confondre.

Il glissa sur la table une demande d'analyse adressée au labo de la police.

— L'article numéro quatre devrait vous intéresser tout particulièrement.

En regardant la liste, Hellier constata qu'il s'agissait de deux cheveux.

— En quoi ça me concerne ? demanda-t-il.

— On a besoin de vous prélever un peu de sang ainsi que des cheveux, pour nous livrer à des examens ADN.

— Vous l'avez déjà fait.

— Oui, mais je ne peux pas légalement utiliser les résultats obtenus la dernière fois, car il s'agit là d'une enquête sur un autre meurtre.

Hellier se tourna vers Templeman, qui lui confirma d'un signe de tête que c'était exact.

— Très bien, soupira-t-il. Effectuez ces prélèvements et laissez-moi partir.

— Ah non, vous allez rester en garde à vue jusqu'à ce que l'on ait le résultat des examens ADN.

— Allez vous faire foutre!

Hellier se leva.

— Vous ne pouvez pas me garder en cage ! s'exclama-t-il.

Templeman le força à se rasseoir.

Scan déclara l'interrogatoire terminé, puis éteignit le magnétophone.

— Je vais envoyer quelqu'un réaliser ces prélèvements. Après quoi, vous allez attendre en cellule, conclut-il.

Il quitta la pièce, en laissant Donnelly se débrouiller avec Templeman, qui s'insurgeait contre cette décision.

***

Featherstone buvait un café en attendant de voir réapparaître Sean. Il l'aimait bien, son adjoint, et il avait confiance en lui, mais il savait qu'il jouait un jeu dangereux et que ça risquait de lui attirer des ennuis avec sa hiérarchie. Bref, il devait redoubler de prudence. Sean apparut dans un claquement de porte.

— Vous avez une minute ? lui demanda-t-il.

Il désigna une pièce vide.

— J'aimerais vous dire un mot.

— Ça ne peut pas attendre ?

— Si, mais il ne vaudrait mieux pas. On n'en a pas pour longtemps.

Ils s'installèrent dans le local d'en face.

— Vous n'ignorez pas que des gens importants s'intéressent de près à votre enquête, déclara le commissaire.

— Qui, par exemple ?

— Des amis de l'avocat d'Hellier.

— Comment le savez-vous ?

— Disons que ça vaut parfois le coup d'avoir des amis, et que les miens m'ont expliqué qu'ils ont reçu des coups de fil, à Scotland Yard, et qu'il y en a qui s'inquiètent. Je vais m'arranger pour qu'on vous laisse tranquille, mais il vous faut des preuves pour continuer sur votre lancée.

— On a retrouvé des cheveux sur la dernière scène de crime. Ça nous permettra de déterminer l'ADN de celle ou celui qui les a perdus, et de le comparer avec celui d'Hellier.

— C'est un début, mais on ne peut pas placer quelqu'un plusieurs jours en garde à vue en attendant d'avoir le résultat des examens ADN. Qu'est-ce que vous cherchez à faire, au juste ?

— Je veux simplement le déstabiliser et lui flanquer la trouille. C'est pourquoi je vous demande de me laisser le garder encore un moment. Quand il sera complètement à cran, je le remettrai en liberté provisoire sous caution, et mes hommes le prendront en filature dès l'instant où il quittera le commissariat.

Featherstone respira profondément.

— D'accord. On va procéder comme vous le voulez, mais ne vous emballez pas, Sean. J'ai déjà eu affaire à Templeman. Si c'est lui qui représente Hellier, vous pouvez alors être sûr que celui-ci a des amis puissants.

— Merci de me prévenir.

— De rien.

Sean s'apprêtait à quitter la pièce quand Featherstone reprit la parole :

— Encore une chose. Qu'est-ce que c'est que cette histoire selon laquelle Linda Kotler aurait déclaré, peu avant d'être assassinée, avoir fait votre connaissance ?

— Vous en avez entendu parler ?

— Comme je l'ai dit, ça vaut le coup d'avoir des amis.

— Hellier adore se moquer de moi.

— Méfiez-vous. Il y a des gens qui s'intéressent de près à cette enquête et qui vous tiennent à l'œil. Je vous conseille, par conséquent, d'être en mesure de prouver où vous étiez et ce que vous faisiez le soir où Linda Kotler a été assassinée.

— Vous ne parlez pas sérieusement ? Vous ne pensez tout de même pas que…

— Moi, non, mais cette enquête s'avère plus compliquée qu'on ne l'imaginait, et en haut lieu on s'inquiète.

Sean sentit le sol se dérober sous ses pieds, il n'osa plus regarder Featherstone.

— Je ne l'oublierai pas, dit-il.

Sur ces entrefaites, il courut se réfugier aux toilettes.

Il remplit un lavabo entier d'eau froide, puis s'aspergea le visage, avant d'y plonger carrément la tête. Il se regarda ensuite dans la glace, ayant toujours à l'oreille les propos de Featherstone, mais ne vit que Daniel Graydon, défiguré par la douleur, ainsi qu'Heather Freeman et Linda Kotler, dont le visage portait les stigmates des horreurs qu'elles avaient subies avant de mourir… Se pouvait-il que ce soit lui qui les ait assassinés, tous les trois ? Il avala sa salive, en se rappelant les images qui avaient défilé devant ses yeux quand il avait découvert à chaque fois la scène du crime, et se demanda s'il s'agissait là d'un effet de son imagination ou bien d'anciens souvenirs qui remontaient à cette occasion.

Serait-il en proie au délire et vivrait-il dans un monde fantasmatique, au même titre que les grands fous criminels internés dans l'hôpital psychiatrique de Broadmoor ? Le doute l'assaillit un instant. Il se ressaisit, tâcha de raisonner de façon logique. Car il était effectivement inspecteur divisionnaire, et on lui devait l'arrestation d'une foule de tueurs. Il ne fallait donc pas inverser les rôles, c'était Hellier, l'assassin, et non lui.

Un agent en tenue ouvrit brusquement la porte des toilettes, éprouvant sans doute un besoin pressant. Il s'immobilisa en l'apercevant, cramponné au lavabo, le visage ruisselant, lui adressa un signe de tête et courut s'enfermer aux cabinets. Sean s'esquiva sans plus attendre, se contentant simplement de regarder une dernière fois dans la glace où, pour le coup, c'est son père qu'il vit, en train de lui expliquer qu'il ne devait pas se bercer d'illusions…

***

En arrivant au Che, peu après 13 heures, Sally aperçut Gibran en train de boire un verre de vin blanc. Quand il la vit, il se leva. Un serveur tira une chaise à la jeune inspectrice, que Gibran, sourire aux lèvres, invita d'un geste à s'asseoir.

— Inspectrice Jones. Je vous remercie d'avoir trouvé le temps de venir me voir.

— De rien. Pas de cérémonie entre nous, appelez-moi Sally.

— Ça marche. Et de votre côté, appelez-moi Sebastian.

— Entendu.

— Puis-je vous offrir un verre, ou bien est-ce contraire à la déontologie en vigueur dans la police ? Je ne voudrais surtout pas vous attirer des ennuis, dit-il avec un sourire espiègle.

— Pourquoi pas ? Je prendrai la même chose que vous.

Gibran fit signe à un serveur, qui s'esquiva promptement.

— On vous sert ici un chevreuil excellent, même si c'est peut-être un peu trop recherché pour moi. Eh oui, je suis un homme qui a des goûts simples, sauf quand il s'agit des gens, évidemment.

Il essayait de mettre en avant sa modestie et son côté pas compliqué, même s'il avait, à l'évidence, beaucoup d'argent et de pouvoir. Sally trouvait ça plutôt sympathique, mais elle n'en montra rien ; du moins pour l'instant.

— Que puis-je faire pour vous, Sebastian?

— Je vais entrer directement dans le vif du sujet.

Il s'interrompit pendant que le serveur remplissait le verre de Sally.

— J'espère que ça vous plaira. Domenico m'assure que c'est un très bon sancerre, et comme je n'y connais rien, je m'en remets à lui.

Une fois le serveur reparti, il ajouta :

— Dites-moi si ce vin est bon, afin que je sache si je me fais avoir ou pas depuis des années.

Elle trempa ses lèvres dans son verre et lui sourit, en le regardant peut-être un peu trop longtemps dans les yeux.

— Il est fameux, merci. Alors, pour quelle raison m'avez-vous demandé de venir?

— J'aurais voulu que ce soit uniquement pour le plaisir, mais vous devez imaginer que ce n'est pas le cas.

— Je suis flic, je n'imagine rien du tout.

— Bien sûr, excusez-moi. Eh bien voilà, je désirais vous voir car nous avons un sujet de préoccupation commun.

— James Hellier ?

— Oui, dit-il en retrouvant son sérieux.

— Monsieur Gibran… Sebastian, si vous cherchez à me faire changer d'avis concernant l'implication d'Hellier dans cette affaire, je dois vous prévenir que ce serait mal venu de votre part.

— Telle n'est pas mon intention, déclara-t-il en tapotant son verre. Je n'insulterai pas votre intelligence, j'ai simplement pensé que vous aimeriez connaître mon point de vue sur cette histoire.

— Il ne peut m'intéresser que dans la mesure où il risque d'être utile à l'enquête.

— Franchement, je n'en sais rien. Il se trouve que j'ai estimé préférable de mettre au courant de certaines choses quelqu'un qui participe aux investigations.

— Pourquoi ne pas vous être adressé à Corrigan ?

— J'ai l'impression qu'il ne me porte pas dans son cœur.

— Eh bien, moi, je suis là, soupira Sally. De quoi vouliez-vous donc me prévenir ?

— Comment dire… Au début, James s'est comporté en employé modèle. Pendant des années, il nous a donné entière satisfaction.

Cependant…

— Oui ?

— Je ne suis pas du genre à divulguer des informations confidentielles sur notre entreprise. J'imagine qu'il en va de même dans votre métier, et que vous vous serrez les coudes.

— Vous n'avez toujours commis aucune indiscrétion, puisque vous ne m'avez encore rien dit.

— En d'autres circonstances, je resterais muet comme une tombe.

Il lui jeta un regard perçant, de manière à lui faire valoir son pouvoir et son statut social. Sally ne l'en trouva pas moins séduisant pour autant.

— Cependant, depuis quelque temps, il se comporte de façon déconcertante, imprévisible, voire troublante. La moitié du temps, je ne sais pas où il est, ni avec qui. Il n'a pas assisté à des réunions très importantes, ce qui pourtant ne lui ressemble pas.

— Quand a-t-il commencé à changer d'attitude ?

— Oh, il doit y avoir plusieurs mois, et voilà maintenant que la police opère une descente dans nos bureaux et l'embarque comme un vulgaire malfrat. Ce n'est pas bon pour l'image de notre entreprise.

— J'imagine.

Gibran se pencha vers elle, comme pour lui faire des confidences. Elle entra dans le jeu et s'avança à son tour vers lui.

— Vous croyez vraiment qu'il a tué ce type ? Vous pensez qu'il est capable de faire une chose pareille ?

— Et vous ?

— Honnêtement, je ne sais plus. Tout ça me donne un peu le vertige. Ma hiérarchie fait pression sur moi pour que l'on tire le plus vite possible cette histoire au clair. Il doit en être de même pour vous.

— Il s'est passé quelque chose pour vous mettre dans cet état ?

Gibran but un peu de vin.

— L'autre jour, je suis allé voir James dans son bureau pour lui parler et essayer d'en savoir un peu plus.

— J'espère que vous n'avez pas joué le détective amateur, car ça risquerait de nous créer des difficultés de procédure, surtout si vous l'avez mis sur la sellette.

— Non, je ne suis pas allé jusque-là, mais vous devez savoir que j'exerce de grandes responsabilités au sein de Butler and Mason, où travaillent beaucoup de gens. C'est en quelque sorte moi qui veille à ce que tout passe bien dans l'entreprise, que j'essaie de protéger de mon mieux, elle et son personnel. Si James représente pour nous un risque…

— Vous prendrez les mesures qui s'imposent. Faites seulement attention à ne pas empiéter sur notre enquête. Ça nous mettrait tous les deux dans une situation délicate.

— Je comprends. Vous avez été très claire. Je n'ai pas l'intention de me fâcher avec la police, surtout pas avec vous.

— Tant mieux, dit Sally, pour clore la parenthèse. Et qu'est-ce qu'Hellier avait à dire ?

— Rien de particulier, il avait l'air dans tous ses états.

— Ce n'est pas étonnant.

— Certes, mais je le connais depuis des années, et c'était bien la première fois que je me suis senti mal à l'aise devant lui.

— Continuez.

— J'ai eu l'impression de le voir sous son vrai visage, et de m'apercevoir que le James Hellier avec qui je travaille n'était qu'un leurre, un simulacre. Dites-moi, avez-vous lu Nietzsche ?

— Non.

— Comme la plupart d'entre nous. Eh bien, ce philosophe pensait que le monde devait être régi par des surhommes. Au cours de la discussion, il m'a semblé qu'il souscrivait à cette thèse et la faisait sienne, la preuve étant qu'il a commencé à m'expliquer qu'il voulait vivre « par-delà le bien et le mal », pour employer une formule de Nietzsche. En principe, je n'y aurais pas accordé d'importance, mais vu ce qui ce qui s'est passé, ça m'a paru sinistre.

— C'est tout ?

— Comme je l'ai dit, c'est juste une impression que j'ai eue, répondit Gibran en se calant dans sa chaise.

— En tout cas, si vous découvrez ou ressentez autre chose, vous savez où me joindre.

— Cela va de soi. On prend quelqu'un sous son aile, on lui fait confiance, on croit le connaître, et voilà qu'il arrive toutes ces horreurs…

Gibran but un peu de vin.

— Il a changé, Hellier. On ne le remarque peut-être pas, mais ce n'est plus le même. Pour en revenir à la question que vous me posiez au début, à savoir si, à mon avis, il pourrait être mêlé à ces meurtres, je vous dirai que je ne sais plus, mais qu'hélas, je ne l'exclus pas.

— De toute façon, on sera bientôt fixé.

— Je vous demande pardon ?

— Rien. Ça n'a pas d'importance.

— Maintenant qu'on a réglé cette histoire, profitons du repas. J'espère que vous n'êtes pas obligée de vous sauver, car ça va me changer un peu de déjeuner avec quelqu'un qui ne me casse pas les pieds avec la dernière idée qu'il a trouvée pour faire fortune.

— Non, j'ai un peu de temps devant moi, et en plus, je ne veux plus entendre parler de sandwichs.

— À votre santé, dit-il en levant son verre. Ou plutôt à la nôtre !

— À la nôtre !

— Ça ne doit pas être facile, dit Gibran.

— Quoi donc ?

— D'apprendre à exercer votre pouvoir, sans en abuser. Je rencontre des tas de gens qui se croient très puissants, alors que l'argent et les relations ne vous rendent pas omnipotent, loin de là. En revanche, en tant que flic, vous êtes en mesure de suspendre les droits de quelqu'un et de placer cet individu en garde à vue. Ça ne doit pas être évident.

— Au début, sans doute. Mais on s'y habitue, et au bout d'un moment on n'y pense plus.

— J'imagine que ça doit compliquer les rapports que vous avez avec les hommes, puisqu'il y en a plein, parmi nous autres, qui tremblent devant les femmes qui ont du pouvoir. Ce doit être un véritable défi, pour un mec, de sortir avec une femme flic.

— Je vous intimide ?

— Non. Mais enfin, je ne suis pas non plus comme tous les autres…

Sally l'observa un bon moment, en tâchant de savoir à quoi il pensait.

— Ce qui m'a toujours fasciné, reprit Gibran, c'est que ceux qui sont apparemment destinés à devenir des assassins se reconnaissent entre eux. Comment font-ils ?

— Je n'en sais rien. C'est là du ressort de mon patron, qui a plus d'intuition que la plupart des gens.

— Vous parlez de l'inspecteur divisionnaire Corrigan… En quoi consiste-t-elle, cette intuition ?

— Eh bien, il sent et voit des choses qui nous échappent, à tous autant que nous sommes.

Sally éprouva une certaine gêne à discuter de Sean avec un étranger, comme si elle commettait là une trahison. Gibran s'en aperçut.

— C'est peut-être sa part d'ombre qui lui confère ce talent, suggéra-t-il.

Sally découvrait avec stupeur que Gibran avait de nombreux points communs avec Sean. Il aurait sans doute suffi que celui-ci se montre objectif pour en venir, lui aussi, à l'apprécier.

— Il ne craint pas d'explorer des zones d'ombre où nul autre n'ose s'aventurer, de peur de découvrir sur soi-même des choses déplaisantes, expliqua-t-elle.

— Tout ça parce qu'il ne se dérobe pas devant ses responsabilités, raisonna Gibran. On dirait, ajouta-t-il, que nous nous ressemblons davantage qu'il n'y paraît. Qui sait, une fois que vous aurez tiré au clair tous ces crimes et qu'il me verra sous mon vrai jour, il se montrera peut-être plus cordial avec moi.

— N'y comptez pas trop.

— Bon, je ne me fais guère d'illusions…

De nouveau, ils se regardèrent en silence.

— Je tiens cependant à préciser que je ne peux pas laisser quelqu'un porter atteinte à la réputation de Butler and Mason, déclara Gibran. Je comprends bien, évidemment, qu'il faut donner la priorité à l'enquête de la police, mais à part ça, je ferai tout ce que je pourrai pour régler cette histoire avec James Hellier, quel qu'en soit le dénouement.

Sally détourna un instant les yeux, le temps de réfléchir à ce qu'il venait de lui dire, puis elle le fixa :

— Je comprends, dit-elle, mais si vous ne nous cachez rien de ce que vous savez sur Hellier, je vous promets que nous n'allons pas nous mêler des décisions que votre entreprise adoptera à son sujet. Quoi qu'il en soit, prenez des gants, ça vaudra mieux pour vous et moi.

***

Hellier regarda sa montre, il était presque 17 h 30. La police avait délibérément traîné à le remettre en liberté provisoire sous caution. Quant à Corrigan, il avait brillé par son absence. Peu importe, il n'était pas pris de court.

Il portait les vêtements propres que lui avait apportés Templeman. La police avait en effet saisi ceux qu'il avait sur le dos lors de son interpellation, et une fois de plus elle avait embarqué tous ceux qui se trouvaient chez lui, même s'il n'en restait plus guère. Il n'avait pas eu le temps de reconstituer sa garde-robe qu'elle l'avait à nouveau dépouillé comme un lapin. Décidément, Corrigan commençait à lui coûter très cher…

Il n'avait pas le temps de rentrer d'abord chez lui, mais ce n'était pas grave. Heureusement qu'il avait pris ses précautions : il y avait en effet un rechange, son portable et le flingue qui l'attendaient dans leur cachette.

Il s'arrêta sur le perron du commissariat de Peckham après avoir pris congé de Templeman, qui ne se doutait pas qu'il n'avait aucune intention de le revoir. En effet, il ne lui restait plus qu'une dernière question à régler avant de mettre les voiles. Sinon, il n'escomptait pas avoir encore besoin des services de son avocat.

Il regarda des deux côtés de la rue. Ils étaient revenus. Corrigan n'avait donc pas compris ? Très bien. S'ils avaient envie de se faire ridiculiser une fois de plus, ils allaient être servis ! Il se dirigea vers le centre de cette agglomération de banlieue, jusqu'à ce qu'il tombe sur une station de taxis. Un chauffeur antillais accepta de le conduire au London Bridge. Quand la voiture démarra, elle fut aussitôt prise en chasse par six autres véhicules et quatre motos. Des flics, évidemment.

— Il fait beau, dit-il au chauffeur.

— Ah oui, répondit le type avec un grand sourire, on se croirait en Jamaïque.

Ils s'esclaffèrent.

***

Revenu s'asseoir à son bureau, Sean faisait le compte des choix qui s'offraient à lui. En tout état de cause, il avait été obligé de remettre Hellier en liberté provisoire sous caution. Il respira un bon coup et se dit qu'il lui fallait s'armer de patience. Quand il aurait le résultat des analyses ADN, il pourrait en finir une fois pour toutes avec Hellier.

Il se frotta les yeux puis fixa l'écran de son ordinateur, en se rappelant que ça faisait plusieurs heures qu'il n'avait pas relevé ses e-mails. Dans le lot, il y avait un message du service de renseignements de la police, lui expliquant à qui étaient attribués les numéros de téléphone notés en code dans le carnet d'adresses d'Hellier. Il n'eut pas la patience d'en prendre connaissance, chercha quelqu'un à qui en confier la tâche, mais tout le monde était occupé. Tant et si bien qu'il s'y colla, par acquit de conscience.

Il s'agissait essentiellement de numéros de téléphone de banques, situées aussi bien en Grande-Bretagne qu'à l'étranger, mais on y trouvait aussi ceux d'experts-comptables, de diamantaires, de courtiers en or et en platine. En tout, cela représentait des centaines de noms, mais on n'y voyait que très peu de numéros privés. Il examina ces derniers attentivement, reconnut comme prévu celui de Daniel Graydon, ce qui en soit ne prouvait rien, puisqu'Hellier avait reconnu le fréquenter. En revanche, pas de trace des coordonnées téléphoniques des deux autres victimes, Heather Freeman et Linda Kotler.

***

Le taxi le laissa devant le parvis du London Bridge. Hellier était tout content de se mêler à ces gens qui empruntaient le métro pour rentrer chez eux en banlieue, et il envisagea même de faire signe aux flics qui le suivaient. Il ne les voyait pas, mais il était certain que, pour leur part, ils ne le quittaient pas des yeux. S'il leur adressait un petit geste de la main, ça leur donnerait à réfléchir... Mais il avait du pain sur la planche, et ce n'était pas le moment de frimer. Il lui fallait encore régler encore deux ou trois petits points, à commencer par voir ce mystérieux « ami », après quoi il jouerait la fille de l'air.

Et s'il déguerpissait sans même le rencontrer, ce type ? Non, c'était trop risqué, il avait intérêt à savoir à qui il avait affaire et si cet individu risquait de lui porter préjudice. Il ne pouvait rien laisser en suspens, il était indispensable de tout régler avant de s'évanouir dans la nature. Mais auparavant, il avait le temps de s'offrir un dernier petit plaisir…

Il gagna en vitesse la station de métro, s'engouffra dans la librairie WH Smiths et guetta l'arrivée des flics qui le filaient, planqué derrière les magazines. Il ne repéra qu'une fille, qui regardait autour d'elle pour voir où il était passé. Si elle faisait tache, au milieu des banlieusards qui marchaient au radar, les autres restaient invisibles, signe qu'ils étaient plus efficaces que la dernière fois.

Il quitta le magasin par l'autre porte et rebroussa chemin en tâchant de mémoriser le visage des gens qu'il croisait, de manière à savoir si c'était des flics au cas où il les retrouverait sur son chemin, puis il descendit dans le métro. Juste avant de s'engager dans l'escalier, il se retourna brusquement, sans enregistrer aucune réaction de la part des voyageurs. Un petit sourire se dessina sur ses lèvres. Décidément ils étaient bons, ce coup-ci…

Une fois sous terre, il appliqua la tactique qui lui avait déjà si bien réussi : monter dans une rame, en descendre au bout de deux ou trois arrêts juste avant que les portes ne se referment, s'esquiver dans les couloirs, changer de ligne, grimper dans le premier métro qui arrivait, etc. L'ennui, c'est qu'il ne parvint pas à les semer. Bah, qu'à cela ne tienne, il avait toujours une longueur d'avance !

À Farringdon, il gagna aussitôt le bistrot où il était venu la veille. Il y avait du monde dans l'établissement, mais ce n'était pas non plus la bousculade, ce qui lui convenait parfaitement. Il se rendit aux toilettes, ni vu ni connu, et s'enferma dans la cabine, sans tenir compte des deux mecs campés devant l'urinoir. En fait, mieux valait qu'ils soient là, car les flics n'allaient pas tarder à débarquer dans le rade et se lancer à sa recherche.

**

Posé devant lui sur le bureau, le portable de Sean vibra. Il répondit distraitement, tout en continuant à lire ses e-mails.

— Oui ?

— Jean Coville. Je voulais vous prévenir que notre client sait déjouer une filature.

— Je m'en suis aperçu. Où êtes-vous ?

— À Farringdon, devant le bar où est entré le personnage. Il nous a baladés un moment dans le métro, sans réussir toutefois à nous semer. On n'est pas très nombreux, mais les autres font ce qu'ils peuvent pour nous rejoindre.

— Il est placé sous surveillance, ce bar ?

— Oui. J'ai posté un type à l'arrière, où il n'y a qu'une sortie, deux autres devant, plus trois autres à l'intérieur. Apparemment, il est aux toilettes. Tant qu'il reste dans le bistrot, on est tranquilles.

— Parfait. Surtout, ne le laissez pas filer.

— Entendu. Je vous appelle s'il y a du nouveau.

— Oh, il y en aura. Soyez prêts, c'est tout.

— Il y a un problème ? demanda Donnelly.

— Pas encore. Ils ont suivi Hellier jusqu'à Farringdon.

— Pourquoi pas, du moment qu'ils ne le lâchent pas… Au fait, figurez-vous que Jonnie James a réapparu. Il s'est rendu à nos collègues de Walworth, qui l'ont placé en garde à vue. Il leur a avoué qu'il piquait tous les soirs dans la caisse et qu'il a cru que le gérant s'en était aperçu. Quand il a appris qu'il y avait des condés partout, il a préféré se planquer. Jugeant toutefois que la situation tournait au vinaigre, il s'est livré à la police.

— Ça nous permet d'éliminer un suspect, conclut Sean.

Il vit entrer Sally, avec qui il ne s'était pas entretenu depuis la matinée.

— Alors, comment s'est passé ton rancard avec Gibran ?

Elle s'assit sans attendre qu'il l'y invite.

— C'était intéressant, et à mes yeux ça n'a fait que confirmer les soupçons qui pèsent sur Hellier. Il paraît en effet que celui-ci se comporte de façon bizarre ces derniers temps, qu'il ne va pas à ses rendez-vous professionnels, et ainsi de suite. D'après Gibran, on est en train de découvrir le vrai visage de James Hellier, qui jusqu'alors jouait la comédie. En plus, il n'arrête pas dire qu'il faut « vivre par-delà le bien et le mal ».

— Nietzsche.

— Pardon ? fit Donnelly.

— Non, rien, répondit Sean. Et à part ça ? demanda-t-il à Sally.

— Pas grand-chose. Il voulait sans doute savoir ce que qu'on a découvert.

— Du moment qu'il t'a invitée au resto, philosopha Donnelly.

— Eh bien, c'est ce qu'il a fait. Tu ne peux pas en dire autant, répliqua Sally.

— T'as raison.

— Qu'est-ce que vous avez fabriqué, le reste de l'après-midi ? s'enquit Sean.

— Le repas a duré plus longtemps que prévu, répondit-elle en rougissant, sans oser avouer qu'elle n'était alors nullement pressée de quitter ce galant homme. Il paraît qu'Hellier a été remis en liberté provisoire sous caution, dit-elle pour changer de sujet.

— On ne pouvait pas le maintenir en garde à vue jusqu'à ce qu'on obtienne le résultat des examens ADN, car ça demande trop de temps, expliqua Sean.

— Et si jamais l'ADN retrouvé n'est pas celui d'Hellier ?

— Dans ce cas, je suis dans la merde.

***

Ça faisait à peine une minute qu'Hellier s'était enfermé aux cabinets, et il entendait aller et venir à l'extérieur. Il se déshabilla, ne gardant que son slip et ses chaussettes, puis souleva le couvercle du réservoir de la chasse d'eau pour récupérer ce qu'il avait planqué en dessous. Il ouvrit le paquet, en sortit le flingue et le chargeur supplémentaire, puis il remit en place la batterie de son portable, qu'il n'allumerait qu'une fois dehors.

Il passa le tee-shirt et le survêtement, enfila les baskets, se coinça le pistolet au creux des reins, retenu par l'élastique du pantalon, glissa son portable dans l'une des poches de sa veste, et le chargeur dans l'autre.

Il ne lui resta plus qu'à se déguiser. Il commença par se coller la fausse moustache, continua avec les sourcils postiches et, pour finir, se coiffa de la perruque. Il n'eut pas besoin de se regarder dans la glace pour savoir qu'il était désormais méconnaissable.

Il emballa les habits qu'il avait sur le dos en arrivant et les planqua sous le couvercle du réservoir, ainsi que ses chaussures de ville. Il remit le tout en place, puis sortit des toilettes et quitta le débit de boissons.

***

Jean Coville regarda sa montre. Depuis un quart d'heure, les membres de son équipe lui signalaient qu'il n'y avait pas de nouveau.

— Ça ne me plaît pas du tout, dit-elle. Tango quatre, allez voir ce qui se passe aux toilettes.

Deux minutes plus tard, l'inspecteur en question la recontactait :

— On a un problème.

Jean Colville grinça des dents.

— Précisez, à vous.

— Cible une pas aux toilettes, à vous.

— Quelqu'un a-t-il aperçu cible une ? lança-t-elle.

Silence radio.

— J'y crois pas, dit-elle à son collègue qui était au volant. D'accord, poursuivit-elle en s'adressant aux autres, on a paumé la cible numéro un. Je répète, on a paumé la cible. Tout le monde sur le pont. Fouillez le bar et quadrillez le quartier. Retrouvez-le !

Écœurée, elle balança son talkie-walkie sur le tableau de bord, s'empara à la place de son portable et chercha dans le répertoire le numéro de Sean.

***

Sean écouta Colville lui expliquer qu'Hellier s'était une fois de plus évanoui dans la nature, ce qui était pour lui le pire qu'il puisse arriver.

— Comment ça se fait ? lui demanda-t-il.

— On n'en sait rien. On le coince dans les toilettes, et voilà qu'il disparaît, comme par enchantement. On va continuer à ratisser le quartier, jusqu'à ce qu'on lui mette la main dessus.

— Ce n'est pas la peine. Vous ne le retrouverez que s'il le veut bien. Surveillez son domicile et son lieu de travail, et rappelez-moi quand il se manifeste à nouveau.

Sur ce, il raccrocha.

— Dites-moi qu'il ne s'est pas passé ce que j'appréhendais, lui dit Sally.

— Et pourtant si…

— Mais enfin, pour quelle raison ?

— La question n'est pas là.

— Et maintenant, qu'est-ce qu'on fabrique ? demanda Donnelly.

— On ne s'énerve pas, en espérant qu'il va redonner signe de vie. D'ici là, vérifiez auprès de la douane et de la police des frontières qu'il n'a pas quitté le pays.

— Vous croyez qu'il va essayer de s'enfuir à l'étranger ? dit Sally.

— Il n'a peut-être pas le choix, vu qu'il n'est guère possible de contester les résultats d'une analyse ADN et les preuves qui en découlent.

— Vous croyez qu'il est du genre à prendre la poudre d'escampette ?

— Il arrive toujours à s'en sortir, quitte à prendre la fuite, s'il ne peut pas faire autrement.

***

Assis sur un banc de Regent's Park, Hellier attendait que son « ami » l'appelle. En principe, celui-ci devait le contacter à 19 heures. Or, il était presque 19 h 30.

À quoi jouait-il donc, ce type ? Il n'avait pas d'amis, du moins pas de véritables amis. Si ça se trouve, c'était un journaliste qui reniflait un bon sujet d'article et cherchait par conséquent à lui tendre un piège. Il regarda le portable posé au creux de sa main, en espérant qu'il allait se mettre à sonner. En tout cas, il lui fallait savoir qui c'était exactement. Il pouvait d'autant moins rester dans l'expectative qu'il avait besoin de tout contrôler. Suivant que cet individu représentait ou non une menace, il prendrait les mesures qui s'imposent. Ensuite il rentrerait chez lui, ne toucherait pas aux enfants, mais se débrouillerait pour offrir à Corrigan sa chère épouse en cadeau d'adieu.

Ceci étant, la police surveillerait son domicile, et il serait obligé de se méfier. Il ferait donc semblant d'être malade, demain matin, pour que ce soit madame qui conduise les gosses à l'école, et il attendrait qu'elle revienne. Une fois qu'il lui aurait réglé son compte, il passerait la journée à balader les flics d'un bout à l'autre de la ville et il leur donnerait tellement de fil à retordre qu'il finirait bien par les semer, ce qui lui permettrait de disparaître une fois de plus.

Au bout d'un moment ils trouveraient louche qu'il n'y ait personne à la maison et ils pénétreraient de force chez lui. Mais ce serait alors trop tard, puisqu'il serait à dix mille mètres d'altitude — il y avait déjà un passeport qui l'attendait dans un magasin de porcelaine d'Hampstead. Une fois qu'il serait en possession des billets, il se rendrait en train à Birmingham, où il aurait un vol pour Rome à 20 heures. Il ne resterait là-bas que deux heures en transit, avant de repartir pour Singapour, de changer encore deux fois d'avion, et enfin il arriverait à son nouveau domicile. Il s'en pourlécha les babines à l'avance.

Son portable vibra. Il répondit.

— C'est moi, lui dit son « ami ». J'ai un peu de retard, excusez-moi.

— Je n'aime pas qu'on me fasse poireauter. Vous n'aurez plus d'autre occasion de m'impressionner.

— Oh, vous allez être impressionné, je vous le garantis.

Hellier détecta un soupçon d'arrogance dans la voix de son « ami », ce qui ne présageait rien de bon.

— Maintenant, dit-il, je vais vous poser une question, à laquelle vous allez répondre par oui ou par non au bout de trois secondes maximum, sinon je raccroche et on ne se reparlera plus jamais. Compris ?

— Compris.

— Allez-vous me retrouver quelque part ce soir ?

— Oui, à condition que vous me promettiez une chose.

— Je ne promets rien à quelqu'un que je ne connais pas.

— Ne voyez personne avant qu'on se rencontre, tous les deux. Évitez les bars et les restaurants, ne rentrez pas non plus chez vous et ne retournez pas au bureau, car la police vous y attendra. Restez seul et planquez-vous.

D'un seul coup, tout s'éclaircit, et Hellier vit à qui il avait affaire.

— D'accord, dit-il, je ferai comme vous l'avez dit.

— Je vais vous rappeler plus tard dans la soirée, pour vous préciser le lieu et l'heure du rendez-vous.

— Entendu.

Hellier mit fin à la communication. Croyait-il vraiment, cet « ami », qu'il allait se cacher dans un fourré en plein milieu du jardin public ? Ça ne lui ressemblait pas ! Sans compter que Londres était l'un ses terrains de jeu de prédilection et qu'il ne lui restait plus beaucoup de temps. Il avait donc mieux à faire que de se camoufler et d'attendre…

« Je sais qui tu es, mon «ami», se dit-il. Quand on se verra, tu vas m'expliquer deux ou trois choses. Ensuite, je te ferai bouffer tes couilles, puis je t'étriperai comme un cochon. »

***

Une fois de plus, Sean rentra chez lui à une heure indue. Il espérait que Kate serait couchée depuis longtemps, mais quand il entra en silence dans la maison, il sentit qu'il n'en était rien, vit qu'il y avait de la lumière dans la cuisine et l'y retrouva, en train de travailler devant son ordinateur portable, les cheveux noués en arrière, de grosses lunettes posées sur le nez.

Tout ce qu'il trouva à lui dire fut :

— Tu veilles tard.

— Il n'y a pas que toi qui es obligé de travailler la nuit, répliqua-t-elle.

Ce n'était pas ainsi qu'il aurait aimé que commence la discussion, puisqu'il avait eu assez de difficultés comme ça dans la journée.

— Il faut que je finalise le plan de restructuration du service des urgences, sinon je risque de ne plus y bosser, expliqua-t-elle.

Devant son silence, elle ajouta :

— Tu t'en fiches, hein ?

— Pardon ?

— Non, rien. À ce propos, on est invités à manger ce week-end chez Joe et Tim, alors débrouille-toi pour te libérer, d'accord ?

— Euh…

— Tu fais preuve d'un enthousiasme délirant à l'idée de passer un moment avec moi, persifla-t-elle.

— Ce n'est pas toi qui es en cause.

— Je croyais que tu aimais bien Tim. En plus, il y aura d'autres gens.

— Je ne le connais pas vraiment, Tim. Je ne l'ai vu qu'une fois.

— Allons, Sean, fais en sorte d'être libre ce soir-là.

— Ce n'est pas évident, tu sais.

— Et pourquoi ? Tu ne peux pas te passer de tes copains flics pendant une soirée ?

— Ce ne sont pas des copains.

— Comme tu veux, mais on sait tous les deux que tu ne supportes pas la compagnie de ceux qui ne sont pas de la police car vous autres, vous jouez un rôle tellement important qu'à côté, on n'est que de la merde. C'est pas vrai ?

Sean demeura silencieux un bon moment, avant de répondre :

— Ne sois pas vulgaire. Je n'aime pas ça.

— T'as qu'à pas m'en donner l'occasion !

Il lui tourna le dos.

— Écoute, Sean, reprit-elle sur un ton radouci, je ne suis pas courtier en assurances, mais médecin dans le service des urgences à l'hôpital Guy. Les horreurs dont tu as été témoin, je les ai vues, moi aussi, mais si je ne dédaigne pas parler à des gens « normaux », qu'est-ce qui t'empêche de faire pareil ?

— Eh bien, c'est qu'ils…

— Qu'ils quoi ? Que tu les trouves ennuyeux, parce que tu t'ennuies avec eux ?

— Je t'en prie, Kate. Arrête un peu, tu veux ?

— Tu ne vas donc plus jamais parler à quelqu'un qui n'est pas de la police ?

— C'est ridicule !

— Non, c'est la vérité.

Sean sortit une bouteille de bourbon de l'un des placards et d'un autre un verre, dans lequel il se versa une bonne rasade. Il but un coup avant de répondre :

— Bon sang, tu ne sais pas ce que c'est. Dès que les gens apprennent quel est mon métier, ils n'ont qu'une envie, c'est d'en parler. Ils veulent que je leur raconte tout, dans les détails les plus scabreux, alors qu'ils sont complètement à côté de la plaque !

— C'est peut-être nous qui pédalons dans la choucroute, Sean, à force de nous coltiner tout ce merdier.

— Pourquoi, parce qu'on ne se fait pas d'illusions sur la vie, qui n'a rien à voir avec une jolie pub ? Je préfère être lucide et me retrouver seul dans mon coin que de ressembler à tous ces blaireaux qui n'ont rien compris au film.

Kate respira un bon coup pour se remettre les idées en place.

— C'est ton métier ou ton enfance qui te pousse à réagir ainsi? lui demanda-t-elle.

— Ah non, répliqua-t-il, on ne va pas parler de ça maintenant.

— D'accord. Mais si un jour tu as envie d'en discuter, tu peux compter sur moi.

— Je suis fatigué, c'est tout.

— Évidemment, tu n'as pas dormi plus de trois heures par nuit depuis le début de cette enquête. Écoute, je vais me coucher. Si tu faisais comme moi ?

— J'ai besoin de me détendre un peu, dit-il. Je te rejoins bientôt.

— Allez viens, je vais te masser les épaules pendant que tu t'endors.

— J'arrive dans cinq minutes, promis.

Il ne supportait pas la perspective de passer la nuit à se tourner et se retourner dans son lit, hanté par les démons qui ne lui laissaient pas une seconde de répit.

— Ne traîne pas.

Il la regarda se lever et monter l'escalier, en se retournant pour lui sourire. Quand elle fut partie, il se versa encore un doigt de bourbon.

***

Sally se gara non loin de son appartement. Sean avait préféré la laisser rentrer chez elle dormir un peu avant qu'Hellier ne refasse surface, si d'aventure il donnait à nouveau signe de vie. Une fois n'est pas coutume, elle enfreignit l'une des règles qu'elle s'était fixée, à savoir ne pas rester plantée devant la porte de l'immeuble à chercher ses clés dans son sac.

— Nom d'un chien !

Elle lâcha son sac, dont le contenu se déversa sur le palier.

— Bordel de merde !

Elle s'agenouilla pour ramasser le tout, finit par mettre la main sur ses clés. Un bruit la fit sursauter et l'amena à se retourner. Elle regarda autour d'elle, toujours à genoux. Ne voyant rien de louche, elle poussa un petit rire et récupéra le reste de ses affaires.

Elle se releva, jeta un œil des deux côtés de la rue, dans laquelle régnait un silence étrange et presque anormal, comme cela n'arrive qu'en ville. On entendait aboyer un chien au loin, ça la rassura. Elle entra dans l'immeuble, referma la porte derrière elle et appuya sur la minuterie dans le couloir, afin d'avoir de la lumière pendant trente secondes.

Elle monta au premier étage, chercha une fois de plus ses clés en maugréant, s'engouffra dans son appartement et s'empressa de donner un tour de verrou.

Plutôt que d'allumer le lustre, elle traversa la pièce plongée dans l'obscurité pour gagner la petite lampe installée dans le coin, au fond. Au moment d'appuyer sur l'interrupteur, elle sentit quelque chose et fit un bond en arrière, comme si elle venait de toucher une toile d'araignée. On aurait dit que c'était de la soie, ou bien du nylon... Intriguée, elle alluma, et la pièce se retrouva alors enveloppée d'un halo rouge, à cause de l'écharpe de la même couleur que l'on avait jetée sur l'abat-jour. Comment était-ce possible ? En plus, il y avait du courant d'air, ça venait de la cuisine. Là encore, c'était curieux. Il n'y avait pas de raison pour que la fenêtre soit ouverte.

Elle sentit qu'il était juste derrière elle, suffisamment près pour qu'elle l'entende respirer. Elle faillit vomir et s'évanouir. Pétrifiée, elle finit par se retourner, en essayant de se rappeler les techniques de self-défense qu'on lui avait enseignée à l'école de police : tu lui flanques un bon coup de genou dans les couilles, puis tu te sauves en courant...

— Je vous en prie, dit-elle, je vous en prie, vous savez qui je suis. Si vous partez maintenant, ça n'ira pas plus loin, je vous le promets…

Il avait beau être d'une taille moyenne, elle le trouva immense et se sentit défaillir. Il avait mis un survêtement et des gants en caoutchouc noirs et s'était collé un bonnet de laine sur la tête. Tendu à l'extrême, il bandait ses muscles et crispait ses mains de chaque côté de son corps. La lumière rouge faisait briller ses dents comme des rubis.

Elle le dévisagea, sans qu'il cherche nullement à l'en empêcher. À quoi bon, puisqu'elle savait très bien à qui elle avait affaire et n'ignorait pas non plus qu'il allait la tuer ?

En un éclair, il l'attrapa à la gorge et serra de toutes ses forces. C'était donc ainsi qu'il allait l'assassiner, en lui broyant la trachée-artère ? De l'autre main, il brandit un couteau qu'il avait trouvé dans la cuisine, elle le reconnut tout de suite.

— Si tu cries ou fais un geste, tu vas y passer. Sinon, tu auras la vie sauve.

Elle n'en crut pas un mot, pour avoir pu constater comment il avait procédé avec les autres, et surtout pour avoir vu sa tête, celle d'un tueur fou venu accomplir sa sinistre besogne.

— Est-ce que tu te rends compte que c'est un grand privilège d'avoir été choisie ? lui demanda-t-il sans desserrer les dents.

Il lui mit le couteau sous la gorge.

— Je ferai ce que vous voudrez, lui dit-elle.

Il sourit, se passa la langue sur les lèvres, écarta légèrement le couteau. Cela suffit. Elle lui balança un uppercut sous le menton, évita la lame qui fouetta l'air et lui flanqua un grand coup de genou dans les burnes. Il se plia en deux, et elle se précipita vers la porte.

Trop tard ! Il la saisit par les cheveux et la tira en arrière. Elle crut d'abord avoir encaissé un coup-de-poing dans le ventre, qui lui causa une douleur sourde, mais il lui baissa de force la tête, pour lui montrer le couteau qu'il venait de lui enfoncer dans le poumon droit. Il le récupéra, mais eut quand même du mal à sortir la lame de la plaie.

— Espèce de radasse ! Petite salope ! C'est pas ce que j'avais prévu, normalement ça devait pas se passer comme ça !

Il la repoussa, pour mieux la poignarder de nouveau. Cette fois, il la toucha à une côte, et la lame resta fichée dans l'os.

Elle éprouva une douleur atroce et tourna de l'œil. Il cessa de la tenir par les cheveux, la laissa tomber par terre, lui posa un pied sur le côté gauche du ventre et voulut arracher le couteau. Pas moyen.

— Ah, la pétasse, je t'en foutrais, moi !

Il eut envie de lui cracher dessus, mais se retint, de peur de laisser son ADN sur place.

Il vit s'agrandir la tache rouge sur son chemisier blanc. Elle avait le souffle court, mais elle était toujours vivante, et il regarda, littéralement hypnotisé…

Mais c'était foutu, à cause de tous ces impondérables qui avaient empêché les choses de se dérouler normalement. Tant pis, il ne lui restait plus qu'à finir le boulot. Il regarda en direction de la cuisine, se rappela que les autres couteaux rangés dans les tiroirs étaient mal aiguisés. Qu'à cela ne tienne, il l'égorgerait avec une lame émoussée. Après tout, c'était de sa faute, elle l'avait bien cherché.

Il l'observa encore un peu. Du poumon perforé lui sortait de l'air en sifflant, ce qui faisait des bulles de sang. Il retourna à la cuisine se trouver un instrument qui lui permette d'achever son œuvre. Il avait beau être déçu, il se sentait omnipotent, invulnérable.

Les couteaux étaient bien rangés dans le tiroir. Dédaignant ceux qui étaient destinés à découper la viande, il en chercha un qui soit muni d'une lame de dix centimètres, dentelée ou pas, pourvu qu'elle soit solide. L'idéal, évidemment, ce serait un petit couperet, mais il avait déjà utilisé le meilleur du lot, de sorte qu'il se rabattit sur un couteau à légumes à manche noir. Il l'examina de près. Oui, ça devrait aller.

En regagnant le séjour, où en principe elle gisait par terre, baignant dans son sang, il la vit ouvrir la porte de l'appartement et sortir en titubant sur le palier.

Que faire ? S'enfuir par la fenêtre de la cuisine, ou bien la rattraper avant qu'elle n'aille sonner chez le voisin d'en face ? Trop tard, elle réussit à parcourir les quelques mètres qui la séparaient de l'autre appartement, s'effondra sur la porte et y cogna de toutes ses forces.

***

Il était 23 heures passées quand George Fuller, en train de regarder à la télé un mauvais film de science-fiction, sursauta et renversa de la bière en entendant tomber quelque chose sur la porte de son appartement. Son épouse Susie, endormie sur le canapé, récolta au passage quelques gouttes, ce qui la réveilla. Ça ne fit pas l'affaire de son mari, car elle allait maintenant vouloir changer de programme.

— Ça doit encore être la bonne femme d'en face, maugréa-t-il.

Il s'était déjà levé pour aller voir ce qui se passait.

— À tous les coups elle fait le tapin, vu les horaires qui sont les siens, ajouta-t-il.

— C'est quoi, ce bruit ? demanda sa femme.

— Ne bouge pas.

Il ouvrit la porte toute grande, et Sally s'effondra devant lui. Il constata qu'elle saignait, mais ne vit pas tout de suite le couteau. Il l'attrapa aussitôt par le bras pour la tirer à l'intérieur de l'appartement. C'est alors qu'il aperçut une silhouette sortir de celui-ci de sa voisine par la fenêtre de la cuisine. Par mesure de précaution, il ferma à double tour.

— George ? lança sa femme.

— Appelle la police et les urgences.

Il retrouvait soudain ses réflexes d'ancien officier parachutiste qui avait servi en Afghanistan.

— Mais enfin, qu'est-ce qui se passe ? s'affola son épouse, en regardant Sally, évanouie par terre.

— Je n'en sais rien. J'ai vu un animal ou bien quelqu'un s'enfuir par la fenêtre de sa cuisine.

Il coucha Sally sur le dos pour savoir où elle était blessée, et tomba sur le couteau qu'on lui avait enfoncé dans le torse.

— Oh là là ! Va vite me chercher du scotch et des sacs en plastique, lança-t-il à sa femme. Tenez bon, ma petite, les secours vont arriver d'un instant à l'autre.

***

La sonnerie du portable fit sursauter Kate, alors que Sean cuvait son bourbon et dormait à poings fermés. Elle le réveilla à contrecœur mais s'y sentit obligée, car si quelqu'un cherchait à le joindre en plein milieu de la nuit, c'est qu'il avait dû se passer quelque chose.

Il gémit et se retourna.

— C'est ton portable qui sonne, lui dit-elle à voix basse.

— Quelle heure est-il ?

— Environ 2 heures. Ne parle pas trop fort, à cause des enfants.

Il attrapa le portable.

— Allô ?

— Désolé de vous déranger dans votre sommeil, mais j'essaie de joindre l'inspecteur divisionnaire Sean Corrigan.

— C'est moi.

— Inspecteur Deirry, j'assure la permanence de nuit dans le secteur de Chelsea et Fulham. J'ai une mauvaise nouvelle à vous annoncer. Est-ce que vous travaillez avec l'inspectrice principale Sally Jones ?

— Oui, répondit Sean, la bouche sèche. Elle fait partie de mon équipe. Qu'est-ce qu'il lui est arrivé ?

— On l'a agressée chez elle en début de soirée. Elle est salement amochée.

Sean en eut un coup de sang.

— Elle est vivante, au moins ?

— Oui.

— Nom de Dieu ! Où est-elle ?

— À l'hôpital Charing Cross. Elle est toujours sur la table d'opération.

Sean regarda sa montre.

— J'y serai dans moins d'une heure.

Il mit fin à la communication, balança les jambes sur le côté du lit et se leva en vacillant. Kate s'en aperçut.

— Qu'est-ce qui s'est passé ?

— Sally s'est fait agresser chez elle. On l'a évacuée à Charing Cross.

— Ça alors ! Qui peut avoir envie de s'en prendre à Sally ? Pas le type que tu recherches, puisque tu m'as dit qu'il ne s'attaque jamais à des flics.

— On est en présence d'une affaire différente.

— Comment ça ?

— Elle n'a rien à voir avec les autres. Il faut que j'y aille.

— Va prendre une douche. Ensuite, je te conduirai là-bas.

— Non, ça ira.

— Je vais appeler Kirsty, pour lui demander de garder les enfants jusqu'à mon retour.

— Ce n'est pas la peine, je suis capable de conduire, je t'assure.

Elle lui prit le visage et le regarda dans les yeux.

— Ce ne serait pas rendre service à Sally que de rentrer dans un bus alors que tu es complètement bourré. C'est moi qui prendrai le volant.

Sean comprit que ça ne servait à rien de discuter. Il passa à la salle de bains, en se promettant de prévenir sans tarder Donnelly et les autres, car rien ne disait que l'un d'eux n'était pas désormais le prochain sur la liste.

***

Quand ils arrivèrent à Charing Cross, Sean ne s'en ressentait quasiment plus de ses excès de boisson de la veille au soir. Kate et lui retrouvèrent un inspecteur et une femme sergent, tous les deux en tenue, dans la salle d'attente du service des urgences. Sean déclina son nom et son grade, sans mentionner Kate. L'inspecteur fit de même, en omettant lui aussi de présenter son adjointe.

— Où est-elle ? Est-ce que je peux la voir ? demanda Sean.

— Non, elle est toujours au bloc opératoire. Il va falloir attendre plusieurs heures avant d'aller à son chevet.

— Qu'est-ce qu'il lui est arrivé ?

— Elle n'a pas dit un mot depuis que son voisin l'a découverte. Tout ce qu'on sait, c'est qu'on l'a agressée chez elle et qu'elle s'est pris deux coups de couteau à la poitrine, tous les deux du côté droit. Son pronostic vital est engagé, mais pour le moment, elle tient le coup.

— C'est qui, ce voisin ?

La sergente regarda son calepin :

— George Fuller, un ancien capitaine parachutiste, qui travaille actuellement au conseil municipal. Elle s'est effondrée sur sa porte, aux alentours de 23 heures, après avoir été poignardée à deux reprises, la lame du couteau toujours fichée dans une côte.

Sean fit la grimace, comme elle s'en aperçut en levant les yeux sur lui.

— Comme il a aussi été assistant infirmier dans l'armée, il lui a posé des pansements de fortune à l'aide de sacs en plastique et de scotch. D'après le médecin des urgences, il lui a sauvé la vie.

— Où est-il, ce type ?

— Il est rentré chez lui. Il a tenu à accompagner Sally Jones dans l'ambulance, et je l'ai renvoyé chez lui il n'y a pas longtemps.

— Quelles mesures a-t-on prises concernant l'appartement de Sally Jones ?

— On en a interdit l'accès.

— Très bien. Mettez également quelqu'un en faction devant, et que personne n'y rentre sans mon autorisation.

L'inspecteur en tenue le regarda d'un air interrogateur.

— Désolé, mais cette affaire est du ressort de la police locale. La scène du crime est sécurisée, il n'y a pas besoin de la faire garder.

— Si. C'est moi qui suis responsable de l'enquête. Si ça vous pose un problème, téléphonez au commissaire Featherstone. De mon côté, je vais prendre contact avec vos supérieurs, pour les mettre au courant. Cette agression est liée à toute une série de meurtres sur lesquels j'enquête, précisa-t-il. Or Sally Jones faisait partie de notre équipe. L'individu qui s'en est pris à elle est le même que celui qui a commis ces assassinats. C'est pourquoi je vous demande de faire garder son appartement. Et elle, comment la protégez-vous ?

— Il y a un agent qui garde sa chambre.

— Il en faut deux, au minimum.

— Je vais voir ce que je peux faire.

Donnelly fonçait dans le couloir, en tonnant comme un beau diable, prêt à tout casser.

— Je vais lui faire la peau, à ce salopard ! Il va passer par la fenêtre du cinquième étage, c'est moi qui vous le dis ! fulmina-t-il, son accent écossais soudain beaucoup plus marqué.

Sean s'apprêtait à lui demander de se calmer quand Jean Colville l'appela sur son portable, pour le prévenir qu'Hellier venait de rentrer chez lui.

***

Sean et Donnelly arrivèrent aux abords de la maison d'Hellier, où les rejoignirent deux représentants de la police locale assurant la permanence de nuit.

— C'est tout ? s'étonna Sean, qui avait espéré que ses collègues du coin enverraient plus de monde sur place.

— Il y a déjà deux agents en tenue planqués derrière la baraque, expliqua un inspecteur d'Islington.

— C'est à vous de décider, patron, dit Donnelly. Rien ne nous empêche d'attendre des renforts, ou bien qu'on nous expédie des hommes armés.

— Non, on y va, répondit Sean, il y en a marre de poireauter.

Le plus jeune des flics de la localité sortit un bélier du coffre de leur voiture.

— On est venus avec ça, expliqua-t-il, en cas de besoin.

— Ce serait dommage de ne pas s'en servir. Et puis faites gaffe, il ne paye peut-être pas de mine, le gus, mais il a déjà commis trois assassinats, avant de s'en prendre à l'une d'entre nous. Alors restez sur vos gardes.

Ils hochèrent la tête, s'approchèrent à pas de loup de la maison, ouvrirent avec précaution le portail en fer forgé et grimpèrent sur le perron. Le plus âgé des flics du coin contacta par radio ses hommes postés à l'arrière du pavillon, en leur parlant tout bas :

— On va entrer par-devant, les mecs !

Ça grésilla un peu, mais tout le monde entendit la réponse :

— Compris, on ne bouge pas, à vous.

Le jeune flic muni du bélier fit signe à Sean, qui compta jusqu'à cinq sur ses doigts. Son collègue balança alors à toute force le bélier sur la serrure principale qui céda, sans que toutefois la porte ne s'ouvre, car elle était retenue par deux serrures supplémentaires à pêne dormant, installées respectivement en haut et en bas. Le jeune flic les attaqua à tour de rôle et réussit en fin de compte à enfoncer la porte.

Ils se ruèrent tous à l'intérieur, en brandissant des matraques métalliques extensibles et en hurlant : « Police ! Police ! Police ! ».

Sean et Donnelly montèrent l'escalier quatre à quatre, tandis que leurs collègues d'Islington déboulaient au rez-de-chaussée. Juste avant d'arriver à l'étage, Sean aperçut Hellier, sans parvenir à éviter le coup de pied que celui-ci lui envoya et qu'il se prit en pleine joue.

Il s'affaissa un instant sur l'escalier, le temps de récupérer, puis se lança à sa poursuite d'Hellier, sans même laisser Donnelly le doubler.

Hellier grimpa jusqu'au second et disparut. Sean ralentit en arrivant sur le palier, pour ne pas se faire de nouveau avoir par surprise, et dit à Donnelly de se méfier. Il entendit alors ses collègues d'Islington s'engouffrer à leur tour dans l'escalier.

Il alluma, constata qu'il y avait cinq pièces et vit une silhouette se dessiner devant la porte la plus proche. Il était prêt à frapper quand il s'aperçut que c'était la femme d'Hellier. Il se jeta sur elle et la plaqua au sol, sans qu'elle ait le temps de dire ouf.

— Restez ici et ne bougez pas ! lui cria-t-il.

Il avança tout doucement, le dos au mur, suivi par Donnelly et les deux autres. Il alluma dans la pièce que la femme d'Hellier venait de quitter, ouvrit tout grand la porte et jeta un coup d'œil à l'intérieur avant d'y entrer. Donnelly lui emboîta le pas, les flics d'Islington s'en allant inspecter la pièce voisine.

Il regarda sous le lit, puis s'en fut voir en face dans la penderie, en restant le plus loin possible de la porte, pour ne pas se prendre un mauvais coup. Rien de suspect, juste des vêtements qui sortaient du pressing, encore enveloppés de plastique transparent.

Il fit signe à Donnelly d'aller voir derrière les rideaux, puis sortit. Un enfant appela, au premier étage. Il fit chut ! à sa mère, avec un doigt sur la bouche.

Profitant de ce moment d'inattention, Hellier lui saisit le poignet droit et le serra tellement fort qu'il l'empêcha de refermer la main et d'attraper sa matraque, qui tomba à terre. Il se sentit tiré en arrière, puis on lui tordit le bras, on le fit pivoter et on lui colla une lame sous la gorge. La barbe d'Hellier lui frottait l'oreille, et son haleine parfumée lui donnait la nausée.

— Tiens, tiens, inspecteur…

On alluma, c'était Donnelly, qui se figea tout net en les voyant. Hellier sourit, Donnelly se ressaisit.

— Posez ce couteau, mon vieux, lui dit-il sans s'énerver.

Hellier ricana et se tourna vers Sean. Sans quitter Donnelly des yeux, il lui lécha le visage et lui mordilla le lobe de l'oreille, en se délectant de le voir mort de peur. Puis il le lâcha, retrouva son sérieux et lui murmura :

— Vous vous souviendrez de celui qui vous a laissé la vie sauve…

Il jeta alors le couteau par terre, s'écarta et mit les mains derrière la tête. Sean fit un demi-tour sur lui-même et lui décocha un crochet du gauche qui l'atteignit à la bouche. Il avait tout de suite retrouvé ses vieux réflexes de boxeur.

Hellier tomba à la renverse sur la coiffeuse, brisant par la même occasion la glace, puis il roula sur lui-même, se redressa à quatre pattes et regarda Sean. Il avait beau avoir le visage en sang, il continuait à le narguer. Sean le fixa, mais à ce moment ce n'était plus la tête d'Hellier qu'il voyait, mais celle de son père, qui lui avait fait tant de mal pendant son enfance.

Il lui flanqua un grand coup de pied dans le thorax, Hellier perdit l'équilibre et tomba sur le dos, sans pour autant cesser de sourire. Sean s'agenouilla auprès de lui et lui envoya toute une dégelée de coups de poing à la figure, en hurlant : « Espèce de salopard ! ». Il fallut que Donnelly intervienne pour l'empêcher de le massacrer.

Les deux inspecteurs d'Islington se ruèrent dans la pièce, virent Hellier qui gisait dans son sang, puis le couteau par terre et Sean qui haletait, et comprirent tout de suite.

***

Ce vendredi matin, tout le monde au commissariat avait appris ce qui s'était passé la veille au soir, notamment l'arrestation d'Hellier, et on ne parlait que ça.

De la main gauche, car l'autre était boursouflée et difforme, avec l'index et le majeur retenus ensemble par du sparadrap au même titre que l'annulaire et le petit doigt, Sean s'appliqua sur la joue la poche à glace enveloppée dans un vieux tee-shirt. Hellier ne l'avait pas raté. Comme il avait refusé d'aller à l'hôpital se faire poser un plâtre, il s'en était remis aux bons soins du toubib de la police, qui s'était débrouillé avec les moyens du bord. Il venait d'apprendre que Sally avait bien supporté la nouvelle opération qu'elle venait de subir et qu'elle se trouvait toujours en unité de soins intensifs. Pour l'instant, elle était toujours plongée dans un coma artificiel.

Une silhouette familière se dessina à l'entrée du bureau. C'était Featherstone qui venait aux nouvelles, et montrer par la même occasion que c'était lui, le chef, car, au fond, tout ça ne le concernait pas vraiment.

— Dites donc, il vous a drôlement arrangé, l'autre.

— Merci.

— Comment va-t-elle ? demanda le commissaire, en retrouvant son sérieux.

— Il est encore trop tôt pour se prononcer. Elle est toujours en unité de soins intensifs.

— Enfin, si je peux faire quelque chose…

Sean garda le silence.

— Et vous, reprit-il, vous êtes sûr d'être en état de travailler ?

— Oui, ça ira.

— Si vous avez besoin que quelqu'un vous remplace, le temps d'aller vous reposer un peu, faites-moi signe.

— Non, je me débrouillerai.

— Je n'en doute pas. Et question preuves, en avez-vous maintenant assez pour déférer Hellier devant le juge ?

— J'ai envoyé une équipe perquisitionner l'appartement de Sally, et une autre celui d'Hellier.

— Pas son bureau ?

— Non, ce n'est pas la peine, il n'y est pas retourné, m'ont expliqué ceux qui planquaient là-bas.

Donnelly frappa à la porte.

— Le labo vient de m'appeler, patron, annonça-t-il, tout excité. Ils ont le résultat de l'analyse ADN des cheveux retrouvés chez Linda Kotler.

Il s'interrompit un instant, pour ménager le suspense.

— Eh bien, figurez-vous que ce sont ceux d'Hellier !

Sean se renversa dans sa chaise, et Featherstone se tapa sur les cuisses. On avait donc enfin élucidé cette histoire et confondu l'assassin. Hellier ne sévirait plus jamais.

Une inspectrice pointa son nez dans le bureau :

— Il y a au téléphone un mec des archives nationales qui désire parler à Sally Jones, déclara-t-elle.

— Passez-moi la communication, dit Sean.

Il attendit que son appareil sonne et décrocha aussitôt.

— L'inspectrice principale Jones m'a demandé d'effectuer quelques recherches, expliqua ce type, et je voulais lui en communiquer les résultats.

— Donnez-les moi, je les lui ferai parvenir, elle n'est pas disponible en ce moment.

— Elle m'avait demandé de retrouver l'acte de naissance et le certificat de décès de deux individus, Stefan Korsakov et James Hellier. Or, si j'ai bien réussi à mettre la main sur l'acte de naissance de Korsakov, je n'ai pas trouvé la trace d'un quelconque certificat de décès établi à son nom, ce qui signifie que ce gus est toujours vivant.

— Et pour ce qui est d'Hellier ?

— Dans son cas, j'ai bien récupéré les deux documents en question. Eh oui, ce pauvre gamin est mort à l'âge d'un an.

— Je vous demande pardon ?

— C'était un bébé que l'on a enterré.

— En quelle année Korsakov est-il né ?

— En 1967.

— Et en quelle année Hellier est-il mort ?

— En 1967 aussi, ce qui est curieux.

La coïncidence était pour le moins troublante.

— Je vous envoie sous peu quelqu'un chercher ces documents, dit-il avant de raccrocher.

Il regarda Donnelly :

— Tu te souviens du suspect auquel s'intéressait Sally ?

— Stefan Korsakov ?

— Oui. Sais-tu où elle range le dossier qu'elle a constitué sur lui ?

— Dans son bureau, j'imagine.

Impossible d'ouvrir les tiroirs, car ils étaient fermés à clé.

— As-tu un passe-partout ? demanda-t-il à Donnelly.

La plupart du temps, les inspecteurs principaux en avaient un sur eux, même si en général ils ne voulaient pas l'admettre. Un peu gêné, Donnelly lui donna le sien, et Sean ouvrit aussitôt le tiroir du haut, dans lequel se trouvait effectivement une chemise marron, sur laquelle on avait écrit « Korsakov ». Il regarda ce qu'il y avait à l'intérieur. Donnelly restait interloqué.

— Voulez-vous m'expliquer ce qui se passe ? dit-il.

— Sally t'a-t-elle parlé des recherches qu'elle entreprenait de ce côté-là ?

— Pas vraiment.

— Mais encore ?

— Elle m'a simplement dit qu'il y avait quelqu'un qui lui mentait.

— Quand ça ?

— Le soir où elle s'est fait agresser.

Sean continua à feuilleter le dossier, en oubliant quasiment la présence de son fidèle collaborateur. Au bout d'un moment, il leva les yeux :

— On l'a aidé, ce salopard.

— Pardon ?

— Sally m'a expliqué que ses empreintes digitales ainsi que ses photos avaient disparu des archives de Scotland Yard. Qui donc lui aurait menti ?

— Mais enfin, patron, de quoi parlez-vous ?

— Tu ne saisis pas ? Hellier n'est autre que Korsakov, le type dont Sally pense, après avoir vérifié auprès du casier judiciaire, qu'on peut légitimement le soupçonner d'être l'auteur de ce crime. L'ennui, c'est que tout ce qu'elle voulait retrouver a disparu. Il n'empêche qu'elle était sur le point d'élucider cette histoire, même si elle ne s'en rendait pas compte.

— Comment ça, fit Donnelly, Hellier et Korsakov ne font qu'un ?

— J'en mettrais ma tête à couper. Lorsque Korsakov est sorti de prison, il a eu besoin de se refaire une virginité, sinon il était fini en Grande-Bretagne, et il aurait été obligé de s'enfuir, ce qui n'est pas son genre. Il fallait donc que quelqu'un efface toute trace de son passé, de manière à ce qu'il puisse se forger une nouvelle identité. Il lui a ensuite suffi de se faire passer pour quelqu'un né la même année que lui, mais mort dans sa petite enfance. On connaît la suite.

— Il va alors voir ce flic corrompu pour lui demander de faire disparaître ses photos d'identité judiciaire, ainsi que ses empreintes digitales. Et s'il a ensuite agressé Sally, c'est parce qu'elle était sur le point de découvrir le pot aux roses.

— Il ne devait pas être le seul à vouloir l'empêcher d'aller jusqu'au bout de ses investigations. Celui qui lui a donné un coup de main avait autant à perdre que lui.

— Vous parlez de notre ami le flic ripou…

— Ce n'est pas à exclure.

— Il y a peut-être donc un rapport entre l'agression dont a été victime Sally et celles perpétrées contre les autres ?

— Effectivement. Tout cela est lié, d'une façon ou d'une autre. Il convient par conséquent de reconstituer le déroulement des événements pour voir ce qu'on peut en tirer.

— Et maintenant, qu'est-ce qu'on fait ?

— On commence par retrouver notre ex-collègue indélicat.

— De quelle façon ?

Sean consulta une fois de plus le dossier et trouva ce qu'il cherchait, à savoir les coordonnées de l'inspecteur principal Paul Jarratt, qui avait à l'époque mené l'enquête sur l'affaire Korsakov.

— C'est un nom qui me dit quelque chose, observa-t-il.

— Je vous demande pardon ?

— Ce Paul Jarratt, l'inspecteur principal qui a bossé sur cette histoire, j'ai déjà vu son nom quelque part.

— Peut-être parce que vous avez travaillé avec lui.

— Non. C'est pour une autre raison, qui remonte à moins longtemps.

***

Sean sonna à la porte du pavillon coquet de Surbiton et examina la tête du propriétaire qui lui ouvrit. Donnelly et lui sortirent leur carte de police. Jarratt n'eut pas l'air d'apprécier, mais garda son calme.

— Je pense que vous connaissez l'une de nos collègues, Sally Jones, dit-il.

— En effet. Elle est venue me voir deux fois, pour me demander des renseignements sur une affaire dont je me suis occupé dans le temps.

— Je le sais. Malheureusement, j'ai une mauvaise nouvelle à vous annoncer à son sujet.

— Ah bon ?

— Elle s'est fait agresser chez elle hier soir et elle est gravement blessée. Son état est stationnaire, mais reste critique. Je pensais que vous étiez au courant, puisque vous lui avez communiqué des renseignements.

— Comment c'est arrivé ?

Donnelly fit un signe de tête en direction de l'intérieur de la maison.

— On peut entrer ?

— Bien sûr.

Jarratt les invita à le suivre à la cuisine, où il fut le seul à s'asseoir.

— Je n'ai pas beaucoup de détails, expliqua Sean. Tout ce qu'on sait, c'est qu'on l'a agressée chez elle avec un couteau et qu'elle a reçu deux blessures graves. Elle a toutefois réussi à s'enfuir et à aller frapper chez son voisin, ce qui lui a sauvé la vie.

— Nom d'un chien, qui est-ce qui peut bien vouloir agresser une femme flic chez elle ?

— Vous pouvez peut-être nous aider à trouver la réponse, dit Sean.

Jarratt en resta bouche bée.

— Je veux bien, mais je ne vois pas comment.

— Sally Jones essayait de retrouver un suspect, un dénommé Stefan Korsakov, dont vous vous êtes occupé jadis.

— C'est exact.

— L'ennui, c'est qu'elle a eu du mal à mettre la main sur ses empreintes digitales.

— Je me rappelle en effet qu'elle m'en a parlé.

— De fil en aiguille, elle a découvert que vous avez demandé à Scotland Yard de vous les communiquer, afin de les transmettre à la prison de Wandsworth, qui voulait en réaliser des photocopies.

— J'ai déjà expliqué tout ça à Sally Jones.

— Vous êtes bien sûr que la prison vous les a réclamées ?

— Oui, c'est l'un de mes collègues, Graham Wright, qui est allé les chercher là-bas, puis les y a rapportées. Vous auriez peut-être intérêt à vous adresser à lui.

— Connaissez-vous un dénommé James Hellier ? lui demanda alors Sean à brûle-pourpoint.

Jarratt s'accorda quelques instants de réflexion.

— Non, ce nom ne m'évoque rien.

Sean sortit une enveloppe de la poche de sa veste.

— Maintenant, faites-moi le plaisir d'examiner les photos de ce type et de me dire si vous le reconnaissez.

Sean disposa sur la table les clichés réalisés par les flics qui avaient pris Hellier en filature. Jarratt se pencha en avant et les remua, l'air indifférent.

— Non, déclara-t-il, je ne vois pas qui c'est, mais je l'ai déjà expliqué à Sally Jones, quand elle m'a montré un cliché du même individu.

— Vous êtes certain qu'il ne s'agit pas là de Stefan Korsakov ? insista Sean.

— Absolument.

— Dans ce cas, ne s'agirait-il pas de James Hellier ?

— Comment voulez-vous que je le sache, puisque j'ignore tout de ce type ?

Sean jeta sur la table un e-mail qu'il avait imprimé.

— Qu'est-ce que c'est que ça ? demanda Jarratt.

— Regardez.

Jarratt s'empara du papier et parcourut des yeux les noms et les numéros de téléphone que le service de renseignements de la police avait communiqués à Sean.

— Je ne comprends pas, bredouilla-t-il.

— Comment ça, vous ne reconnaissez même pas votre nom et votre numéro de téléphone ? Tenez, ici, fit Sean en montrant du doigt.

— Mais enfin, c'est quoi, ce papier ?

— Des numéros de téléphone qui figuraient dans le carnet d'adresses d'un certain James Hellier, que l'on soupçonne d'avoir commis plusieurs meurtres. Qu'est-ce que le vôtre vient faire là-dedans ?

— Je n'en sais rien.

Sean s'assit à côté de lui.

— S'il n'y avait que ça, ce ne serait pas trop grave. Malheureusement, Sally Jones est allée se renseigner auprès de la prison, où on lui a expliqué que l'on n'avait jamais adressé aucune demande concernant les empreintes de Korsakov. Vous avez donc menti.

Jarratt encaissa sans rien dire.

— Et puis il y a ça, ajouta Sean, en tapotant les photos d'Hellier. Figurez-vous qu'avant de passer chez vous, nous sommes allés voir l'un de vos anciens collègues, Graham Wright, pour lui montrer ces clichés. Or il nous a affirmé qu'il s'agissait bien de Stefan Korsakov, le même individu qui se fait désormais appeler James Hellier, mais ça, vous le saviez déjà, pas vrai, monsieur Jarratt ?

— Je, je… bafouilla Jarratt.

— C'est fini. Vous avez été inspecteur, autrefois, vous comprenez donc que vous avez perdu et qu'il est temps de limiter les dégâts. Alors dites-nous la vérité : est-ce Hellier qui a agressé Sally ? Vous l'avez prévenu qu'elle s'intéressait à ses antécédents, il a eu peur qu'elle ne découvre la supercherie et il a essayé de la tuer, car c'était la seule façon de l'empêcher de poursuivre sa petite enquête.

— Non, ce n'est pas lui qui l'a agressée.

— C'est donc que vous le connaissez, si vous parlez ainsi, raisonna Donnelly.

— Oui… enfin, non.

— Qu'est-ce que vous voulez dire par là ?

— Bon, d'accord. Oui, je suis resté en contact avec lui. Mais je n'ai rien à voir avec l'agression dont a été victime Sally Jones.

— Il n'empêche que vous avez fait disparaître les photos et les empreintes de Korsakov, rétorqua Sean.

Jarratt se tassa sur sa chaise.

— Si je parle, pouvez-vous me promettre qu'on ne va pas m'envoyer en taule ?

— Je ne peux pas vous l'assurer, mais je ferai ce que je pourrai. Maintenant, je vous écoute.

— Je suis allé voir Korsakov, peu de temps avant qu'il ne sorte de prison.

— Pour quoi faire ?

— Parce qu'on n'avait pas récupéré les sommes qu'il avait escroquées et qui se chiffraient en millions de livres.

— Vous avez eu envie de vous offrir une petite retraite anticipée, c'est ça ? persifla Donnelly.

— Non, telle n'était pas mon intention, du moins au début. Il est souvent utile de rendre visite aux détenus avant qu'ils ne soient remis en liberté, afin de leur rappeler qu'on ne les a pas oubliés et que dès qu'ils vont dépenser ce fric mal acquis, on va le saisir, sans rien leur laisser.

Sean savait que c'était là une pratique courante.

— On parvient parfois à un accord : le type restitue la plupart des fonds, mais on lui en laisse cependant une partie, parce qu'il s'est prêté au jeu. Tout cela se fait sous le manteau, évidemment, mais chacun y gagne. Ça nous permet, à nous autres flics, de montrer l'argent qu'on a récupéré, les victimes touchent une compensation et le voleur a droit à un petit cadeau… Seulement, Korsakov ne voulait pas en entendre parler, de cette magouille. Il n'était pas question pour lui de lâcher un centime. Il a cependant compris qu'il valait mieux ne pas avoir les flics sur le dos.

— Continuez.

— Il m'a proposé de toucher une part, à condition que je fasse disparaître des trucs.

— Comme des empreintes digitales et des photos ?

Jarratt haussa les épaules.

— Il vous a donné combien ? s'enquit Donnelly.

— Dix mille livres, au départ, suivis d'autres versements échelonnés, mais…

— Mais quoi ? dit Sean.

— Eh bien, la dernière fois qu'on s'est vus, il m'a montré des photos, sur lesquelles on le voyait avec moi, qui comptais l'argent.

— Il vous a piégé ? dit Donnelly.

— Oui, mais dans le lot il y avait aussi des photos de mes enfants, à l'école, dans le parc, dans notre jardin.

— Il a menacé de s'en prendre à eux ? demanda Sean.

— À quoi bon ? Je savais de quoi il était capable et je n'allais quand même pas passer le reste de ma vie à attendre qu'il m'arrive un mauvais coup.

— Vous auriez dû tout arrêter et sauver les meubles.

— Pour finir en taule ? C'est qu'on n'est pas à la fête en prison, nous autres de la police… J'ai préféré attendre mon heure, en espérant que Korsakov irait voir ailleurs et m'oublierait. C'est alors qu'a débarqué sans crier gare Sally Jones, qui m'a posé des questions embarrassantes. Et comme si ça ne suffisait pas, voilà que Korsakov se manifeste à nouveau pour me demander de faire en sorte que vous lui fichiez la paix. Je ne vous dis pas le cauchemar.

— Vous lui avez expliqué que Sally Jones enquêtait sur lui ?

— Non. Car il m'aurait alors demandé de prendre des mesures pour y mettre le holà. J'avais déjà assez d'ennuis comme ça, ce n'était pas la peine d'en rajouter.

— Seriez-vous en train de me dire qu'Hellier ne se doutait pas que Sally essayait de le retrouver ?

— En fait, je n'en sais rien. Il était persuadé que j'avais réussi à effacer toute trace de son passé, seulement quand Sally Jones est venue me voir, je me suis rendu compte que j'avais oublié quelque chose, le dossier que le casier judiciaire avait sur lui. Graham Wright a dû juger que ça pouvait leur être utile, là-bas, de disposer de renseignements précis sur ses crimes, mais il ne me l'a jamais dit.

— En effet, sinon ce dossier aurait également disparu. Quand j'ai posé la question à Wright, il m'a confirmé qu'il l'avait bien envoyé au casier judiciaire.

— Et les empreintes digitales, interrogea Donnelly, comment avez-vous réussi à vous en débarrasser ?

Jarratt sourit, c'était la première fois depuis leur entretien.

— On a eu recours à une idée de Korsakov. Graham me les a communiquées, mais on savait que là-bas ils voudraient les récupérer. À la demande de Korsakov, j'ai donc viré ses empreintes pour les remplacer par un autre jeu, sauf que pour relever celui-ci, on a utilisé une encre qui s'efface au bout de deux jours, que l'on a trouvée dans un magasin de farces et attrapes. Lorsque Graham Wright les a rapportées au casier judiciaire, elles avaient l'air parfaitement normales et ils les ont remises dans leurs archives. Mais ensuite elles ont disparu, comme par enchantement. Korsakov a trouvé ça tordant.

Sean et Donnelly se regardèrent, incrédules.

— C'est une blague ? dit Donnelly.

— Pas du tout. Vous le connaissez, Korsakov ? Ou Hellier, si vous préférez. Il est malin comme un singe, méchant comme une teigne, il déborde d'imagination, et c'est un type extrêmement dangereux, pourtant ce n'est pas lui qui a agressé Sally Jones, et ça m'étonnerait qu'il ait commis tous ces meurtres que vous voudriez lui coller sur le dos.

— Et pourquoi ? demanda Sean.

— Parce qu'il me l'aurait dit.

— En quel honneur ?

— Pour me rappeler que je suis devenu son obligé.

Sean et Donnelly observèrent un moment de silence.

— Monsieur Jarratt, déclara Sean, il est temps de vous présenter un ami.

Un petit homme râblé, engoncé dans un vilain costume sombre, entra dans la cuisine.

— Voici l'inspecteur Reger, de l'IGS.

Reger lui montra sa carte de police.

— Paul Jarratt, je vous arrête pour vol et complicité avec un délinquant. Allez chercher des affaires, puis suivez-moi.

***

Les deux bobines du magnétophone tournaient, mais Hellier n'avait rien dit. Tassé sur sa chaise, le visage tuméfié et un pansement sur le nez, il avait refusé de décliner son identité et même de la confirmer, laissant Templeman répondre à sa place. Il voulait d'abord voir si, une fois de plus, les flics lui faisaient perdre son temps.

Sean avait tenu à ce qu'une femme flic assiste à l'interrogatoire, de manière à juger de ses réactions quand on l'accuserait d'avoir agressé Sally. Si, par exemple, il la regardait à la dérobée, on pouvait supposer qu'il se sentait coupable. À condition, évidemment, que le personnage soit sensible à la notion de culpabilité… Quoi qu'il en soit, Fiona Cahill était assise auprès de lui. Et maintenant que les magouilles de Jarratt n'avaient plus de secrets pour lui et qu'il savait qu'Hellier et Korsakov étaient le même individu, il avait hâte d'entrer dans le vif du sujet.

— Monsieur Hellier, le moment est venu de nous parler, c'est dans votre intérêt.

Hellier se tint coi.

— Pourquoi avez-vous tué Daniel Graydon ? Pourquoi avez-vous tué Heather Freeman ? Pourquoi avez-vous tué Linda Kotler ? Pourquoi avez-vous essayé de tuer l'inspectrice principale Sally Jones ?

Il était sûr qu'en l'assaillant de questions, il réussirait à le faire parler. Hellier était trop imbu de lui-même pour rester muet comme une tombe.

— Qu'est-ce que ces gens représentaient pour vous ? Est-ce qu'ils comptaient, au moins ? Les connaissiez-vous ? Vous ont-ils importuné, d'une façon ou d'une autre ? Méritaient-ils de mourir ?

— Vous ne savez rien du tout, s'énerva Hellier.

— Pourquoi les avez-vous tués ? insista Sean, en haussant le ton.

Hellier retrouva son flegme.

— Je n'ai rien à dire.

— Elle est toujours vivante, vous savez. Elle est solide, Sally Jones, et elle confirmera que c'est bien vous qui l'avez agressée.

— Ah oui ?

— Exactement.

— Ben, tiens… Vous n'êtes qu'un imbécile.

— Et vous une âme perdue.

— Sans doute. Mais pour l'instant, je m'ennuie.

— Je vais peut-être réussir à éveiller votre curiosité. Après le dernier interrogatoire, nous avons prélevé sur vous du sang et des cheveux. Vous vous rappelez ?

— Je n'ai rien à dire.

— Vous pouvez répondre à cette question, lui conseilla Templeman.

Hellier tourna lentement la tête vers lui.

— Je n'ai rien à dire.

— À titre de rappel, déclara Sean, monsieur Hellier a été arrêté il y a quarante-huit heures, car on le soupçonne d'avoir violé et assassiné Linda Kotler. À cette occasion, nous avons prélevé sur lui du sang et des cheveux pour les comparer avec ceux que nous avons retrouvés dans l'appartement de Linda Kotler. Vous vous en souvenez ?

Hellier affecta l'indifférence.

— Eh bien, il ressort des analyses ADN que les cheveux récupérés sur la scène du crime sont les vôtres.

Hellier le dévisagea, plissa les yeux, puis détourna le regard, ce qui n'échappa pas à Sean.

— C'est fini, vous ne pouvez pas contester le rapport du labo. Comme je l'ai déjà dit, il vaudrait mieux tout nous raconter.

Hellier garda le silence.

— Racontez-nous tout ce que vous avez fait, insista gentiment Sean. J'ai envie de connaître vos exploits, ajouta-t-il pour flatter sa vanité.

— Je n'ai rien à dire.

— À quoi bon vous être surpassé, si personne n'est au courant ?

— Nous savons tous les deux que vous mentez, inspecteur. Vous ne pouvez pas avoir retrouvé mon ADN chez cette femme ou sur elle, car je ne l'ai jamais vue, déclara Hellier.

Sean s'étonna qu'il nie catégoriquement être allé chez cette femme. Il s'attendait au contraire à ce qu'il essaie de biaiser, comme il l'avait fait dans l'affaire Daniel Graydon.

— Vous croyez que je mens ? Maître Templeman vous confirmera je n'ai pas le droit de mentir quand il s'agit de preuves.

— Il me semble qu'au point où on en est, vous devriez nous expliquer quelles sont les pièces à conviction dont vous disposez, déclara l'avocat.

— Deux cheveux, retrouvés chez Linda Kotler, l'un sur son corps, l'autre juste à côté. Ce sont les vôtres, monsieur Hellier, et il n'y a pas longtemps que vous les avez laissés là-bas.

— Je n'ai rien à dire, se borna à observer Hellier.

— Pouvez-vous nous expliquer comment ils sont arrivés chez Linda Kotler ?

Hellier le regarda avec mépris.

— Je n'ai rien à dire

— Je dois vous signaler que si vous refusez de nous expliquer ce qu'ils faisaient là-bas, ou bien si vous en êtes incapable, un jury risque d'en tirer des conclusions qui vous seront défavorables. Avez-vous compris, monsieur Hellier ?

— Je n'ai rien à dire.

Sean se pencha vers lui :

— Je vois bien pourquoi vous ne voulez pas répondre. C'est que vous êtes allé chez elle pour la tuer.

— Je n'ai rien à dire.

— Vous l'avez violée et assassinée.

— Je n'ai rien à dire.

— Vous l'avez violée, puis torturée, et enfin étranglée, asséna Sean, qui sentait monter en lui la colère.

— Je n'ai rien à dire.

— Faites au moins une chose de bien dans votre vie. S'il vous reste un soupçon d'humanité, profitez-en pour aider ces gens dont vous avez brisé la vie à tourner la page, en avouant être l'auteur de ces crimes.

— Si vous avez des preuves, c'est à vous qu'il revient de les aider à tourner la page, répliqua Hellier. Inculpez-moi, racontez à ces gens que vous avez jeté en prison celui qui a tué leur fille ou leur fils. Pourquoi vous faut-il des aveux ? Vous n'êtes pas vraiment convaincu de ma culpabilité ?

— La question n'est pas là, James, ou bien dois-je vous appeler par votre vrai nom, Stefan Korsakov…

Sean guetta sa réaction. Hellier s'en tira avec un petit sourire.

— Il se trouve que je suis en mesure de prouver qui vous êtes vraiment et aussi de démontrer que Paul Jarratt, un ancien inspecteur principal, vous a aidé pendant des années à dissimuler vos forfaits.

— Ah, le flic a fini pas baver. Ça tombe bien, pas vrai ?

— Voilà pourquoi vous avez essayé d'assassiner Sally Jones, car elle était sur le point de découvrir la vérité.

— C'est du délire ! Vous croyez vraiment que je tuerais quelqu'un pour protéger Jarratt ?

— Non, mais pour vous protéger, si.

Hellier s'avança au maximum vers lui.

— Je m'en fiche que vous pensiez savoir qui je suis, ou même que vous le sachiez. Je peux être qui je veux, aller où j'en ai envie et faire ce qu'il me plaît. Jarratt n'est qu'un petit flic ripou, inspecteur, ce n'est pas une raison pour le liquider.

Sean ravala sa colère.

— À ce propos, c'était bien joué de votre part, déclara-t-il.

— De quoi parlez-vous ?

— Vous vous êtes fait passer pour moi, quand vous avez abordé Linda Kotler. Dites-moi, déteniez-vous une fausse carte de police ou bien est-ce Jarratt qui vous en a procuré une ?

— Je ne comprends pas un mot de ce que vous racontez. Ma parole, vous êtes fou.

— Non, c'est vous, le dingue.

Le silence retomba dans la pièce. Sean et Hellier se dévisagèrent, tandis que Templeman et Cahill regardaient ailleurs, mal à l'aise.

— Je pense que cet interrogatoire a assez duré, coupa l'avocat. Au vu des blessures qu'a récoltées monsieur Hellier au cours de son arrestation, on devrait, me semble-t-il, l'interrompre, le temps qu'on lui prodigue les soins indispensables.

Sean n'y vit aucun inconvénient, d'autant plus que sa main droite l'élançait, les antalgiques cessant de faire effet. Il regarda sa montre :

— Il est 13 h 36, et je suspends cet interrogatoire afin que monsieur Hellier puisse voir un médecin. Nous reprendrons ensuite.

Il s'apprêtait à éteindre le magnétophone quand Hellier l'en empêcha.

— Attendez ! dit-il. Peu m'importent les conclusions de votre laboratoire. Je n'ai assassiné aucune de ces trois personnes et je n'ai pas agressé votre chère inspectrice principale Sally Jones.

— On n'avance pas, coupa Sean. Cet interrogatoire est terminé.

— Mais enfin, on se sert de vous et moi, inspecteur. Il y a un homme qui m'a appelé hier soir, aux alentours de 19 h 30. C'est le même type qui m'avait déjà téléphoné le soir où cette Linda Kotler a été assassinée. Il m'a toujours contacté sur mon portable, sauf la première fois où il m'a joint au bureau. La secrétaire pourra vous le confirmer. Cet individu, quel qu'il soit, voulait être sûr que je n'avais pas d'alibi. Il se débrouillait toujours pour me donner rendez-vous dans des coins isolés où il n'y avait personne, mais il ne venait jamais. En outre, il insistait pour que je sème les flics qui me suivaient. Eh oui, il tenait absolument à ce que je déjoue les filatures, je comprends maintenant pourquoi.

— Et j'imagine que c'est le même qui est allé mettre des cheveux à vous chez Linda Kotler ? Je n'ai pas le temps d'écouter ces conneries, dit Sean.

— Vous y êtes pourtant bien obligé. Il est de votre devoir d'essayer de découvrir qui m'a appelé ces soirs-là, même si vous pensez que c'est du temps de perdu. Sinon, aucun juge ne voudra intenter de procès contre moi.

Sean savait qu'il avait raison et qu'il lui appartenait de vérifier son alibi, aussi grotesque soit-il.

— D'accord, soupira-t-il. Mais il va falloir me donner le numéro de la personne qui vous a téléphoné.

— Je ne le connais pas.

— Il devait pourtant s'afficher sur votre portable.

— C'était un numéro masqué.

— Avez-vous alors composé le 1471 ?

— Ça n'a rien donné.

— Dans ce cas, je ne peux pas faire grand-chose.

— Allons donc, inspecteur, nous savons bien, tous les deux, que vous avez les moyens de retrouver le numéro de l'individu qui m'a appelé. Puisque vous m'avez confisqué mon portable, vous n'avez qu'à le faire examiner par vos spécialistes.

— C'est ce qui va arriver, mais ça ne va pas suffire à vous sauver la mise. Cet interrogatoire est terminé.

— Je sens bien qu'au fond de vous il subsiste un doute. Vous avez beau vouloir à tout prix démontrer que je suis l'assassin que vous recherchez, vous n'en êtes finalement pas certain. Et même si vous vous fichez éperdument que je finisse mes jours en prison, ça vous ennuierait d'avoir laissé filer le coupable.

Sean secoua la tête et poussa un petit rire.

— Vous savez, je vous croyais plus malin que ça. Il s'avère, hélas, que vous n'êtes qu'un pauvre type qui essaie de sauver sa peau. Vous n'avez absolument rien d'exceptionnel, même si j'ai eu la bêtise de le croire. Vous pensiez qu'on ne vous coincerait jamais, car vous étiez persuadé de n'avoir commis aucune erreur, or c'est faux, puisque vous avez laissé des cheveux chez Daniel Graydon, mais aussi chez Linda Kotler.

— Comme je vous l'ai déjà expliqué, je connaissais Daniel Graydon, et j'étais déjà allé chez lui. Vous pouvez, par conséquent, retrouver chez lui des tas de choses à moi, ça ne prouve rien.

— C'est vrai, mais ce qui m'a laissé perplexe, c'est qu'on n'ait relevé qu'une et une seule empreinte digitale à vous chez lui, sous la clenche de la porte de la salle de bains.

— Où voulez-vous en venir ?

— Si vous n'aviez aucune raison de dissimuler le fait de vous être trouvé là-bas, comment se fait-il que nous n'ayons pas retrouvé davantage d'empreintes à vous ? Il aurait dû y en avoir toute une flopée. À mon avis, ça montre que vous avez donné un coup de chiffon sur la scène du crime pour essuyer ce que vous avez touché, en oubliant toutefois la clenche de la porte de la salle de bains.

— Daniel était à cheval sur la propreté. Il a dû effacer mes autres empreintes en faisant le ménage.

— Non, car on a retrouvé des empreintes laissées par d'autres gens après votre dernière visite. Ce n'est donc pas Daniel qui a effacé vos empreintes, mais vous-même. Pourquoi agir ainsi, si vous ne l'avez pas tué ?

— Parce que, depuis le début, je me débrouille tout seul et je ne compte que sur moi.

C'était la première faille qu'il décelait chez Hellier, la première fêlure qu'il détectait dans son personnage et qui lui indiquait que ce type n'était pas intrinsèquement mauvais, mais qu'il avait dû traverser des moments difficiles et connaître des épreuves cruelles qui l'avaient traumatisé. Il ne fallait donc pas exclure, *a priori*, qu'il ait, comme lui-même, eu une enfance malheureuse.

— J'aime bien redoubler de précautions, enchaîna Hellier. Ça me permet d'avoir toujours une longueur d'avance. Je n'ai donc pas touché grand-chose dans son appartement, et j'ai essuyé ce sur quoi j'ai posé les doigts. On ne peut pas avoir confiance dans des gens comme Daniel Graydon. Il aurait pu me créer des ennuis.

— Et, par conséquent, vous l'avez assassiné avant qu'il n'en ait l'occasion… Pourquoi pas ? Vous aviez déjà égorgé Heather Freeman, et vous l'avez choisi pour être votre prochaine victime.

— Non, s'insurgea Hellier, je n'ai assassiné personne ! Vous vous trompez sur toute la ligne !

— On tourne en rond, gronda Sean. Dans ces conditions, on va s'arrêter une heure, et puis on effectuera une autre tentative.

Une fois encore, il voulut éteindre le magnétophone, mais Hellier se montra plus rapide.

— Y a-t-il quelqu'un qui assure la protection de votre inspectrice ? lui demanda-t-il.

— Ce n'est pas quelque chose dont j'ai envie de parler avec vous.

— Bien sûr que vous avez mis des flics en faction devant la porte de sa chambre, et en plus ils sont armés, à tous les coups. Ce qui m'amène à vous demander pourquoi vous avez pris ces dispositions, si vous pensez que c'est moi qui aurais envie de lui faire la peau, alors que je suis actuellement en garde à vue ?

— On procède toujours ainsi.

— Ça m'étonnerait. Vous la faites protéger, car vous savez que ce n'est pas moi qui risquerais de l'assassiner. Ce type est toujours en liberté, et vous ne l'ignorez pas.

— Je n'ai pas de temps à perdre à écouter ces bêtises.

— Je sais qui est l'assassin, inspecteur. Je sais qui a tué tous ces gens et qui a failli tuer Sally Jones. D'un seul coup, j'ai compris. Eh oui, ce ne pouvait être que lui. Il n'y avait que lui pour en savoir autant sur moi et pour être en mesure de me surveiller d'aussi près.

— C'est qui ? Allez, dites-moi de qui il s'agit.

— Vous le savez déjà.

— Mais enfin, dites-le-moi. Vous avez intérêt à parler tout de suite, sinon je vais mettre un terme à cet interrogatoire et vous allez finir vos jours à Broadmoor, en expiant les crimes d'un autre.

— Vous le savez déjà, répéta Hellier. Si je le sais, vous le savez également. Faites appel à votre imagination, essayez de vous mettre à sa place et de réfléchir comme lui.

Sean se pencha en avant pour lui répondre, mais subitement il s'arrêta et vit défiler devant ses yeux des épisodes de la tragédie — la première fois qu'il était entré dans l'appartement de Daniel Graydon et qu'il avait découvert son cadavre, baignant dans une mare de sang, puis l'autopsie, et ensuite la visite qu'il avait rendue à Hellier sur son lieu de travail, alors que Sebastian Gibran assistait à la scène ; les photos d'Heather Freeman égorgée, avec ses yeux verts au regard éteint ; la hargne qui se lisait sur le visage d'Hellier quand il était venu l'interpeller à son bureau, tout cela en présence de Sebastian Gibran ; le corps de Linda Kotler, torturé et tordu dans tous les sens, tandis qu'Hellier avait reconnu être un adepte du sadomasochisme ; Sebastian Gibran qui prenait contact avec Sally, l'invitait à déjeuner et l'observait, et puis Sally agressée chez elle. Les appels qu'Hellier avait reçus, les instructions qu'on lui avait données et qui, en réalité, n'avaient d'autre objectif que de le priver d'alibi ; Sebastian qui s'amusait à le monter contre Hellier, et vice-versa…

— Nom d'un chien ! s'exclama-t-il. Il faut que j'aille tout de suite à l'hôpital.

— Dépêchez-vous, si vous voulez y arriver avant lui, dit Hellier.

Sean quitta la pièce en courant et faillit renverser Donnelly au passage.

— Il y a un problème ? demanda celui-ci, ahuri.

— Il faut que j'aille voir ce que devient Sally.

— Ah bon ? Et qu'est-ce qu'on fait d'Hellier et de Jarratt ?

— Si les bœufs-carottes en veulent, tu n'as qu'à leur livrer Jarratt. Quant à Hellier, répondit-il en songeant qu'il lui avait bel et bien cassé la figure, eh bien, on est quittes, lui et moi. Fous-le dehors et dis-lui que je ne veux plus jamais le revoir. Ensuite, rejoins-moi en vitesse à l'hosto.

Il sortit et ferma la porte derrière lui.

— Quelqu'un peut-il enfin m'expliquer ce qui se passe ? demanda Donnelly.

Chapitre 21

Vendredi après-midi

Je m'assieds sur un banc, dans un joli petit jardin de l'hôpital ou viennent fumer ceux qui se remettent d'une amputation consécutive à un cancer. Personne ne fait attention à moi, qui porte la tenue bleu sombre d'un infirmier. Une perruque, une moustache et des lunettes me tiennent lieu de déguisement, et au fond de ma poche le rouleau de fil à couper me rentre dans la hanche. C'est une arme rudimentaire mais silencieuse et très efficace, si l'on sait s'en servir.

Je me dirige vers l'entrée de Charing Cross, la seringue collée avec du sparadrap me tirant un peu sur la peau à chaque fois que je fais un pas. Ce n'est pas très agréable d'avoir au creux des reins un couteau glissé dans sa gaine, mais c'est rassurant.

J'aime bien tout prévoir en détail, mais là, je n'en ai pas eu le temps. Il va me falloir improviser. Si l'autre pétasse de la police s'en sort, elle racontera que c'est moi qui suis venu la voir ce soir-là, et je pourrai dire adieu à mon petit numéro. Je serai obligé de m'enfuir. En revanche, si j'arrive à réparer mon erreur, je demeurerai anonyme.

Je n'ai pas eu de mal à trouver l'établissement hospitalier dans lequel on l'a transportée. Dans le coin, on vous envoie soit à Chelsea and Westminster, soit à Charing Cross. Il m'a suffi de passer deux ou trois coups de fil pour découvrir dans lequel des deux on l'avait évacuée et apprendre qu'elle se trouvait en unité de soins intensifs. On a même eu la gentillesse de me prévenir qu'on espérait qu'elle allait se remettre de ses blessures. Les gens devraient faire attention aux renseignements qu'ils donnent, car ils ne savent jamais vraiment à qui ils s'adressent.

J'emprunte les couloirs interminables et sinueux pour parvenir à la buanderie. Les membres du personnel soignant et les brancardiers y font sans arrêt des allées et venues, sans que personne ne s'occupe des autres. Il y a à peu près autant d'intimité dans ces immenses hôpitaux que dans une gare aux heures de pointe, et en plus les mesures de sécurité en vigueur là-dedans sont une vaste plaisanterie.

Je m'empare d'une pile de draps propres et bien pliés dans leur housse de polythène et je gagne l'ascenseur qui va m'amener directement dans l'unité des soins intensifs. Alors qu'il s'élève, mon pouls s'affole et la puissance me circule à nouveau dans les veines. J'en ai le vertige. Ça me donne envie d'agresser ceux qui sont autour de moi et de les découper avec mon couteau, mais je me retiens, car une autre tâche m'attend.

Les portes s'ouvrent, je découvre l'unité de soins intensifs et constate qu'à la différence du reste de l'établissement il fait ici plus chaud, plus sombre et que c'est plus calme. On s'y sent en sécurité. Je m'engage dans ce lieu de paix et laisse l'ascenseur redescendre dans le chaos. Je sais tout de suite quelle chambre elle occupe, grâce à l'agent de police armé qui est en faction devant. Je m'y attendais. Tant mieux. Il va bien me servir, son uniforme. Une fois que je l'aurais revêtu, je vais aller passer quelques instants avec la petite salope, histoire de prendre congé d'elle. Ensuite, je vais lui injecter un grosse bulle d'air à l'aide de la seringue et l'envoyer retrouver son créateur. Après tout, qui est-ce qui va poser des questions à un flic armé ?

Une infirmière sort d'une chambre et me toise avec dédain, ma tenue indiquant que je suis tout en bas de l'échelle dans ce grand hôpital. Je baisse les yeux sur les draps.

— On m'a dit à la buanderie qu'il ne vous en reste plus beaucoup de propres, lui dis-je en prenant une voix efféminée.

— Première nouvelle.

Voilà tout ce qu'elle trouve à répondre, l'autre morue.

— Le placard se trouve juste à l'angle, en face des toilettes.

Elle me parle comme à un chien, sans dire « merci » ni « s'il vous plaît ». Ah ça, j'aimerais bien, moi, lui apprendre un peu la politesse ! Un autre jour, peut-être.

Je suis ses instructions, adresse au passage un signe de tête au flic armé et dépose le linge dans le placard, puis je m'approche des toilettes, sans toutefois y entrer. Au lieu de ça, je prends l'air soucieux et vais vite voir le pandore.

— Excusez-moi, dis-je en jouant les grandes folles, il y a quelque chose de louche dans les toilettes.

Il me regarde de pied en cap avec dégoût, à croire qu'il a envie de m'écraser comme une mouche. Il finit par se lever pour aller vérifier, avec toute l'intrépidité qui caractérise les condés munis d'un calibre censé leur garantir l'impunité. Je lui tiens la porte.

— Qu'est-ce qui déconne ? me demande-t-il.

Ce sont là ses derniers mots, car aussitôt je lui passe le fil à découper autour du cou et je serre de toutes mes forces. Il parvient à glisser quelques doigts sous le garrot, mais c'est peine perdue. S'il le faut, je les lui trancherai. Je le traîne en silence au milieu des toilettes, où il essaie d'attraper quelque chose qui fasse du bruit et donne l'alerte. Il se rend compte que ce n'est pas possible, suffoque, agite en silence les pieds sur le carrelage, puis ne bouge plus. Il lui a coulé un filet de sang sur sa chemise et son gilet pare-balles, mais je n'aurai pas de mal à le cacher. Faut-il que je zigouille les infirmières ? Non, ça prendrait trop de temps. Si jamais on s'aperçoit que le flic n'a plus la même tête, on en conclura que c'est un nouveau qui a pris la relève.

Maintenant, le moment est venu de réparer un tort.

Chapitre 22

Sean approchait de l'hôpital en faisant hurler sa sirène dans les rues d'Hammersmith, où ça roule toujours très mal, le gyrophare aimanté au toit de sa voiture banalisée indiquant *in extremis* aux autres conducteurs qu'il déboulait à toute allure. S'il avait maintenant un accident, il ne pourrait compter sur aucun soutien, et il n'y aurait donc personne pour aller voir Sally. Il avait eu beau céder à la panique, il aurait dû prendre contact avec ses collègues du coin pour leur demander de surveiller l'hôpital. Certes, mais ça l'aurait retardé, car il lui aurait fallu leur expliquer la situation et les convaincre d'envoyer sur place d'autres flics armés. Sans compter qu'il risquait de se fourvoyer et que rien ne prouvait qu'Hellier ne se fichait pas de lui une fois de plus, cherchant à le discréditer auprès de ses homologues. Tout compte fait, il avait décidé de prendre les devants et de laisser Donnelly le rejoindre plus tard.

Il arriva en trombe sur le parking de l'hôpital, éteignit le gyrophare et coupa la sirène par mesure de discrétion, se gara dans un emplacement réservé aux ambulances, puis sortit en courant de la voiture, sans même refermer sa portière ni embarquer la clé de contact.

Il se précipita vers le bâtiment des urgences, regarda sur le plan où se trouvait l'unité des soins intensifs et sauta dans l'ascenseur. Celui-ci s'arrêta deux étages avant celui qui l'intéressait, et une bande d'infirmières voulut y accéder. Il leur montra aussitôt sa carte de police, déjà prête, et leur expliqua que la police le réquisitionnait.

Elles râlèrent un peu et gloussèrent comme des bécasses. Il appuya sur le bouton.

Il finit par arriver à bon port. Dès qu'il sortit dans le couloir, il aperçut un agent de police en faction devant ce qui devait être la chambre de Sally. Il remarqua tout de suite qu'il était armé d'un pistolet et qu'il avait rabattu sa casquette sur le front, à la façon des militaires, de sorte qu'on ne voyait pas le haut de son visage. Sans doute avait-il servi un temps dans l'armée, à en juger par la grosse moustache qu'il arborait fièrement. Il lui montra sa carte de police.

— Inspecteur divisionnaire, il faut que je voie ma collègue Sally Jones.

Il avait déjà ouvert la porte quand le cerbère lui fit signe d'entrer. Il s'avança tout doucement vers Sally, craignant le pire, mais fut soulagé d'entendre biper les appareils surveillant son pouls et sa tension artérielle, ce qui prouvait qu'elle était bien vivante. On l'avait d'ailleurs intubée pour l'oxygéner, et si ce tuyau qui lui entrait dans la trachée était affreux, il avait aussi un côté rassurant.

Il lui posa la main sur le front et lui caressa les cheveux. Que dire ? Il sentit brusquement qu'il y avait quelqu'un derrière lui et se retourna, prêt à la bagarre.

— Ah ben, dis donc, t'as pas traîné ! dit-il à Donnelly.

— J'ai fait le trajet dans un véhicule de police secours qui a foncé à toute blinde. Alors Sally, elle va s'en sortir ?

— On dirait.

— Pourriez-vous enfin m'expliquer ce qui se passe ? Qu'est-ce qu'on fabrique ici, et pour quelle raison avez-vous relâché Hellier ?

— Où se trouve le flic armé qui assurait sa protection ? Tu l'as vu ?

— Non, il n'y en avait pas.

— Allons donc, tu es arrivé juste après moi. Il y avait un agent en faction devant sa porte.

— Moi, je veux bien, hein. Faut croire alors qu'il est allé pisser un coup.

— Les toilettes… Je vais y faire un tour.

— Pourquoi ça ?

— Je sais qui est l'assassin, répondit Sean, qui se précipita dans le couloir. Il est ici, j'en suis sûr.

— C'est Hellier le coupable, et pourtant vous l'avez remis en liberté, ronchonna Donnelly.

Sean entra en trombe dans les toilettes, où trois lavabos faisaient face à trois WC, dont un seul était fermé sans que l'on ait donné un tour de verrou, comme l'indiquait le petit témoin vert.

— Oh oh ! lança-t-il. Ici l'inspecteur divisionnaire Corrigan, je voudrais savoir s'il y a quelqu'un ?

N'obtenant aucune réponse, il ouvrit la porte et sursauta en apercevant un mec livide à moitié nu, effondré sur le siège, le visage congestionné, les yeux exorbités, tirant une langue violacée. Le malheureux avait porté la main à son cou pour essayer de desserrer le fil de fer qui l'étranglait. Il n'avait réussi qu'à se couper les doigts et à se tacher de sang les doigts et la poitrine.

Donnelly surgit derrière son patron.

—Ah merde… !

— C'est Gibran, déclara Sean, c'est Sebastian Gibran qui l'a assassiné, lui et tous les autres.

— Mais qui c'est, ce mec ?

—Le flic armé qui assurait la protection de Sally. Gibran a revêtu son uniforme, et moi, comme un con, je suis passé devant lui, la gueule enfarinée ! hurla Sean.

Il se précipita vers l'ascenseur, et deux infirmières furent stupéfaites de l'entendre crier.

— Où allez-vous ? lança Donnelly.

— Je peux encore le rattraper. Il a dû passer par l'escalier, puisque tu ne l'as pas vu sortir de l'ascenseur au rez-de-chaussée. Ne bouge pas d'ici et surveille Sally.

— S'il a enfilé l'uniforme de l'agent, il a dû aussi lui piquer son flingue. Vous devriez attendre qu'il se fasse serrer par les mecs de mon unité armée.

La porte de l'ascenseur se referma, et Sean s'aventura alors dans un monde incompréhensible et dont en général on ne revient pas.

***

Sean courut comme un dératé dans le hall, en essayant de repérer Gibran dans la cohue et en demandant ici et là aux gens s'ils avaient vu un agent de police. Personne ne semblait en mesure de l'aider. Finalement, un brancardier expliqua en avoir aperçu un quitter le bâtiment et se diriger vers le parking.

Il fonça dehors en bousculant tout le monde, tant pis, et cavala au milieu des voitures en stationnement. Impossible de retrouver Gibran.

Il s'arrêta pour reprendre son souffle. Son portable se mit alors à vibrer et afficha le numéro de Donnelly.

— J'ai perdu sa trace, lui dit-il.

— Où êtes-vous ?

— Sur le parking.

Au même instant, il aperçut un uniforme bleu, à une centaine de mètres devant.

— Il est ici ! s'écria-t-il. Je le vois !

Il se rua vers lui, mais celui-ci se retourna brusquement et sortit un couteau quand il arriva près de lui. Au lieu de se faire planter, Sean fut projeté en arrière, valdingua sur le capot d'une bagnole et roula par terre. Il se reprit vite, chercha Gibran des yeux, ne comprenant toujours pas ce qui lui était arrivé. La scène qu'il découvrit le laissa alors pantois.

James Hellier avait réussi à immobiliser Gibran, puis à lui arracher son couteau, qu'il lui collait maintenant sous la gorge. De l'autre main, il lui prit son pistolet, qu'il coinça à l'arrière de sa ceinture. Gibran se débattit en vain. Hellier lui tordit le bras droit, clic, puis le bras gauche, reclic. Il venait tout bonnement de lui passer les menottes.

— Tu m'as doublé, salopard, tu vas me le payer !

— Non, James, ne le tuez pas, dit Sean sans s'énerver. Mes collègues arrivent, écoutez…

On entendait des sirènes s'approcher.

— Je sais que vous n'avez assassiné personne, James, reprit-il. Mais si vous le tuez, vous irez en prison.

— Je ne peux tout de même pas laisser passer ça, répondit Hellier. Il m'a pris pour un con, et je me suis fait avoir.

Gibran voulut protester, Hellier le secoua comme un prunier.

Comment s'adresser à un homme qui reste indifférent aux menaces et insensible aux promesses ?

— Il y a quinze jours, dit Sean, j'ai emmené mes enfants au zoo. Il y a là-bas un superbe tigre, qui tourne en rond dans sa cage et ne demande visiblement qu'une chose, c'est qu'on le laisse sortir. Eh bien moi, je vous le garantis, James, ce sera pareil pour vous, vous ne pourriez plus supporter la prison. Alors lâchez-le.

Hellier s'amusa.

— Ne vous inquiétez pas, inspecteur, je ne vais pas le tuer. Pas maintenant, car j'ai envie qu'il tremble de peur à chaque seconde qui passe. Ensuite, il aura droit à ce que vous auriez dû faire à votre malheureux tigre, pour abréger ses souffrances.

Sur ces entrefaites, Hellier poussa Gibran vers Sean, qui eut toutes les peines du monde à le tenir, avec sa main esquintée qui l'élançait. Il ne s'attendait pas non plus à ce que Gibran ait autant de force.

— Eh voilà, dit Hellier, je vous le laisse en guise de cadeau d'adieu. Ce n'est pas exactement ce à quoi je pensais au départ, mais il va falloir vous en contenter, pour le moment. À ce propos, méfiez-vous, inspecteur, il est aussi dangereux qu'il s'imagine l'être, et je sais de quoi je parle.

Gibran cracha en direction d'Hellier.

— On se reverra en enfer !

— T'inquiète, je t'y attendrai, répliqua Hellier, imperturbable.

Les renforts débarquèrent à grands coups de pin-pon. Sean vit plusieurs voitures de police se garer au bord du parking et en descendre une volée d'agents en tenue.

— Il faut me donner ce pistolet, James. En outre, on aura besoin de recueillir votre déposition. Et puis, si vous vous montrez coopératif, on pourra fermer les yeux sur vos petites magouilles avec Jarratt.

— Ça m'étonnerait, Sean, répondit Hellier, qui ne l'avait encore jamais appelé par son prénom. La police n'a pas l'habitude de se montrer compréhensive, et il est grand temps que j'aille voir ailleurs. Vous avez déjà tué James Hellier, Sean.

Il s'éloigna, prêt à s'évanouir dans cette ville qui pendant si longtemps lui avait servi de terrain de jeu.

— James ! James, vous ne pouvez pas partir comme ça !

— Souvenez-vous de ce que je vous ai dit : je peux être qui je veux et aller où j'en ai envie. Au revoir, Sean.

— James !

Hellier se retourna une dernière fois :

— Je conserve ce flingue, au cas où quelqu'un aurait la bêtise de me suivre. Ciao, Sean.

Il lui adressa un signe de la main, puis disparut derrière une camionnette.

— James ! Ou non, Stephan ! Stefan… !

Gibran vit s'approcher les agents de police et essaya de s'enfuir. Sean le poussa contre le coffre d'une voiture et se coucha sur lui, en ayant tout le mal du monde à l'empêcher de se débattre, même s'il avait les menottes dans le dos.

— Vous n'avez aucune preuve contre moi, lui dit Gibran.

— Ah oui ? Vous vous baladez avec sur le dos l'uniforme d'un flic qui vient de se faire assassiner, espèce d'ordure ! C'est fini, Gibran, je vous le garantis.

***

Sean sortit une fois de plus de l'ascenseur et gagna en vitesse la chambre de Sally. Tout était calme dans l'unité de soins intensifs, mais ça n'allait pas tarder à changer. Donnelly se trouvait au chevet de Sally.

— Ça alors, dit-il, je ne pensais que vous reviendriez ici ! On m'a prévenu par radio que vous l'avez eu.

— On va désormais avoir tout le temps de s'occuper de lui. J'imagine que c'est toi qui as appelé les bleus.

Donnelly acquiesça en agitant son portable, mais Sean était déjà en train de regarder dans la petite commode installée à côté du lit.

— Vous cherchez quelque chose ?

— Les affaires de Sally.

— Pour quoi faire ?

— J'en ai besoin, afin d'en être sûr.

— Sûr de quoi ?

— Du fait que Gibran sera condamné pour cette horreur, répondit-il en désignant Sally.

— On a dû les mettre sous scellés, ses affaires.

— Va savoir. N'oublions pas qu'elle a d'abord été admise aux urgences. Ils avaient d'autres chats à fouetter que de flanquer ses affaires dans des sacs avec des étiquettes.

Il ouvrit le tiroir du bas et eut la chance de trouver un sac en plastique renfermant la montre de Sally, des bijoux, un bandeau élastique et sa carte de police, tachée de sang.

— Il faut qu'on la retrouve chez Gibran quand on ira perquisitionner là-bas, expliqua-t-il à Donnelly.

— D'accord.

— Il vaudrait mieux que ce ne soit pas toi qui la découvres, si tu vois ce que je veux dire…

— Oui. Laissez-la-moi.

— Tu es un mec bien.

— Je le sais.

***

Gibran demeurait impassible, face à Sean et Donnelly. Il n'y avait personne d'autre dans la salle réservée aux interrogatoires, dans la mesure où le camarade Sebastian n'avait pas daigné se faire assister par un avocat, s'estimant sans doute mieux placé que quiconque pour assurer sa défense.

Sean effectua les présentations et lui rappela ses droits.

— Monsieur Gibran, savez-vous pourquoi vous êtes ici ?

— C'est la première fois que j'entre dans un commissariat, déclara son interlocuteur sans répondre directement à sa question, et ça ne ressemble pas vraiment à ce que j'imaginais. Il y a plus de lumière que je ne croyais, et c'est moins flippant.

— Savez-vous pour quel motif vous êtes ici ?

— Oui.

— On vous accuse de plusieurs meurtres et d'une tentative de meurtre.

— J'en ai bien conscience, inspecteur.

— Si on parlait de ce qui vous amène ici ?

— Pas de formalités entre nous, appelez-moi Sebastian.

— D'accord. Avez-vous envie de parler de ce que vous avez fait ?

— Vous voulez dire de ce dont on m'accuse ?

— Niez-vous avoir assassiné Daniel Graydon, Heather Freeman, Linda Kotler et l'agent de police Kevin O'Connor ? Niez-vous avoir tenté d'assassiner l'inspectrice principale Jones ?

— Qu'est-ce que vous attendez de moi, inspecteur ? Que je vous fasse des aveux circonstanciés ?

— J'en rêve.

— Pour quelle raison ?

— Parce que ça me permettrait de comprendre pourquoi ces gens ont trouvé la mort, ou plutôt pourquoi vous les avez tués.

— Et pourquoi avez-vous envie de le comprendre ?

— Il se trouve que c'est mon métier qui veut ça.

— Non, dit Gibran avec un petit sourire. C'est trop facile, comme explication.

— Dans ce cas, qu'est-ce qui m'amène, selon vous, à chercher à y voir plus clair ?

— La peur. Comme on a peur de ce qui nous échappe, on catalogue tout et l'on explique, par exemple, que c'était un crime passionnel, ou bien motivé par la haine, ou encore le geste d'un schizophrène.

— Et dans quelle catégorie faut-il vous ranger ?

Gibran s'écarta de la table.

— Pourquoi tenez-vous absolument à m'étiqueter ?

— Vous serez bien avancé, le jour de votre procès…

— Je sais que vous cherchez à m'aider, mais à ce que je vois, vous n'êtes pas prêt de me faire déclarer coupable de quoi que ce soit.

— Oh, vous serez déclaré coupable, je vous le garantis.

— Vous vous montrez catégorique à propos de quelque chose qui reste sujet à caution. Mais voilà ce que je vous propose : si je suis reconnu coupable de ces crimes, nous en reparlerons en détail. En revanche, si les preuves retenues contre moi ne sont pas jugées concluantes et si l'on me remet en liberté, on n'abordera plus jamais ce sujet.

— Les aveux obtenus après condamnation n'ont aucune valeur.

— Pour le tribunal, peut-être, mais à vos yeux, ils revêtiront une grande importance.

Sean eut l'impression que Gibran essayait de mettre un terme à l'interrogatoire. Comme si ça l'épuisait de jouer l'homme poli et sain d'esprit. Sean y vit une raison supplémentaire d'insister.

— Parlez-moi de vous, lui dit-il.

— Très bien. J'ai 41 ans et je suis né dans l'Oxfordshire. Il y avait quatre enfants dans ma famille, deux garçons et deux filles, et je suis le cadet. Mon père était un exploitant agricole, et c'est ma mère qui nous a élevés. Nous étions aisés, sans être riches au sens propre du terme. Je suis allé dans une école privée, j'étais un bon élève et ensuite j'ai pu faire des études d'économie. Après avoir obtenu un diplôme en finance d'entreprise, j'ai trouvé un poste chez Butler and Mason. J'ai gravi les échelons et suis devenu l'un des principaux associés de l'entreprise. Je suis marié, et j'ai deux enfants adorables. Bref, je mène une vie tout à fait normale.

— Jusqu'à ces derniers temps, corrigea Sean en l'observant attentivement, jusqu'à ce qu'il vous arrive quelque chose qui sorte de l'ordinaire. Vous avez alors changé, et vous avez cédé à des pulsions irrépressibles.

— Je ne suis pas un malade mental, inspecteur. Je n'entends pas des voix, je me maîtrise très bien et je ne suis pas devenu un monstre à cause de ce qui m'est arrivé. J'ai été un enfant heureux, aimé de ses parents et qui a toujours pu compter sur ses frères et sœurs. En plus, j'avais des tas d'amis. Je n'étais pas cruel, je n'arrachais pas les pattes des araignées, je ne mordais pas mes petits camarades à l'école maternelle, pas plus que je ne torturais et ne mettais à mort les animaux domestiques.

— Mais alors, pourquoi ?

— Je vous demande pardon ?

Sean ravala son agacement.

— Pourquoi avez-vous tué Daniel Graydon, Heather Freeman et Linda Kotler ?

— C'est parce que vous cherchez à me comprendre que vous me posez cette question ?

— Oui.

— Je n'ai pas de réponse satisfaisante à vous donner.

— Essayez toujours.

Gibran se tut.

— Connaissez-vous la fable de la grenouille et du scorpion ? demanda-t-il au bout d'un moment.

— Non.

— Un beau jour, un scorpion demande à une grenouille qui se chauffe au soleil l'autorisation de grimper sur son dos pour traverser le cours d'eau au bord duquel ils se trouvent tous les deux, car il ne sait pas nager. « Il n'en est pas question, répond la grenouille, car tu vas me piquer. — Non, je te le promets. — Comment veux-tu que je croie en la parole d'un scorpion ? — Pour la bonne et simple raison que si je te pique pendant la traversée, on va se noyer tous les deux. » La grenouille réfléchit, puis accepte d'aider le scorpion à franchir la rivière. Patatras, ils ne sont pas encore arrivés sur l'autre berge que le scorpion la pique ! « Pourquoi as-tu fait ça ? lui demande la grenouille. Maintenant, on va mourir tous les deux. — Parce que je n'ai pas pu m'en empêcher, répond le scorpion. C'est dans mes gênes. » J'ai toujours pitié du scorpion, en revanche la grenouille me laisse froid, conclut Gibran.

Silence.

— Êtes-vous en train de m'expliquer que vous avez tué quatre personnes pour la simple et bonne raison que vous ne pouviez pas faire autrement ?

— Ce n'est qu'une fable, dont j'ai pensé qu'elle risquait de vous plaire.

— Je vous vais dire ce qui, selon moi, vous a amené à commettre ces meurtres : ça vous donne l'impression d'être quelqu'un d'exceptionnel. Sinon, votre vie n'a aucun sens. À quoi bon gagner de l'argent pour les autres ? Vous ne supportez pas le vide de votre existence et le fait de devoir admettre que vous êtes nul. Vous auriez cependant pu devenir celui que vous vouliez être, ce ne sont pas les occasions qui ont manqué. Mais vous n'en avez pas eu le courage, non, vous étiez trop lâche pour accomplir quelque chose qui vous distingue du commun des mortels. Au lieu de ça, vous êtes persuadé que tout le monde doit s'incliner devant vous, parce que vous êtes unique. Mais comme personne n'est venu s'incliner devant votre majesté, vous en voulez au monde entier. Vous avez donc décidé de nous montrer que vous êtes quelqu'un d'extraordinaire, et cela en assassinant des gens, puisque vous êtes assez bête, pervers et vaniteux pour vous sentir autorisé à tuer, comme si c'était votre destin. Ça vous servait d'excuse pour vos crimes, car il s'agit bien de crimes, que vous le vouliez ou non. Si bien, qu'en fin de compte, vous n'êtes qu'un pauvre type complètement cinglé, comme tous ceux qui sont internés à Broadmoor.

— Si ça vous plaît de le croire, ce n'est pas moi qui vais vous en empêcher, répliqua Gibran.

Sean comprit qu'il n'allait pas parler et que l'on ne connaîtrait jamais ses véritables motivations.

— Et Hellier, quel rôle joue-t-il là-dedans ?

— Pour moi, il ne pouvait être qu'un employé. Je n'allais pas me salir les mains à le considérer comme un égal. Il n'en était pas question. Je me suis servi de lui pour atteindre mes objectifs.

— Vous vous êtes aussi arrangé pour le faire passer pour l'assassin.

— L'assassin ? Je croyais que nous parlions de finances de l'entreprise.

— Mais oui, dit Sean, maintenant je comprends ! C'est vous qui avez recruté Hellier, pas vrai ? Dès que vous l'avez vu, vous avez compris que c'était celui que vous attendiez, l'employé qui allait vous servir de paravent. Vous avez tenu à être le seul à vérifier ses expériences professionnelles, puisque vous ne pouviez pas courir le risque que quelqu'un d'autre s'aperçoive que c'était un imposteur. Avez-vous seulement procédé à des vérifications de ce genre ? En tout cas, ce n'était pas ses compétences en matière de finance qui vous intéressaient, mais le fait de l'avoir à côté de vous, de pouvoir l'observer, de tout savoir sur lui et d'être ainsi en mesure de le manipuler.

— Hellier était un subalterne, dans tous les sens du terme, voué à se faire manipuler par des gens comme moi. C'est la loi de la nature.

— Ah oui ? Vous lui êtes donc supérieur, doté d'une intelligence incomparablement plus développée que la sienne ?

Gibran sourit et haussa les épaules.

— Sauf que ce n'est pas vrai, ajouta Sean, et qu'en fin de compte, il s'est montré plus malin que vous. À l'heure actuelle, il est sans doute en train de mener à nouveau la belle vie, alors que vous êtes là, soumis à un interrogatoire, et que vous allez finir vos jours en cellule. C'est qui, à votre avis, le plus dégourdi des deux ?

Sean observa la réaction de Gibran, qui cessa de sourire, pinça les lèvres et crispa les doigts. Il avait réussi à faire tomber son masque.

— Car enfin, Hellier m'a pratiquement apporté votre tête sur plateau. Il lisait dans vos pensées et savait à l'avance ce que vous alliez fabriquer.

Gibran avait du mal à cacher exaspération. Sean décida de continuer à le pousser dans ses retranchements, de manière à le déstabiliser et à le forcer à avouer.

— Il vous a ridiculisé, reprit-il. Il vous a fait passer pour un imbécile, un abruti qui réagit toujours de la même façon. En définitive, c'est lui qui a gagné.

Au lieu de mettre à hurler, comme l'espérait Sean, Gibran recommença à sourire.

— C'est bien présomptueux de votre part, inspecteur, de dire qui est le vainqueur alors que la partie n'est pas terminée, déclara-t-il sans s'énerver.

— Ce n'est pas un jeu, répondit Sean, mais qu'importe, pour vous, c'est fini.

Il se rendit compte que Gibran ne parlerait pas et qu'il était temps de mettre un terme à l'interrogatoire.

— Monsieur Gibran, y a-t-il quelque chose, n'importe quoi, que vous ayez envie de m'expliquer ?

— Je sais qui vous êtes.

— Je vous demande pardon ?

— Je l'ai senti en vous, tout comme je l'ai senti chez Hellier. Les autres ne s'en aperçoivent pas, mais moi, j'ai compris tout de suite que vous êtes victime de votre passé et que c'est ce que vous avez vécu jadis qui explique ce que vous êtes devenu. Il en va de même chez Hellier, à la différence qu'il contrôle ses pulsions, tandis que vous, vous les refoulez. Vous en avez peur, vous ne voulez pas les assumer. Quel gâchis !

— Je ne comprends pas un mot de ce que vous dites.

— On vous a dressé comme une bête en cage, reprit Gibran. On vous a appris à obéir, on vous a envoyé voir un psy et on vous a bourré de médicaments pour faire de vous un être docile.

— Vous ne savez rien de moi, s'insurgea Sean.

— Au contraire. Je sais, par exemple, que chaque fois que vous voyez vos enfants, vous repensez à vous, au même âge, et à votre père. Car c'était lui, n'est-ce pas, qui vous infligeait des sévices sexuels ? C'était lui qui se livrait à des attouchements sur vous ? Et quand, en grandissant, vous ne vouliez pas vous laissez faire, il vous frappait.

Sean se sentit blêmir. Comment Gibran avait-il pu deviner ?

— Vous êtes fini, lui lança-t-il.

— Vous êtes victime de votre histoire, et vous en restez traumatisé. Pendant combien de temps allez-vous nier ce que vous êtes ? Combien de temps va-t-il s'écouler avant que vous ne vous livriez, à votre tour, à des attouchements sur vos enfants ? Ça explique que vous ayez pu percer Hellier à jour, car à chaque fois que vous vous regardez dans la glace, vous le voyez, lui et tous les autres que vous avez envoyés en prison, mais moi, vous ne me voyez pas. Du même coup, vous n'arrivez pas à me comprendre.

Sean voulut sauter de sa chaise et lui flanquer son poing dans la figure. Donnelly tendit le bras pour l'en empêcher.

— Jouez à vos petits jeux si vous le voulez, dit Sean à Gibran, mais ce n'est pas ça qui vous empêchera de terminer derrière les barreaux.

— Ça m'étonnerait.

— Votre arrogance a signé votre perte, Sebastian. Vous vous croyiez incapable de commettre des erreurs, et pourtant vous les avez accumulées. Sally Jones est vivante, elle va sortir du coma et se remettre, et elle confirmera alors que c'est bien vous qui l'avez agressée. Tout simplement parce qu'elle a vu votre visage. Vous vouliez en effet qu'elle sache quelle tête avait son assassin, et pour cette raison, vous n'avez pas mis de masque.

— À mon avis, elle n'a pu qu'entrevoir son agresseur. Comme cela s'est passé tard le soir, il ne devait pas y avoir beaucoup de lumière.

— N'oubliez pas les enregistrements des caméras de surveillance du métro. Maintenant qu'on sait qui chercher, on ne va pas tarder à vous repérer dessus en train de suivre Linda Kotler.

— Vous arrivez peut-être à prouver que je suis allé à Hammersmith, mais ça ne suffira pas à établir que c'est moi qui ai tué cette fille.

— On visionnera aussi les enregistrements des caméras de surveillance de l'Utopia, qui datent du soir de la mort de Daniel Graydon. Rien ne dit non plus que les videurs ne vont pas vous reconnaître, quand on organisera un tapissage.

— Et alors ? Ça ne prouve rien.

— Vous êtes aussi allé voir Sally Jones dans l'unité des soins intensifs et vous avez assassiné l'agent de police qui assurait sa protection. Quand on vous a arrêté, vous aviez revêtu son uniforme. Sans parler de la seringue fixée à votre poitrine.

— Une malheureuse seringue vide.

— D'après les médecins, il vous aurait suffi d'injecter de l'air dans une artère de Sally pour qu'elle ait un infarctus. Elle aurait par conséquent été victime d'un assassinat, et on n'y aurait vu que du feu.

— Ce ne sont là que des hypothèses, inspecteur.

— Et l'uniforme que vous aviez sur le dos ?

— Vous n'avez qu'à m'accuser de m'être fait passer pour un agent de police.

— Vous en avez assassiné un, puis vous avez enfilé sa tenue réglementaire.

— À vous de prouver que c'est bien moi qui l'ai tué. De quelles pièces à conviction disposez-vous ? De mes empreintes sur l'arme du crime, de mon ADN sur son corps, d'enregistrements vidéo sur lesquels on me voit en train d'occire ce malheureux ? En réalité, vous n'en avez pas.

Sean se demanda quand il lui fallait sortir son atout et comment Gibran allait réagir. Il ôta lentement de la poche de sa veste un sac à scellés en plastique transparent et le jeta sur la table.

Gibran le regarda et, pour la première fois, eut l'air décontenancé.

— La carte de police de Sally Jones, expliqua-t-il. Nous l'avons retrouvée chez vous, dans un tiroir de votre bureau. Comment est-elle arrivée là-bas ?

— Nous savons tous les deux que là n'est pas la question. Vous allez essayer de convaincre les jurés que je l'ai conservée comme un trophée. Ils vous croiront ou pas.

— Et de votre côté, qu'est-ce que vous allez dire pour votre défense ?

— Ça, inspecteur, on verra bien.

***

Sean et Donnelly écoutèrent en entier l'enregistrement de l'interrogatoire de Gibran.

— Il ne nous a rien dit du tout, conclut Donnelly.

— Il n'allait certainement pas parler. Mais il fallait que je passe un moment en sa compagnie pour l'observer et entendre le son de sa voix, expliqua Sean.

— Et alors ?

— C'est lui, l'assassin, il n'y a plus aucun doute. Il s'est servi d'Hellier pour parvenir à ses fins.

— Nom de Dieu. Il a dû passer un temps fou à planifier le meurtre de tous ces gens qu'il ne connaissait pas. À quel genre d'individu avons-nous donc affaire ?

— À quelqu'un qui ne veut pas s'arrêter. Il savait qu'on finirait par le coincer, sauf si on ne l'avait pas dans le collimateur, et que pour cela, il fallait qu'on en coffre un autre dont on était persuadés que c'était lui, l'assassin. Ça a failli marcher, car j'ai mordu à l'hameçon. Je me suis laissé aveugler par la détestation que m'inspirait Hellier et j'ai failli envoyer en taule un innocent.

— Personne n'aurait regretté Hellier, observa Donnelly.

— Ce n'est pas ce qui me dérange, puisque sa place est en prison, mais le fait que Gibran aurait très bien pu tirer son épingle du jeu. C'est ce qui aurait pu arriver, si Sally était morte.

— Il n'empêche qu'on l'a eu, ou plutôt que vous l'avez eu, déclara Donnelly.

— Certes, mais combien de vies auraient pu être sauvées si je n'avais pas perdu mon temps à courir après Hellier ?

— Aucune. Gibran a débarqué sans crier gare, on n'aurait pas pu le choper plus tôt. On a procédé comme d'habitude, en suivant les pistes fournies par les indices et en nous intéressant de près à celui que l'on considérait comme le suspect numéro un.

— Il n'y a quand même pas de quoi se réjouir.

— Parce que parfois c'est le cas ?

— Non, il faut croire que non.

— Au fait, Steven Simpson a réapparu, lui dit Donnelly.

— Qui ça ?

— Le type qui est sorti de prison il y a quelque temps, après avoir purgé une peine de sept ans pour tentative de meurtre sur un pédé.

— Ah oui. Ça me revient, maintenant.

— Il s'est fait gauler par les services de l'immigration quand il a voulu regagner le Royaume-Uni, muni d'un faux passeport. Il était allé s'amuser quinze jours à Bangkok. Ça nous permet d'éliminer un autre candidat. À ce propos, comment avez-vous deviné que Gibran allait s'en prendre à Sally ?

— En écoutant Hellier me dire que ça ne pouvait être qu'un seul type, celui qui disposait d'une foule de renseignements sur lui. Je me suis ensuite rappelé qu'après avoir vu Gibran, Sally m'avait expliqué que celui-ci lui avait fait part d'informations « sensibles », qui n'ont servi qu'à renforcer les soupçons qui pesaient sur Hellier. Du coup, j'ai compris qui était l'assassin et aussi qu'il allait chercher à tuer Sally pour la faire taire, même si cela disculpait Hellier. Si Sally était morte, nous n'aurions jamais identifié son assassin.

— Pourquoi a-t-il choisi Hellier ?

— Il ne pouvait pas essayer de faire endosser ses crimes par quelqu'un de normal, il fallait que ce soit un type qui nous paraisse louche. Or Hellier était parfait dans le genre. Si ça se trouve, il a peut-être découvert ce qui lui est arrivé autrefois. En tout cas, il a passé des années à l'observer, à se renseigner sur son compte, quitte à l'embaucher pour cela dans son entreprise afin de l'avoir auprès de lui. Jusqu'à la fin, Hellier ne s'est douté de rien. Pour l'instant, je n'en ai pas la preuve, mais je suis quasiment certain qu'on va s'apercevoir que Templeman, l'avocat d'Hellier, travaillait pour Butler and Mason, et que c'est la boîte qui payait ses honoraires, et non Hellier. Dans ces conditions, il ne demandait sans doute pas mieux que de tenir Gibran informé des progrès de l'enquête.

— Ce qui a dû lui être bien utile.

— Tu m'étonnes. À ce propos, j'attends toujours qu'on m'explique comment des cheveux d'Hellier se sont retrouvés sur la scène du crime.

— Ah oui… J'avais l'intention de vous en parler, dit Donnelly, tout penaud. Eh bien voilà : vous vous souvenez de ce qui s'est passé quand on est allés à Belgravia voir Hellier ?

— Évidemment.

— On a effectué sur lui des prélèvements…

— Je t'écoute.

— En embarquant, entre autres, deux cheveux.

— Oh là là… Qui est-ce qui a eu cette idée ?

— C'est moi.

— Tu es donc allé les déposer chez Linda Kotler, pour que Canning les découvre en examinant la scène du crime ? Sympa.

— Non, c'est quelqu'un d'autre qui s'en est chargé. J'étais

persuadé qu'Hellier était le coupable, mais…

— Mais quoi ?

— J'ai confié ces cheveux à Paulo, en attendant qu'on en ait besoin, seulement…

— Seulement, il croyait lui aussi qu'Hellier était l'assassin et il n'a pas voulu attendre davantage, conclut Sean.

— C'est à peu près ça.

— Et ensuite il t'a tout raconté ?

— Oui. Il me l'a avoué, après que vous avez chopé Gibran. Mais ne vous inquiétez pas, dit Donnelly, je me suis débrouillé pour que ça ressemble à un cafouillage et que l'on pense qu'il a, par erreur, envoyé au labo des cheveux d'Hellier, en croyant à tort qu'ils provenaient de chez Linda Kotler, alors qu'on les lui avait prélevés auparavant.

— Autrement dit, il va falloir qu'il explique au tribunal qu'il s'est planté.

— Tout juste.

— Est-ce que ça lui a servi de leçon ?

— Il essayait de bien faire, mais il ne recommencera plus, en tout cas pas avant d'avoir vérifié qu'il ne commet pas une bourde.

— Je vais lui expliquer dans quelles conditions on peut donner un coup de pouce à une enquête, déclara Sean.

— Et pour ce qui est de Gibran, qu'est-ce qu'on fait ?

— On transmet le dossier à la justice, en expliquant qu'on a réuni assez de preuves pour l'inculper de tentative de meurtre sur la personne de Sally et du meurtre de l'agent de police O'Connor. On a au moins de grandes chances d'obtenir sa condamnation. Pendant qu'il sera en détention préventive, on essaiera de faire la lumière sur les autres crimes. On arrivera peut-être, là aussi, à montrer qu'il en est l'auteur.

— Pour changer de sujet, est-ce qu'on s'occupe de la famille d'O'Connor ?

— Oui, dans la mesure du possible.

— Il avait des enfants ?

— Trois.

— Quelle misère !

— Et pour ce qui est d'Hellier, ou plutôt de Korsakov, on fait quoi ?

— Laisse-le à Reger de l'IGS, lui et Jarratt. Maintenant, pour le retrouver, je lui souhaite bonne chance…

— Il y a un truc que je ne pige pas chez Hellier, dit Donnelly. Apparemment, il a toujours eu du fric, et donc les moyens d'aller voir ailleurs. Pourquoi ne s'est-il pas tiré sous les tropiques, par exemple, dès qu'on a commencé à fourrer notre nez dans ses affaires ? Quand on y réfléchit, pour quelle raison travaillait-il chez Butler and Mason ? Il n'avait pas besoin d'argent, il avait déjà planqué un joli magot, et il aurait très bien pu se la couler douce sous les palmiers, en sirotant une bière, une petite femme sur les genoux. Qu'est-ce qu'il avait besoin de jouer à Londres les experts de la finance ? C'était peut-être un imposteur, il n'empêche qu'il bossait. C'est dingue.

Sean n'était pas de cet avis. Il le comprenait d'autant mieux qu'il en savait davantage sur lui, alors que pour les autres, il restait une énigme.

— Pour lui, ce n'était pas une question d'argent, expliqua-t-il, car il s'agissait de prouver qu'il était le plus malin.

— Le prouver à qui ?

— Se le prouver à lui-même, afin de montrer que tout ce qu'on racontait sur lui était faux.

— À ce propos, demanda Donnelly, savez-vous comment il s'est débrouillé pour arriver juste après nous à l'hosto ?

— Non, mais venant de lui, plus rien ne m'étonne. On devrait peut-être aller voir s'il ne nous manque pas une voiture de patrouille, répondit Sean sur le ton de la plaisanterie.

— En effet.

Donnelly se leva pour s'en aller, puis s'arrêta sur le pas de la porte.

— De quoi Gibran parlait-il, pendant l'interrogatoire, quand il a fait allusion à votre enfance et à vos gosses et qu'il a déclaré que vous étiez pareils, Hellier et vous ?

— De rien de précis. C'était juste les divagations d'un type au bout du rouleau.

— C'est ce que je me suis dit.

Donnelly tourna les talons et faillit bousculer Featherstone.

— Salut, patron.

Featherstone lui adressa un signe de la tête et le regarda s'en aller, avant d'entrer et de refermer la porte derrière lui. Sean ne savait pas s'il allait avoir droit à des compliments ou, au contraire, à une engueulade.

— Normalement je vous dirais « bravo », mais dans les circonstances actuelles, ça paraîtrait un peu creux, déclara le commissaire.

— Il me semble.

— Personne n'aurait été capable de boucler cette enquête mieux que vous. Vous avez fait preuve d'une perspicacité exemplaire. Sans vous, Gibran serait toujours en liberté et il s'apprêterait à commettre d'autres meurtres. Bon, je vais vous laisser travailler, mais ne vous épuisez pas à la tâche. Vous n'avez qu'à déléguer certaines responsabilités, puisque vous avez une équipe composée de gens sérieux et compétents.

— Oui, je vais voir.

Featherstone se leva.

— Dernière chose, ajouta-t-il, on a constaté que vous avez des dons, disons, particuliers, et il y en a que ça intéresse.

— Qui ça ?

— Des gens de la police, essentiellement, qui occupent des postes haut placés. Ne soyez donc pas surpris si jamais on vous confie maintenant toutes les affaires intéressantes et susceptibles d'avoir un grand retentissement.

Sean le regarda s'en aller, et comprit le message : il n'aurait plus à pencher sur de vulgaires histoires de crimes passionnels ou de règlements de compte entre dealers car, désormais, il hériterait de celles qui mettent en scène des tordus, que seul un excentrique comme lui serait capable d'élucider…

Épilogue

Le biréacteur fut secoué par des turbulences, ce qui réveilla Hellier et inquiéta des gens autour de lui, qui ne savaient pas que lorsqu'ils amorcent leur descente vers l'aéroport de Queenstown, en Nouvelle-Zélande, les avions de ligne sont généralement pris dans de violents tourbillons. Il regarda par le hublot la chaîne des Remarkables qui barrait l'horizon au sud, et dont les cimes enneigées se reflétaient dans les eaux limpides du lac Wakatipu. Il avait quitté l'hémisphère nord, où c'était l'été, pour gagner l'hémisphère sud, où au contraire l'hiver était arrivé, la plupart des touristes venant ici pour faire du ski. Le pilote annonça qu'ils allaient atterrir dans cinq minutes, et Hellier boucla à contrecœur sa ceinture de sécurité, sans se soucier des soubresauts de l'appareil. Lorsque l'avion se posa sur la piste, les autres passagers poussèrent un ouf de soulagement.

Trente-six heures plus tôt, il se trouvait à l'autre bout du monde, et désormais il allait rejoindre une maison de campagne qu'il possédait depuis longtemps. Il avait utilisé un passeport britannique pour effectuer le trajet de Londres à Singapour, une ville hérissée de gratte-ciel, devenue un centre d'affaires sans âme. Au lieu de prendre tout de suite une correspondance, il s'y était arrêté quelques heures pour se rendre dans le quartier chinois, où il était entré dans une boutique de souvenirs de Temple Street. Le commerçant l'avait tout de suite reconnu, et il était allé lui chercher un coffre. Ça lui avait permis de troquer son passeport britannique contre un passeport australien établi au nom d'un certain Scott Thurston. Moyennant quoi, il était retourné à l'aéroport, où il avait pris un vol pour Auckland, la capitale de la Nouvelle-Zélande.

Onze heures plus tard, il était arrivé à destination, où il avait procédé exactement comme à Singapour : il avait sauté dans un taxi pour aller dans un magasin d'antiquités de Mount Eden, le quartier des jeunes bobos. L'antiquaire avait blêmi en le voyant entrer, il n'avait pourtant aucune raison de s'inquiéter, car cet étrange client n'était demeuré que quelques minutes dans la boutique, le temps d'échanger son passeport australien contre un passeport néo-zélandais délivré à un dénommé Philipp Johnston. Il ne lui resta plus ensuite qu'à retourner à l'aéroport prendre un avion pour Queenstown.

Une fois sur place, il se rendit dans une agence immobilière du centre-ville, dont le responsable, un quinquagénaire, croisa son regard et le reconnut tout de suite.

— Ça alors, Phillip Johnston ! Où étiez-vous passé ? J'avais peur qu'il ne vous soit arrivé quelque chose, lui dit-il avec l'accent nasal des habitants de cette île des antipodes.

— Non, je suis toujours vivant, répondit-il.

Vingt minutes après, il glissait la clé qu'il venait de récupérer dans la serrure de sa villa construite à flanc de montagne. Une fois à l'intérieur, il commença par vérifier l'état des lieux. Rassuré, il posa ses bagages et passa au salon, d'où l'on jouissait d'une vue superbe sur la montagne. Au milieu d'une table, un ordinateur portable flambant neuf branché sur le secteur et resté en mode veille. Il l'ouvrit, aussitôt l'appareil s'alluma et lui posa la question suivante : « Êtes-vous sûr de vouloir continuer à procéder à des virements ? » Il l'avait en effet programmé à distance pour se connecter automatiquement au site de Butler and Mason. Il savoura cet instant délicieux, puis appuya sur « Enter » et regarda s'effectuer les opérations bancaires, sans que son visage ne trahisse la moindre émotion. En tout, ce furent des dizaines de millions de livres qui changèrent ainsi de propriétaire, Butler and Mason contribuant involontairement et à l'insu de ses dirigeants à enrichir des particuliers dont Hellier risquait d'avoir un jour besoin, ainsi que des associations caritatives dont il se fichait éperdument, ces transactions étant réalisées dans le plus parfait anonymat. Quand ce fut fini, il éteignit, puis débrancha le portable. Pour plus de sécurité, il irait le jeter cette nuit dans le lac. En attendant, il sortit sur l'immense balcon, posa les mains sur la rambarde, ferma les yeux et respira à pleins poumons l'air de la montagne. Il était temps de tuer James Hellier et de l'enterrer dans un endroit où on ne le retrouverait jamais, tout comme cela s'était déjà passé jadis pour Stefan Korsakov. En se débarrassant de ce personnage, il effaçait du même coup tout ce qui allait de pair avec lui, sauf deux individus, Sebastian Gibran et Sean Corrigan. Eux, il ne les oublierait jamais. Il ouvrit les yeux, écarta les bras et se mit à rire…

Quinze jours après

Seul dans son bureau, Sean se débattait avec une pile de demandes adressées par le ministère public, désireux d'avoir davantage de preuves de la culpabilité de Gibran.

Il repensa à Sally. Elle lui manquait, comme à tout le monde d'ailleurs. La reverrait-il foncer tête baissée dans les locaux et mettre de l'animation ? Elle était toujours en unité de soins intensifs, par moments elle reprenait conscience, et l'on espérait qu'elle s'en sortirait. Quoi qu'il en soit, elle avait confirmé que c'était bien Gibran qui l'avait agressée.

On frappa à la mort, c'était un agent en tenue.

— Oui ?

Le flic entra et lui tendit une grande enveloppe marron.

— On vient de recevoir ça, dit-il. C'est pour vous.

Sean se pencha au-dessus de son bureau ; c'était sans doute encore un courrier du ministère public. Il prit l'enveloppe.

— Merci, dit-il à l'agent, qui s'esquiva sans autre forme de procès.

À voir les timbres, il comprit tout de suite que ce n'était pas une lettre officielle. Effectivement, elle venait de Singapour. Il la posa délicatement sur le bureau et la palpa afin de détecter un éventuel corps dur, ce qui indiquerait qu'il s'agissait d'une lettre piégée. Il n'avait encore jamais procédé ainsi avant de croiser le chemin de Korsakov et Gibran.

Ne lui trouvant rien de louche, il l'ouvrit avec une paire de ciseaux et se rappela, un peu tard, qu'il ne devait pas la toucher à mains nues. Il enfila par conséquent des gants en plastique — il y en avait une boîte entière dans le tiroir du haut. Il ramassa alors l'enveloppe et la vida sur son bureau.

Des photos en couleur s'éparpillèrent devant lui. Il reconnut immédiatement les deux hommes que l'on voyait dessus : c'étaient Stefan Korsakov et Paul Jarratt, le premier remettant au second une enveloppe marron pleine de billets de banque, avant de lui serrer la main. Inutile de dire que Reger serait ravi.

Au milieu des clichés on avait glissé un petit mot rédigé à la main, d'une écriture simple et très claire :

J'ai pensé qu'elles pourraient vous être utiles. Elles m'ont permis d'être sûr qu'il ne me trahirait pas, mais maintenant elles ne me servent plus à rien. Il m'a déçu. Il n'aurait pas dû agir ainsi. Je regrette seulement de ne pas pouvoir témoigner à son procès.

Désolé de m'être enfui. Vous comprenez pourquoi, j'en suis certain. Je n'avais pas l'intention d'être jeté en pâture aux journalistes, et cela à cause de vous, je ne l'ai pas oublié.

Imaginez que Gibran a cru pouvoir me rouler dans la farine ! J'ai hâte de le revoir, celui-là. Je lui réserve une petite surprise, à ce con prétentieux.

Comment vont ma femme et mes enfants ? Ils forment sans doute des vœux pour que je revienne. Si seulement ils savaient !

Je suis persuadé qu'on se retrouvera, vous et moi. Il me semble, en effet, que je vous dois toujours quelque chose…

Sean garda un bon moment la lettre à la main. Il avait espéré ne plus jamais avoir de nouvelles de Stefan Korsakov, mais au fond il savait bien que celui-ci se manifesterait à nouveau. Il était trop joueur, l'animal.

La sonnerie du téléphone le fit sursauter. Il répondit, c'était Kate.

— Comment ça va, aujourd'hui ? lui demanda-t-elle.

Elle l'appelait beaucoup plus souvent, depuis quinze jours.

— Très bien, répondit-il. Écoute, je me disais qu'on devrait peut-être quitter Londres.

— Pour aller nous installer où ?

— Figure-toi que j'ai reçu l'autre jour un e-mail m'informant que la police de Nouvelle-Zélande cherche à embaucher des flics britanniques. Je peux carrément y être muté comme inspecteur divisionnaire. Les enfants seraient ravis de vivre là-bas.

— Et moi, qu'est-ce que je deviens ?

— Allons, Kate, tu es médecin. On a besoin de toubibs partout dans le monde.

— Qu'est-ce qui t'a donné cette idée ?

Sean regarda la lettre.

— Rien.

Il se rappelait s'être retrouvé au bord du précipice, et qu'un jour, en se regardant dans la glace, il avait aperçu les zones d'ombre qui existaient en lui.

— Je dois simplement en avoir marre de cette ville envahie par les bagnoles, conclut-il.

***

En liberté, je donnais des cauchemars. Maintenant que je suis sous les verrous, je fais l'objet d'une fascination morbide.

En m'emprisonnant, ce sont vos peurs que vous enfermez. Vous m'observez à bonne distance, de là où vous ne risquez rien.

Et qu'est-ce qui vous effraie le plus ? Que l'on retrouve en vous un petit peu de moi, que cette folie attende qu'on la laisse s'exprimer ? Lorsque dans le métro quelqu'un vous marche sur les pieds, il s'excuse et vous lui dites qu'il n'y a pas de mal. Ce n'est pas bien grave, et pourtant vous avez envie de le cogner et de lui réduire la tête en bouillie. Mais vous vous contrôlez, vous ne vous déchaînez pas.

Quant à moi, je ne suis pas encore fichu, loin de là ! La justice britannique me donnera une chance, tout est encore possible. Pour commencer, il faisait sombre chez la femme flic. Comment croire qu'elle ait pu me reconnaître ? Évidemment, lors de mon arrestation, je portais l'uniforme d'un agent de police qui a trouvé la mort. C'est pourtant facile à comprendre : apprenant ce qui était arrivé à la malheureuse Sally Jones, je suis allé la voir à l'hôpital. Or c'est là que j'ai été abordé dans les toilettes par un homme masqué et armé, qui a menacé de m'abattre si je n'enfilais pas cet uniforme. Je lui ai donc obéi, puis je me suis enfui en courant, et ne voilà-t-il pas que l'horrible James Hellier, qui n'est même pas celui qu'il prétend être, m'a agressé sur le parking ! Non, croyez-moi, ce ne sont pas les ruses minables de Corrigan qui vont avoir raison de moi.

Le juge va dire que mon arrestation et mon procès ne sont qu'une parodie de justice, on dénoncera l'attitude de la police, les journalistes vont prendre ma défense, je serai interviewé par Jeremy Paxman et remis en liberté. Les gens vont-ils venir en foule m'acclamer ? Si c'est arrivé à tant d'assassins, pourquoi n'aurais-je pas droit, moi aussi ? Je me dirigerai vers les photographes en faisant le signe de la victoire et clamerai haut et fort que l'on a reconnu mon innocence.

Derniers titres parus chez MA éditions

Les Héritiers de Stonehenge, Sam Christer, Juin 2011

Francesca – Empoisonneuse à la cour des Borgia, Sara Poole, Novembre 2011

Francesca – La Trahison des Borgia, Sara Poole, Avril 2012

L'Évangile des Assassins, Adam Blake, Novembre 2011

Zéro Heure à Phnom Penh, Christopher G. Moore, Février 2012

Le Refuge, Niki Valentine, Février 2012

Le Sang du Suaire, Sam Christer, Mars 2012

Coeurs-brisés.com, Emma Garcia, Mai 2012

Tahoe, L'Enlèvement, Todd Borg, Mai 2012

Paraphilia, Saffina Desforge, Juin 2012

La Cinquième Carte, James McManus, Juin 2012

Le Cri de l'ange, C.E. Lawrence, Août 2012

Vertiges Mortels, Neal Baer et Jonathan Green, Septembre 2012

La Sage-Femme de Venise, Roberta Rich, Novembre 2012

Francesca – La Maîtresse de Borgia, Sara Poole, Novembre 2012

Imprimé en France. - JOUVE, 1, rue du Docteur Sauvé, 53100 MAYENNE
N° 970177U. - Dépôt légal : octobre 2012